"九五"国家重点科技攻关项目
"西北地区水资源合理开发利用与生态环境保护研究"系列专著

新疆经济发展与水资源合理配置及承载能力研究

杨小柳　刘戈力　甘　泓　等编著

黄河水利出版社

内 容 提 要

本书为论述新疆经济发展及其与水资源合理配置和承载能力相互关系的专著。其内容是国家"九五"科技攻关"西北地区水资源合理开发利用与生态环境保护研究"项目中22个专题中的一个重要专题。本书在摸清新疆水资源总量、水资源利用现状、生态环境状况的基础上,对新疆未来经济发展水平和结构的变化、国民经济发展和生态环境改善对水资源的需求,进行了充分的估计和合理的预测;在可持续发展观念指导下,明确了水资源合理配置和水资源承载能力的基本概念、相互关系和分析计算方法;在建立了水资源评价指标体系的基础上,针对北疆、南疆和东疆的具体情况和存在的主要问题,对新疆经济、资源、环境大系统进行了水资源合理配置方案的综合研究,提出了2020年和2050年水资源承载能力指标以及水资源发展的基本方向。

本书可供从事区域发展规划,水资源规划、开发、利用、保护与管理的水利工作者、科技人员、大专院校师生以及其他行业对新疆经济发展和水利建设感兴趣的有关人员阅读参考。

图书在版编目(CIP)数据

新疆经济发展与水资源合理配置及承载能力研究/杨小柳,刘戈力,甘泓编著.—郑州:黄河水利出版社,2003.1

ISBN 7-80621-471-2

Ⅰ.新… Ⅱ.①杨… ②刘… ③甘… Ⅲ.水资源管理—研究—新疆 Ⅳ.TV213.4

中国版本图书馆 CIP 数据核字(2003)第 002651 号

出 版 社:黄河水利出版社

　　　　地址:河南省郑州市金水路 11 号　　　邮政编码:450003

发行单位:黄河水利出版社

　　　　发行部电话及传真:0371-6022620

　　　　E-mail:yrcp@public2.zz.ha.cn

承印单位:黄河水利委员会印刷厂

开本:787mm×1 092mm　1/16

印张:15.375

字数:355 千字　　　　　　　　　　　印数:1—1 000

版次:2003 年 1 月第 1 版　　　　　　印次:2003 年 1 月第 1 次印刷

书号:ISBN 7-80621-471-2/TV·233　　　定价:40.00 元

本研究专题承担单位及人员

专 题 名 称：新疆经济发展与水资源合理配置及承载能力研究（96 -
912 - 02 - 01）

承 担 单 位：中国水利水电科学研究院
新疆水利水电规划设计管理中心
中国科学院新疆生态与地理研究所

专 题 负 责 人：杨小柳　刘戈力　甘　泓
主 要 完 成 人：甘　泓　刘戈力　杨小柳　王永兴　李令跃　章　毅
汪党献　赵　伟　尹明万　张小雷　韩素华　贾宝全
王　浩　张国威　蒋云钟　凯色尔　陈　嘻　周华荣
杨新成　郭春红　马　静　张云辉　雷晓辉
参 加 人 员：陈蓓玉　秦大庸　丁　民　于海鸣　赵晓平　马青山
钱　静　闵　刚　雪格莱提　安鸿志　魏汝均　罗　岩
尤平达　龚　原　安尼瓦尔　邓贵忠　陈　晓
顾　　　　　问：徐乾清　唐其钊　陈志恺
报 告 执 笔 人：甘　泓　刘戈力
报 告 审 查 人：唐其钊　王　浩

总　序

我国水资源问题十分严峻,水资源短缺越来越成为我国经济社会发展的制约因素。党中央把水资源可持续利用提高到我国经济社会发展的战略问题予以高度重视。江泽民总书记指出:"水是人类生存的生命线,是经济发展和社会进步的生命线,是实现可持续发展的重要物质基础。"朱镕基总理在阐述实施西部大开发,促进地区协调发展时指出:"把水资源的保护、节约和开发放在突出位置,加强规划,合理配置,努力提高水的利用效率。"

西北地区国土面积占全国的三分之一强,是我国土地最辽阔的区域,光热条件较好,矿产资源种类多、储量大,在全国具有举足轻重的地位。但是,由于自然、历史、经济、社会等诸多原因,导致西北地区经济发展缓慢,与全国的差距越拉越大。对于西北干旱、半干旱地区,社会经济发展的最大制约因素是水资源以及因缺水造成的十分脆弱的生态环境。因此,为使西北地区能得以可持续发展,必须高度重视其水资源的承载能力问题,要把水资源的合理开发、高效利用、优化配置、全面节约、有效保护和综合治理放在突出的位置。水利在西部大开发中责任重大,必须先行。

"九五"国家重点科技攻关计划"西北地区水资源合理开发利用与生态环境保护研究"项目,从资源水利的思路出发,针对西北地区生态环境极端脆弱的特点,将水资源与经济、生态三者联系起来统一研究,探求水资源同时作为国民经济发展的重要物质基础和生态环境系统中最活跃因子的相互依存、相互制约的定量关系与转化规律。经过多学科联合攻关,该项目提出了内陆河流域的水资源二元演化模式及基于这一模式的水资源评价层次化体系;系统评价了西北地区地表水与地下水资源;初步揭示了干旱区水分—生态相互作用机理,建立了干旱区生态需水量的计算方法;提出了干旱区水资源承载能力计算方法及重点区不同发展阶段的水资源承载力;对西北干旱区 20 世纪 70 年代以来水资源与生态系统相互演变关系进行了研究,并取得了具有新意的成果;提出了针对西北生态脆弱地区的水资源合理配置方案和水资源可持续利用的整体战略建议。经科技部组织的验收委员会验收,项目全面完成并部分超额完成考核目标及主要技术经济指标,研究成果整体上达到国际领先水平。这不仅为这一区域 21 世纪可持续发展战略的制定提供了第一手材料,还为本区域从工程水利向资源水利,从传统水利向现代水利、可持续发展水利转变,通过水资源的优化配置,满足经济社会发展的需求,以水资源的可持续利用支持经济社会的可持续发展,实行面向西北生态经济建设的资源水利发展战略,提供了强有力的科技支撑。

"西北地区水资源合理开发利用与生态环境保护研究"项目成果系列专著的出版,恰逢其时,希望能为我们的西部建设提供些理性思维。热切希望社会各界,为中国水利事业的发展献计献策,继续给予关心和支持。

汪恕诚

2002. 6. 16.

总　前　言

改革开放以来,国家在水资源领域的应用基础研究方面,组织大批科研力量,先后开展了"六五"、"七五"、"八五"和"九五"四期国家重点科技攻关计划项目。通过联合攻关研究,搞清了我国建设社会主义现代化进程中面临的许多影响重大的水问题,取得了一大批在国内外有影响的、具有国际先进水平的成果,大大推动了我国水资源学科的进步。国家重点科技攻关计划已成为我国水资源领域科学进步的里程碑。"六五"攻关项目确定了水资源量的评价方法,并对华北地区的地表、地下水资源量达成了共识;"七五"攻关项目的主要进展是基本摸清了华北地区大气水、地表水、土壤水和地下水的"四水"转化规律,并相应提出了地表水、地下水联合优化调度的方法并用于实际;"八五"攻关项目的主要进展是将水资源开发利用与区域宏观经济联系起来研究,提出了基于宏观经济的水资源优化配置的理论与方法,并对解决华北地区水资源短缺问题进行了具体的方案研究。

"八五"后期,水利部和中国科学院提出在西北地区开展水资源与生态环境方面的应用基础技术研究,得到科技部的大力支持和各有关方面的积极响应。经过专家充分论证,科技部把"西北地区水资源合理开发利用与生态环境保护研究"列为"九五"国家重点科技攻关计划项目,由水利部、中国科学院和国土资源部作为项目主持部门,组织跨部门、多学科联合攻关。参加攻关的有水利部、中国科学院、国土资源部等所属的研究院所、高等院校、生产管理单位等43个,参加攻关人员有450余人,其中有高级职称的256人。项目研究区包括西北陕、甘、宁、青、新五省(区)全部,外加内蒙古自治区西部两个盟,按重点地区划分新疆、甘肃河西走廊、青海柴达木盆地、陕西关中、宁夏各为一个课题,另外设立一个总课题,兼顾内蒙古西部。本着国家攻关项目面向国民经济主战场的宗旨,项目分为两期滚动进行,共分6个课题26个专题开展研究。

本次"九五"攻关,是国家在西北干旱半干旱地区开展的第一个水资源专项研究。针对干旱区生态环境极端脆弱的特点,在以往攻关成果的基础上,进一步将水资源与经济、生态三者联系起来统一研究,以明确水资源同时作为国民经济发展的重要物质基础和生态环境系统中最活跃因子的相互依存、相互制约的定量关系与转化规律,为这一区域的21世纪可持续发展战略的制定提供第一手的依据。

经过4年的多学科联合攻关,项目整体上取得了10个方面的突出成果:一是提出了内陆河流域的水资源二元演化模式;二是提出了基于二元模式的水资源评价层次化体系;三是提出了干旱区水分—生态相互作用机理;四是建立了干旱区生态需水量的计算方法;五是提出了针对西北生态脆弱地区的水资源合理配置方案;六是提出了干旱区水资源承载能力计算方法及重点区不同发展阶段的水资源承载力;七是第一次大规模引入遥感信息和 GIS 技术,对西北干旱区水资源与生态系统相互关系进行了研究;八是系统进行了三分之一国土面积上的水资源评价;九是在地下水方面结合近年钻孔资料填补了空白区,按潜水与承压水分别进行了重新评价,提出了地下水资源量及其分布和可开采量及其分布;十是提出了西北地区水资源可持续利用的整体战略,包括区域发展战略、生态环境保护战略、水资源开发利用战略。上述10个方面的攻关成果,使水资源利用和生态环境研究的整体水平上了一个新的台阶,不仅为这一区域21世纪可持续发展战略的制定提供了第一手材料,还为本区域从传统水利向现代水利转变,实行面向西北生态经济建设的资源水利发展战略,提供了强有力的科技支撑。项目通过了科技部组织的验收,验收专家组认为研究成果整体上达到国际领先水平。

为了使已取得的成果在西部大开发中发挥更大作用,为西部建设提供科学依据,并在实践中不断深化,水利部与中国科学院、国土资源部等有关部门决定在攻关成果报告的基础上,进行修改和提炼,编辑出版这套系列专著,共由如下专著组成:

系列专著之一 《西北地区水资源合理配置和承载能力研究》

系列专著之二 《新疆经济发展与水资源合理配置及承载能力研究》

系列专著之三 《河西走廊水资源合理利用与生态环境保护》

系列专著之四 《柴达木盆地水资源合理利用与生态环境保护》

系列专著之五 《关中地区水资源合理利用与生态环境保护》

系列专著之六 《宁夏水资源优化配置与可持续利用战略研究》

由科技部和项目组织部门聘任的项目专家指导委员会在对项目的咨询、论证、检查、评估、验收等工作中发挥了重要作用。项目专家指导委员会成员为:主任委员徐乾清;副主任委员陈志恺、刘昌明、张宗祜;委员石玉林、于景元、许越先、许新宜、夏训诚、段永侯、李玉山、贾泽民、辛奎德、梁瑞驹。对专家们的辛勤劳动表示衷心的感谢和崇高敬意。

项目管理办公室在项目组织部门的领导下,负责项目执行的日常管理工作。先后参加项目办工作的有陈霁巍、邓湘汉、刘健、田二垒、冯仁国、王瑞江、白星碧、谢丁晓、殷芳、卢琼、吴娟、杜官印等。

科技部农村与社会发展司和中国21世纪议程管理中心的领导和专家对该项目的开展给予了大力的支持和帮助,在此表示衷心的感谢。

由于编辑出版时间仓促,难免有不足和错误之处,敬请读者批评指正。

"西北地区水资源合理开发利用与生态环境保护研究"

项目管理办公室

2002年4月

序

新疆是我国土地面积最大的省区,光、热、水、土、能源、矿产及其他自然资源丰富,发展潜力巨大,是祖国西北边陲的一块宝地。新中国成立 50 多年来,在中共中央、国务院的亲切关怀和大力支持下,新疆各族人民艰苦创业,奋发图强,用勤劳的双手建设美好家园,经济和社会发展突飞猛进,新疆的面貌发生了翻天覆地的变化,为新世纪的大规模开发建设奠定了坚实的基础。特别是中央关于西部大开发战略的逐步实施,又给新疆这块蓄势待发的热土注入了勃勃生机。形势喜人、形势逼人。如何在基础设施建设、生态环境建设和科技、教育、人才等方面加大力度,为迎接新疆的大开发、大发展做好充分准备,成为一项刻不容缓的重要任务。

加强基础设施和生态环境建设,水利首当其冲。由于新疆在地理位置上远离海洋,在地形上又受到群山环抱和阻隔,大气中水汽含量小,降水稀少,形成了一个典型的内陆干旱区。同时,由于新疆独特的气候和地形条件,水资源时空分布不均的状况又十分严重,对社会经济发展和生态环境保护极为不利。因此,如何摸清新疆水资源的家底,并正确评价其特征和利弊;如何实现新疆水资源和生态环境的可持续发展;怎样寻求建立节水型农业、节水型工业、节水型社会的有效途径;如何实施新疆水资源的优化配置,满足西部大开发对水资源的需求;如何科学预测新疆水资源对经济、社会和生态的承载能力等等,已经成为新疆能不能大开发、怎样进行大开发的首要问题,是必须做好的一篇大文章。

为了做好这篇大文章,许许多多从事水利工作或热心水利工作的专家学者都在为此倾心操劳,献计献策。参加本书课题组的同志,正是这些辛勤耕耘者中的一部分。

"九五"科技攻关"西北地区水资源合理开发利用与生态环境保护"项目中的重要专题"新疆经济发展与水资源合理配置及承载能力研究"针对上述问题,进行了充分细致的研究。本书在摸清新疆水资源总量、水资源利用现状、生态环境状况的基础上,对新疆未来经济发展水平和结构的变化、国民经济发展和生态环境改善对水资源的需求进行了充分的估计和合理的预测;在可持续发展思想指导下,提出了水资源合理配置和水资源承载能力的基本概念、相互关系和分析计算方法;在建立了水资源评价指标体系的基础上,针对北疆、南疆和东疆的具体情况和存在的主要问题,对新疆经济、人口、资源、环境大系统进行了水资源合理配置方案的综合研究,提出了 2020 年和 2050 年水资源承载能力指标以及水资源发展的基本方向。研究成果不仅为新疆国民经济发展和生态环境保护策略提供参考,直接服务于西部大开发,而且也为进一步制定新疆水资源可持续发展战略提供了宝贵的科学依据和先进的分析计算手段与方法。

衷心祝愿这一理论研究之花,在新疆跨世纪水利建设大业中结出丰硕的实践之果。

新疆维吾尔自治区人民政府副主席

2000 年 11 月

前　言

　　自 1992 年 6 月联合国环境与发展大会在巴西里约热内卢通过了著名的《里约宣言》和《21 世纪议程》以后,各国政府为其在宣言中所做承诺而进行了不懈的努力,并在研究社会、经济、资源与环境如何协调发展的问题上做了大量的工作。联合国及其所属组织,以及许多国际组织也为寻找一种各个方面均认可的良好途径,以解决人类社会发展进程中所遇到的这一世界性难题作出了非凡的努力,为各国提供了很好的参考。

　　联合国及其所属组织就"环境与可持续发展"问题进行了大量的工作,每年出版近百部书籍和刊物。它们在许多国家的各个领域进行了社会、经济、资源与环境方面的理论探讨和实例研究,使全球范围的可持续发展研究有如火如荼之势,并取得极大的进展。《亚太 21 世纪议程及挑战》(Agenda 21 and Challenges for Asia and the Pacific),是联合国对亚太地区在环境管理和可持续发展中提出的 21 世纪行动计划进行的全面评估,并分析和提出了在实施过程中的限制与机会;《亚太水资源利用与管理手册》(Guide book to Water Resources, Use and Management in Asia and the Pacific),回顾了亚太地区水资源保护、水质、水生态系统现状,提出了战略目标和实施方法;《水与可持续发展准则:原理与政策方案》(Guideline on Water and Sustainable Development: Principles and Policy Options),充分分析了水资源与社会经济发展的关系,以及在亚太地区所取得的成功实例,确定了水资源开发在可持续发展中的基本准则和地位,明确指出:水资源与社会经济发展紧密相连,其多行业属性和多用途特性,使得在可持续发展过程中的水资源工程规划与实施具有极其复杂的职能。

　　美国世界观察研究所自 20 世纪 70 年代末就开始对世界社会、经济、资源与环境的协调发展加以密切关注,发表了大量文章,向世人发出各种警告。尽管一些观点有些偏颇,甚至一些数据不甚准确,但其出发点仍是提醒人类社会,在经济发展的同时,要注意资源短缺、环境恶化的严重威胁。该研究所所长雷斯特·布朗(Laster R. Brown)在其《重新评估地球的人口承载力》(Reassessing the Earth's Population Carrying Capacity)一书中指出,随着当今世界人口爆炸,资源、粮食供求矛盾日益激化,粮食安全将在今后替代军事安全而成为各国政府首要的当务之急。山得拉·波斯特(Sandra Postel)则在《最后的绿洲》(Last Oasis)一书中阐明了水资源的短缺将影响人类社会的各个方面,从中东和平前景到全球粮食安全,以及城市发展和工业布局。其作用正如 20 世纪 70 年代石油价格一样,成为国际争端的导火索和国家经济变化的原因。因此,人们目前所面临的挑战是,在已经控制和利用水的同时,学会如何与水维持一种平衡,并在这一平衡下和谐地生存。

　　在《荀子·王制篇》中有"斩伐养长,不失其时,故山林不童,而百姓有余材也。"《吕氏春秋》中有"竭泽而渔,岂不得鱼,而明年无鱼;焚薮而田,岂不获得,而明年无兽。"实际上,从古代的持续发展萌芽,到现代积极参与和支持国际和国内可持续发展的各类活动,以及目前所进行的以可持续发展为目的的国家"九五"科技攻关项目,体现了我国尽管是发展中国家,在这方面的研究工作则处于国际领先地位。但由于中国人口众多,在快速经济发展的带动下,尽管人均收益有所提高,而人均占有的资源量则大幅度地减少。因此,对水资源的开发利用而言,在有限的资源下如何实施在不同发展阶段、不同地区和不同用户间的水资源合理配置,以及在一定的水资源承载能力下,处理好近、中、远期发展关系,从而实现社会进步、经济发展、环境优越,达到水资源可持续发展的目的,是人类社会也是本专题所追求的重要内容和目标。而在新疆这样一个干旱缺水、荒漠绿洲、灌溉农业的自然环境特性下,超前研究这一重要课题,并提出实施方案,确有其非常重要的现实意义。

早在20世纪80年代初,中国科学院就组织科研生产部门和高等院校及地方单位,成立了"中国科学院新疆资源开发综合考察队",围绕国家提出的"三个基地"(畜产品、经济作物、石油能源),"五个重点行业"(农牧业、石油和石油加工业、食品和纺织业、动力工业、建材工业),"一个命脉、一个动脉"(水和交通运输)的构想,在以往各部门工作的基础上,深入开展了以"新疆资源开发和生产布局"为中心课题的综合考察研究工作。旨在通过综合评价自然资源、自然条件和社会经济条件,搞清新疆的资源开发潜力、环境容量和经济发展方向,勾绘出20世纪末和21世纪初的生产力发展布局远景,明确建设重点和时序,为编制开发新疆的长远规划提供科学依据。

在水资源领域,20世纪80年代后期也开始提出水资源承载能力的研究课题,并取得初步成果。20世纪80年代中,新疆水利厅在自治区科委的支持下,会同有关单位,进行了"新疆水资源及其承载能力和开发战略对策"的课题研究❶。对水资源形成机理、水资源特征及优势、水资源长期变化趋势预测、水资源潜力及承载能力和水资源开发利用对策,进行了深入的研究。研究内容首次涉及到水资源承载力的分析计算方法,并提出初步成果,同时提出的水资源开发对策和措施为自治区水利建设的发展制定了方向。中国水科院也提出了"用水资源可利用量与消耗量和排出量相平衡的原理"计算水资源承载能力的计算方法。指出:水作为自然环境的组成要素,既是一切生物赖以生存的基本条件,又是国民经济和社会发展的重要资源,前者属于水的生态功能,后者属于水的资源功能。水资源开发利用的基本原则是:一方面要充分发挥水的资源功能,获取更多的可用水量以满足社会经济发展的需要;另一方面要重视水的生态功能,不能因过量利用而造成严重的生态环境问题。

20世纪80年代末,在国家农业区划委员会及国家综合考委会的组织下,继联合国粮农组织上一年代末完成的117个发展中国家(不包括中国)的土地资源承载力研究,进行了全国范围的土地资源生产能力及人口承载量研究工作。该项工作全面阐述了我国土地资源承载能力的现状,预测分析了未来,提出了提高土地资源承载能力的对策及战略抉择。同时从不同领域分析论述了与土地资源承载能力有关的问题,如土地资源及其发展趋势预测、水资源供需预测及水土平衡分析、作物结构的调整与配置、耕地资源粮食理想生产量、最大可能生产力与人口承载量等。对全国29个省、市、自治区分别提出了相应的研究报告,对新疆的农业发展也提出了须重视的问题和进一步发展的方向。

1994~1995年,由联合国 UNDP 和 UNEP 组织援助、新疆水利厅和中国水科院负责

---

❶ 新疆水资源软科学课题研究组. 新疆水资源及其承载能力和开发战略对策研究报告.1988年5月

实施的"新疆北部地区水资源可持续总体规划"项目,在水利部、经贸委的支持下,联合自治区有关单位,对新疆北部地区的经济、水资源和生态环境之间协调发展进行了较为充分的研究,提出了基于宏观经济发展和生态环境保护的水资源规划方案,成果受到国际组织和国内专家的高度评价,并得到地方政府的认可。

中国水利水电科学研究院、航天工业总公司 710 研究所和清华大学相互协作,在国家"八五"攻关和其他重大国际合作项目中,系统地总结了以往工作的新鲜经验,将宏观经济、系统方法与区域水资源规划实践相结合,提出了基于宏观经济的水资源优化配置理论。在这一理论指导下的多层次、多目标、群决策方法,具体体现了所提理论方法的区域水资源优化配置决策支持系统,以及应用这一系统对华北水资源问题所进行的专题研究成果。由于我国人均、亩均水资源占有量均远低于世界平均水平,加之水土资源分布和生产力布局间的相互匹配情况不尽合理,解决水资源问题将是中国 21 世纪可持续发展的重大课题。就如何在传统区域发展模式和自然资源开发利用模式的基础上有所突破,进一步丰富面向可持续发展的水资源学科体系,以更好地指导实践,做了十分有益的探索。特别是在水资源优化配置的基本概念、优化目标、基本平衡关系、需求管理、供水管理、水质管理、经济机制、决策机制及各主要模型的数学描述等方面,均属新的研究工作。其理论与方法,在华北地区、新疆北部地区及其所属部分省、地级州市得到了广泛利用,取得了较大的经济和社会效益。

将社会经济、资源、环境问题统一考虑进行区域经济发展规划,特别是水资源规划由来已久。即使在经济不发达的新疆,也同样受到自治区政府、中央政府和国内外各类机构、团体的普遍重视。在近 20 年内,尤其是近 10 年里,对新疆未来发展方向都给予极大的关注,并且对重点发展地区和流域,如乌鲁木齐市、玛纳斯河流域、塔里木盆地、额尔齐斯河流域、伊犁河流域的综合治理与长远规划均进行了大量的工作。在水资源的开发利用上也进行了大量的资金投入,取得了很好的成果,推动了新疆经济的发展和促进了人民生活水平的提高。

世界范围的水资源危机和人口爆炸、能源短缺、环境恶化,是人类在 21 世纪面临的由人类自身带来的巨大灾难,它们将是对人类能否战胜自身的严峻考验。人类在不断认识自然、征服自然的过程中,同时也在不断地认识自己和战胜自己。因此,可持续发展是人类生存与发展的自身需要和必然选择,在考虑经济发展的前提下必须考虑对生态环境的保护,在利用地球资源的过程中必须顾及未来人类对其的利用权力,这一概念已经在较大的范围内得到了初步和广泛的共识。

在《中国 21 世纪议程》指导下完成的《中国水利 21 世纪议程》明确指出:水利发展要为国家经济、社会可持续发展提供坚实的支撑和保障条件。同时指出:中国水利建设虽然已经取得巨大成就,但目前仍是经济和社会发展中的薄弱环节,并在一定程度上制约着经济和社会的可持续发展。

研究基于可持续发展观念下的水资源合理配置和承载能力分析计算方法,直接应用于区域水资源规划管理,并提出区域水资源开发利用基本方针策略,是实现区域经济、资源、环境协调发展下水资源可持续发展的技术手段。国家"九五"科技攻关项目"西北地区水资源合理开发利用与生态环境保护研究"所属专题"新疆经济发展与水资源合理配置及承载能力研究"，在此指导方针下，对新疆的宏观经济发展、水资源合理配置以及在此基础下的水资源承载能力进行了深入的研究，取得了一定的成果，为新疆经济可持续发展提出了水资源可持续利用的基本战略。此专题在摸清水资源数量、质量及其分布规律，水资源开发利用现状和存在的主要问题的基础上，对水资源可利用量进行分析研究，深入研究新疆不同时期、不同经济和社会发展水平对水资源的需求，以及保护和改善生态环境对水的需求，处理好发展国民经济用水和生态环境用水的关系，针对北疆、南疆和东疆的具体情况，提出与可持续发展下的水资源承载能力相适应的水资源合理配置方案。

(1)本专题主要研究内容涉及以下几个方面：

1)新疆水资源及其水资源利用评价与可利用量分析。评价水资源(特别是地下水)的数量、质量及其分布规律，要求对全疆地表水系列延长到1995年，提出不同保证率的年径流量、地表水资源量，年内和季内历时系列。对地下水的形成、分布和转化规律进行分析研究，提出地下水的补给量、可开采量以及水资源总量和可利用量。重点研究工程水文问题，对全疆范围内的大中型水库提出至1995年的月径流系列，并研究水资源与其他主要资源的地域匹配情况。

2)新疆国民经济发展和生态环境需水量研究。对新疆生态环境现状分析及评价，当前存在的主要问题，现状下生态环境对水量的要求；不同水平年满足人类生存环境必需水量的分析预测及研究，提出生态环境用水标准，生态环境保护的需水量。通过深入研究新疆不同时期不同水平年农业、工业、生活用水定额；国民经济发展规模、速度及产业结构；建立国民经济发展动态需水预测方法，满足国民经济发展的需水量。

3)新疆水资源的合理配置和承载能力研究。制定和建立主要内容包括水资源合理配置的评价准则；水资源合理配置需建立的多目标决策模型、模拟模型及辅助模型；水资源合理配置方案；建立水资源合理开发利用的决策支持系统。在此基础上，对水资源承载能力进行了分析研究，提出水资源承载能力计算的理论与方法，水资源对人口的承载能力，水资源对经济发展规模的承载能力，水资源对生态环境的承载能力。

(2)本专题在如下方面具有重大突破或创新：

1)水资源可持续发展评价指标体系。首次建立了基于可持续发展观念下的水资源评价指标体系。主要内容包括：水资源评价指标、水资源开发利用评价指标、生态环境评价指标、水资源合理配置评价指标、水资源承载能力评价指标，从而为快速有效合理地分析研究水资源及其开发利用状况、生态环境演变规律、水资源承载能力奠定了坚实基础，也为水资源规划管理提供了依据。

2)新疆水资源利用现状评价。在更新水资源评价成果、大规模地收集水资源利用资料、建立大型水资源利用数据库和制定水资源利用评价指标的基础上，以1995年资料为基础，首次对新疆水资源利用现状进行了全面完整的分析评价。其主要内容包括：用水供水调查、现状水供需平衡分析、缺水分析、水资源利用存在的问题、典型地区水资源供需平衡详细分析、水资源发展战略分析。通过分析评价，进一步了解了新疆160多万 km^2 面积上的水资源状况和在国民经济发展中的重要作用，明确了各不同区域水资源条件、开发利用程度及开发利用方向，为水资源进一步合理开发利用与保护奠定基础。

3)新疆生态环境现状评价。通过实地调查和资料普查收集生态环境信息，利用 GIS

技术和手段对掌握的遥感卫星资料进行生态环境现状分析。在此基础上,首次进行了全疆范围的生态环境现状评价。在分析新疆生态环境特点,明确生态环境保护原则的基础上,通过建立全疆87县的26项基本参数和20个评价指标,从宏观角度对新疆的农田生态环境、自然生态环境和人工生态环境进行了系统的分析评价,得出了生态环境状况的初步结论,为制定生态环境保护对策措施、实现可持续发展提供基本依据。

4)生态需水研究。在生态耗水(需水)机理研究的基础上,首次进行了全疆范围的生态需水研究。其主要内容包括:生态需水定义与分类、生态需水机理研究、生态需水与国民经济需水关系的确定、生态需水预测。初步提出了全疆生态需水总量,强调了国民经济发展过程中生态环境保护的重大意义与作用。

5)提出水资源发展面临的问题。通过对全疆水资源、水资源利用、生态环境状况、经济发展水平以及水资源利用存在的问题,全面系统地提出水资源发展面临的主要问题,即水资源时空分布与生产力布局不相适应、水资源短缺对生态环境恶化的作用、水资源相对丰富的大河流域开发利用率低、水能资源开发程度低、影响经济产业结构调整和水资源的合理利用、用水效率低、缺乏全疆水资源合理配置总体规划等。从而进一步明确了水资源开发利用方向,为制定发展战略打下了基础。

6)新疆水资源合理配置与承载能力研究。首次将可持续发展观念与水资源合理配置及承载能力研究结合起来,既丰富了可持续发展理论,又完善了水资源合理配置及承载能力的研究分析方法和结合新疆实际的水资源承载能力指标。首次给出了具有科学性、完整性、实用性的水资源合理配置及承载能力的基本概念、内涵、特性、主要研究内容等。提出了科学的、基于宏观经济与生态环境水资源大系统的水资源承载能力分析方法。对基于宏观经济与生态环境的水资源大系统进行了较为完整的系统分析,建立了用于新疆水资源合理配置及承载能力研究的分析模型。按33个计算单元对全疆进行了长系列月时段的供需平衡模拟分析,全面地论述了新疆未来20年经济发展的合理性、需水的合理性以及供水的合理性,提出了具有指导意义和实际操作意义的水资源合理配置方案。首次采用基本消费品平衡交换关系,按不同生活标准对新疆中远期的水资源承载能力进行了综合分析,提出了具有指导意义的提高新疆水资源承载能力的战略对策。

(3)本专题研究成果应用价值和效益分析:新疆地域辽阔,资源丰富,在加快资源优势转化为经济优势的战略方向时,可持续发展的思想和方向尤为重要。综观新疆水利发展史,其典型的干旱环境和独特的自然地理条件,决定了在"荒漠绿洲,灌溉农业"型生存环境和社会体系中水资源的合理配置及承载能力。水利在新疆国民经济和社会发展中占有突出地位,它不仅是绿洲生态的命脉、农业的命脉,也是新疆国民经济的命脉。在新疆这样一个多民族的地区,水利兴而天下定,天下定而人心稳,人心稳才能全力以赴进行经济建设,实现整个社会的繁荣昌盛。尤其是进入20世纪90年代以后,随着新疆"一黑一白"战略的实施和南棉北粮布局的进一步明确,迫切要求继续不断和超前研究水资源的合理配置和承载能力,以适应和指导新疆的经济建设和生态环境保护诸方面的可持续发展。

经过历时2年的紧张辛勤工作,本次提交的《新疆经济发展与水资源合理配置及承载能力研究》专题报告及相应7个子专题报告,全面分析总结了新疆水资源的发展现状、可持续发展战略和水资源承载能力,对新疆今后的发展确定具有实际指导意义。

要特别指出的是,正当攻关工作紧张进行时,1998年7月初,江泽民总书记率中央工作组在新疆进行了为期一周的考察,强调指出:新疆是我国西北一个具有战略地位的区域,又是一个多民族聚居的地区,加快新疆的经济发展和社会进步,是一件关系全局的大事,对实现跨世纪发展目标,保障国家的安全和边防巩固,意义重大而深远。新疆具备了加快发展的有利条件,应该成为我国经济发展特别是下个世纪经济增长的重要支点。新疆有丰富的水土光热资源,发展农业、畜牧业、林业的潜力很大。中央已确定要把新疆建设成国家最大的商品棉基地和重要的畜产品基地、糖料优质瓜果基地、粮食基地、石油石化基地,有色金属后备基地和西北最大的纺织基地。

面对国际国内经济环境发生重大变化和自治区经济建设发展面临的新机遇和新挑战,本次攻关结合实际,不失时机地提交了研究成果,为新疆即将开始的大规模开发提供了决策依据。在新疆,水是社会经济的诸多矛盾焦点。水的问题解决不好,其他矛盾都不好解决。特别是对于新疆这样一个生态环境脆弱的地区,水利上不去无法谈发展,更谈不上可持续发展和人民生活水平的提高。

本次攻关成果中提出的水资源总量,地表水、地下水资源的综合评价等,不仅为专题提供了依据,还为新疆各有关部门正在进行的各类各项规划提供了基础资料。对制定全疆区域规划、国土规划、生态环境保护规划、水土保持规划,近、中、远期的总体布局和实施方案,开发方向等,提供了扎实的基础和依据。特别是提出的南、北、东疆地区的水资源时空分布状况、水质情况等,都具有非常现实的实用价值。

本次攻关中首先对新疆40多年的水资源开发利用现状进行了评价,对于新疆今后繁重的水利建设任务和独具特色的建设模式均有非常实用的价值和经济效益。目前,新疆大多地区的水资源开发利用尚处于粗放型阶段,以引用地表水为主体的水利设施满足了全疆工农业生产的需要,农业已连续实现了19个丰收年,不能不说水利工程起到了基本保障作用,但随着发展的要求和满足经济和生态环境的需要,在相当长的时期内,供需平衡仍是主要矛盾。本次攻关中供需平衡分析有了较大突破,针对新疆普遍存在的四害(春旱、夏洪、风沙、盐碱)、一缺(缺电)现象,采取逐月平衡,反映了现状供需矛盾和缺水状况,并且注重把兵团、地方统一考虑,首次采用行政分区、水资源分区、水资源利用分区三者的统一与分散相结合,其理论、方法和手段都有其独到之处,并有广阔的应用范围。目前,该项成果已被应用于世行南疆塔里木盆地二期项目和加拿大赠款的21世纪议程"塔里木盆地水资源可持续发展"项目的研究中。

新疆正面临着资源优势转化为经济优势的大好机遇,大规模开发条件和时机均已成熟,本成果为新疆抓住机遇提供了良好的基础及依据。根据新疆党委和人民政府的安排,新疆已着手进行全疆水利总体规划,为满足南疆塔里木盆地可持续发展要求,根据正在实施的世行贷款塔里木盆地二期项目要求尽快制定塔里木流域总体规划,并已写入法律文本。本次攻关成果从理论到方法、从定性到定量,特别是基于宏观经济和生态环境的水资源合理配置和水资源承载能力的研究成果,无疑对上述两个关系新疆今后发展的规划起到指导作用,在今后的发展和实施过程中,其作用将越来越大。虽然目前尚无法估量其效益,但这些事关新疆总体发展的战略决策所产生的社会效益,将是巨大的。

本次攻关中首次建立的评价指标体系、数据库系统和决策支持系统,其指导思想突出了可持续发展,并结合了新疆自然地理特性和水资源分布特点。采用这套体系提出的评价成果,展示了新疆水资源各项量化指标、发展方向和模式,帮助新疆总结和正确看待水利建设40多年的得与失、开发程度和存在的主要问题。其理论方法和学科思想,为新疆水资源合理配置开拓了广阔的领域,在理论与实际相结合的进程上,第一次跨进了全国和世界研究的领域中,并涉及了许多边缘学科问题。相信在今后的发展中,这些理论方法和学科思想,对干旱地区资源合理配置的方向和开发利用模式,将起到学科带头和典范的作用。

(4)本专题研究下设4个子专题,共产生7个子专题研究报告。由于篇幅所限,本书无法将其所有内容汇总出版,如对详细的具体内容感兴趣,请查阅有关子专题报告,即:①新疆水资源评价;②新疆水资源开发利用现状评价;③新疆生态环境现状评价研究;④新疆国民经济与生态环境需水预测研究;⑤新疆水资源数据库系统;⑥新疆水资源合理配置决策支持系统;⑦新疆水资源合理配置及承载能力研究。

专题研究所涉及的工作内容和相互关系,见如下框图:

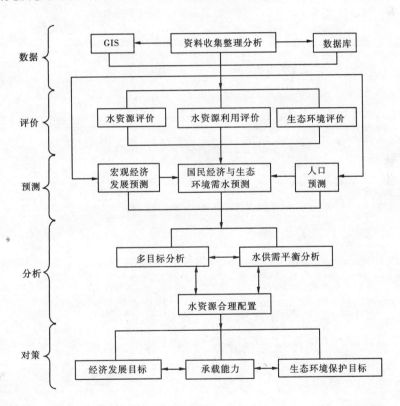

在研究工作中,建立以协调经济发展与生态环境用水关系为前提,水资源的合理配置和承载能力的研究为关键,达到经济可持续发展,生态环境状况得到改善和保护,实现良性循环为基本目标。在具体实施过程中,采用新技术、新方法,在实现数据库和模型库支持的基础上,建立灵活高效的计算机分析系统和决策支持系统,提高工作效率和质量,抓住攻关的关键,以达到攻关制定的目标。

本书共分 7 章。第一章,通过对新疆基本条件的描述,论述水资源与可持续发展的关系,揭示所存在的问题,提出水资源可持续发展战略的基本思路;第二章,对国民经济发展和水资源需求进行分析和预测;第三章,对生态环境现状进行评价,并在生态环境保护基本原则下研究和预测生态耗水量;第四章,论述水资源合理配置和承载能力在可持续发展观念下的基本概念和定量分析方法;第五章,描述水资源合理配置分析原则和进行具体应用方案研究;第六章,分析和提出了新疆水资源承载能力指标;第七章,为新疆经济发展前景展望,对新疆经济发展、生态环境保护和水利发展战略,提出了建设性意见。

唐其钊

2002 年 3 月 3 日

目 录

第一章　水资源与可持续发展

第一节　基本条件

一、自然地理条件

新疆维吾尔自治区是我国面积最大的省区,南北宽约 1 500km,东西长 1 900km,国土总面积占全国的 1/6,为 166 万 km²。北疆为 40 万 km²,东疆为 21 万 km²,南疆为 105 万 km²。地貌概况为"三山夹两盆",北面是阿尔泰山脉,南面是昆仑山脉,天山山脉横亘中部,将全疆划分为北、东、南 3 部分。新疆又是我国边境线最长的省区,周边与 8 个国家接壤,边境线总长 5 600 多公里。新疆深居欧亚大陆腹地,远离海洋,东至太平洋 2 500～4 000 km,西至大西洋 6 000～7 500 km,南至印度洋 1 700～3 400 km,北至北冰洋 2 800～4 500 km。

新疆有丰富的光热资源,太阳辐射总量为 5 440～6 490 MJ/m²,仅次于青藏高原,居全国第二位。光合有效辐射全年为 2 510～3 140 MJ/m²,大于我国同纬度其他地区。日照数全年可达 2 500～3 500 小时,居全国之首。

在远离海洋和高山环抱的综合地理因素影响下,新疆形成了典型干旱气候,集中表现在全区平均降水稀少,广大平原基本无降水形成的径流,盆地中部存在大面积荒漠无流区。水汽来源主要是西风环流携带的西来水汽,其次是北冰洋南下水汽,而太平洋和印度洋的东南和西南季风的影响甚微。据自治区气象部门估算,新疆上空每年水分由西向东输送量为 11 375 亿 m³,等于长江流域水汽输送量的 20％～25％。根据 1956～1995 年平均降水量等值线图量算,全疆地面降水总量 2 546 亿 m³,占空中水分输送量的 22％,而长江流域占 31％。平均年降水深为 154.5mm,为全国平均降水深650.5mm 的 23.8％。降水量的地区分布,总的趋势是北疆多于南疆,西部多于东部,山地多于平原,迎风坡大于背风坡。年降水量,北疆山地一般为 400～800mm,盆地边缘为 150～200mm,盆地中心为 50mm 左右;南疆山地一般为 200～500mm,盆地边缘为 50～80mm,东南缘为 20～30mm,盆地中心为 10mm 左右。

气候干燥,蒸发强烈。蒸发量分布趋势为,北疆小、南疆大,西部小、东部大,山区小、平原大。年蒸发量,一般山区为 800～1 200mm,平原盆地为 1 600～2 200mm(已折算为 E601 型蒸发器的蒸发量计算)。

土壤的形成是与其独特的自然地理环境分不开的,它与生物、气候、地质、地貌、水文地质条件等有关。在高山冰雪活动带,比较湿润寒冷地区是高山冰沼土;在干旱寒冷地区是高山荒漠土。在高山亚高山带,湿润山地是山地草甸土;干旱地区是山地草甸草原土。在森林带,寒冷的阿尔泰山是灰色森林土和山地黑土;在较温暖的天山北坡是褐色森林土和山地黑土、山地栗钙土。在山地草原带，主要是栗钙土、荒漠草原棕钙土。在半荒漠低山丘陵、山间盆地是山地灰钙土。在洪积扇，南疆为原始荒漠土，北疆为灰棕色荒漠土；在干河床为龟裂土；在河漫滩、低阶地是草甸土；在沼地、湖滨是沼泽土。在冲积-洪积平原是荒漠盐土。

由于干旱少雨，又有大量难于利用的戈壁、沙漠和干旱荒山，因此，森林资源非常贫乏、植被稀少。现有森林面积 3 735 万亩❶，森林覆盖率仅为 1.5%。由于降水量随高程变化，因此，植被也有明显的垂直分布规律。在山地，从山顶到山麓，北疆植被情况是：冰雪带-高山垫状植物-高山蒿草芜原-山地云盐杉林-山地狐茅针茅草原-低山荒漠草原；南疆植被情况是：冰雪带-高山裸岩带-高山蒿草芜原-山地草甸草原-亚高山草原-低山半灌木盐柴荒漠。在山前草原，从山麓到沙漠，北疆植被情况是：山麓荒漠草原-蒿草荒漠-芨芨草荒漠草甸-河漫滩沼泽草甸-半灌木盐柴荒漠-白梭梭荒漠；南疆植被情况是：半灌木柴荒漠-灌木荒漠和砾石戈壁。

河流绝大部分属于内陆河流域，除北部的额尔齐斯河流入鄂毕河，最终注入北冰洋；西南部喀喇昆仑山的奇普恰普等河流入印度河，最后注入印度洋外，其余均属内陆河。额尔齐斯河是我国惟一的北冰洋水系河流，在我国境内集水面积为 52 730 km²；奇普恰普等河在我国境内集水面积为 4 410km²。以上两河集水面积之和，占新疆总面积的 3.5%。

发源于准噶尔盆地和塔里木盆地周围山地的内陆河流，向盆地内部流动，构成向心水系，河流的归宿点是内陆盆地和山间封闭盆地的低洼部位。其中，准噶尔盆地西部的额敏河，天山西部的伊犁河和帕米尔高原的小阿克苏河，分别流入哈萨克斯坦的阿拉湖、巴尔喀什湖和萨列兹湖，属中亚细亚内陆区，面积 93 130 km²，占全疆总面积的 5.6%；若羌县境内的托格拉萨依河，流入青海柴达木内陆区，面积 15 360 km²，占全疆总面积的 0.9%；其余占全疆总面积 90% 的为新疆内陆流域。根据河流汇集的湖泊和盆地，新疆内陆区划分为若干个内陆区，即乌伦古湖内陆区、艾比湖内陆区、玛纳斯湖内陆区、巴里坤湖内陆区、准噶尔盆地中部内陆区、艾丁湖内陆区、沙兰诺尔内陆区、塔里木内陆区、羌塘高原内陆区等。其中，塔里木内陆区是我国最大的内陆区，塔里木河也是我国最长的内陆河。

河流的径流形成区和径流散失区的分界线，一般在山区的出山口附近。在出山口以上是山区，降水量大，集流迅速，引水量少，从河源到山口水量逐渐增加，河网密度大，是径流形成区；河流出山口后，流经冲积扇和冲积平原，水量大部分渗漏地下，由地表水转为地下水，部分引入灌区，加之出山口后降水少，蒸发大，因此不能形成径流，是径流散失区。只有少数水量较丰的河流，才能流到盆地内部，潴水成湖，而大部分河流出山口后，水量引入灌区，消耗于灌溉、渗漏和蒸腾散发。

根据实测和调查资料，以出山口河流计算，全疆共有大小河流 570 余条，大部分是流程短、水量小的河流。年径流量大于 10 亿 m³ 以上的河流 18 条，占河流总条数的 3%；径流量 534 亿 m³，约占总径流量的 60.4%。而年径流量在 1 亿 m³ 以下的河流 487 条，占河流总条数的 85.3%，其径流量仅为 82.9 亿 m³，占总径流量的 9.4%。可见，大小河流水量差别甚大。

---

❶ 1 亩＝0.066 67 公顷。为保证各种定额及指标的统一，本书的面积单位仍采用亩表示。

新疆是一个多湖泊的地区,据中国科学院南京地理研究所统计,湖泊面积大于 $1km^2$ 的有 139 个,总面积为 5 504.5 km^2(不包括已干涸的罗布泊和台特马湖),仅次于西藏的 24 183 km^2,青海的 12 335 km^2 和江苏的 6 278 km^2。占全国总湖泊面积 75 610 km^2 的 7.3%。其中,面积在 15km^2 以上的主要湖泊有 10 个,总面积为 3 044 km^2。

因此,内陆盆地与高山相间、丘陵与平原相间、平原与沙漠相间的多种地貌组合,形成了新疆复杂多样的气候条件和资源条件,加之众多的河流分布所形成的平原区星罗棋布的绿洲,"荒漠绿洲,灌溉农业"的明显特色,要求水资源利用须进行系统的分区,才能深入分析研究新疆水资源利用状况,及社会经济发展与水资源合理配置等有关问题。

二、社会经济状况

1995 年是"八五"以来新疆维吾尔自治区经济和社会发展最好的 1 年。全年国内生产总值(GDP)835 亿元,比上一年增长 10%,在全国处于第 22 位,仅占全国总量的 1.4%。国内生产总值中三产的比例为:第一产业,占 30%;第二产业,占 36.2%;第三产业,占 33.8%。第一产业当年的产值为 242.8 亿元,同上年相比,增长率为 9%;第二产业产值为 284.8 亿元,增长率为 14.1%;第三产业产值为 255.8 亿元,增长率为 10%。人均国民生产总值 4 764 元。目前,经济发展中的主要问题是:经济增长中结构和效益问题仍没有得到很好解决,农业基础薄弱,财政状况困难。

(一)农业

1995 年新疆农、林、牧、渔业总产值 405.8 亿元,比上一年增长 7.1%。其中:农业产值 315 亿元,增长 7%;林业产值 5.6 亿元,下降 11.53%;牧业产值 82.5 亿元,增长 9%;渔业产值 2.7 亿元,增长 27%。

1995 年新疆农业生产又获丰收,粮食总产量 747 万 t,比上一年增长 9.6%,占当年全国粮食总产量的 1.6%,位居全国第 22 位。人均粮食产量 443.2kg,高出全国人均占有平均水平 45.9%。棉花总产量 99.2 万 t,比上年增长 6%,占全国棉花总产量的 20.8%,位居全国第一位。主要农产品产量中,粮食总产创新疆历史最高水平;棉花总产、单产、品级、人均占有量、商品量,蝉联全国之冠,成为名副其实的全国的商品棉基地。

林业生产稳步发展,全年造林面积 82.5 万亩,比上年减少 10%。"三北"防护林体系二期工程(1986～1995 年)累计完成造林保存面积 1 424.5 万亩,其中人工造林 31.48 万亩、封山封沙育林 966 万亩、零星植树 4.45 亿株,森林覆盖率提高到了 1.5%。畜牧业生产的当年牲畜繁殖成活数、年出栏牲畜、年末牲畜存栏数、肉类总产量均创历史最高水平。年末牲畜存栏头数 3 724 万头,比上年增长 3.4%,人均占有量 2.27 头;全年肉类总产量 52 万 t,其中牛羊猪肉产量 47 万 t,占全国的 1%,人均 28.7kg,低于全国人均水平 35.3kg/人。渔业全年水产品产量 4.44 万 t,比上年增长 5.8%,人均占有量 2.7kg。

农业生产存在的主要问题是:农业基础设施薄弱,农业投入不足,畜牧业生产的潜力尚末得到充分发挥。

(二)工业

1995 年新疆完成工业总产值 764.3 亿元,比上年增长 14.6%。在总量中,轻工业产值 350.73 亿元,占 45.89%;重工业为 413.56 亿元,占 54.11%。乡属工业企业完成产值23.3亿元,占总量的3%;乡及乡以上的工业企业工业总产值556亿元,其中大型企业工业产值占50%、中型企业占14.26%、小型企业占35.74%。按行业划分,工业产值位居第一位的是石油和天然气开采业,总额为172亿元,占556亿元的30.9%;其次为纺织业,总额为86亿元,占556亿元的15.4%;第三位为食品加工业,总额为44亿元,占556亿元的7.9%。

1995年新疆原油产量为1 268万t,比上年增长9.6%,占全国总产量的8.5%,产量位居全国第4位;纱产量24.5万t,比上年增长23.8%,占全国总产量的4.9%,位居全国第7位;糖产量30.2万t,比上年增加6.3%,占全国的5.3%,位居全国第五位。

工业生产存在的主要问题有:工业产品库存积压增多,企业亏损面较大,资金相互拖欠严重,工业经济效益总体水平不高,尤其是地方预算内国营工业企业效益持续下滑,乡镇企业很不发达。

（三）对外经济

对外贸易全年进出口总额14.4亿美元,按可比口径计算(扣除棉花以出顶进),比上年增长37.2%,创历史最高水平。其中:出口总额7.7亿美元,增长33.4%,棉纱、棉布等大宗骨干产品出口量比上年有较大增长;进口总额6.7亿美元,增长41.9%,区内紧缺的化肥、化工原料、钢材等初级产品进口明显增加。

1995年新疆利用外资进一步扩大。全年新签利用外资协议合同140个,合同金额4.2亿美元,实际利用外资5.47亿美元,比上年增长1.2倍。其中外商直接投资0.67亿美元,增长38.3%;新签内联合同总金额52.5亿元,增长24.8%,实际引进区外资金13.9亿元,增长69.6%。

上述主要国民经济指标表明:新疆的国民经济发展呈现良好的增长势头。农业生产中,棉花总产量占到了全国产量的1/5;工业产值中,石油和天然气开采业、纺织业的产值占到了全疆工业总产值的46.3%。

（四）人口与人民生活

据1995年按新疆1%人口抽样调查推算,全年人口出生率18.9‰,死亡率6.45‰,人口自然增长率12.5‰,年末全疆总人口1 637.3万,比上年年末增加28.65万。在总人口中,少数民族人口1 013.46万,占全疆人口总数的61.9%(少数民族中维吾尔族780万人,占少数民族人口的76.9%)。少数民族人口的自然增长率为14.01‰,汉族人口的自然增长率为9.9‰。1995年市镇人口822.53万,占总人口的50.24%;乡村人口814.77万,占总人口的49.76%。其中,农业人口为1 087.19万,占总人口的66.40%。

1995年从业人员676万人,占总人口的40.69%。在从业人员中,从事农业的人口数占57.42%,从事第二产业的人口数占18.3%,从事第三产业的人口数占24.28%。根据统计资料,从事第一、二、三产业的人口比例,1952年为89.59%、5.1%、5.31%;1980年为70%、14.84%、15.16%。因此,现状水平年从业人员结构有了较大的改变,第一产业从业人员比例逐年下降,而第二、三产业从业人员比例逐年递增。

1995年城市居民人均生活费收入达3 841元,比上年增长33.32%,扣除价格因素后实际增长12.6%;农村居民人均纯收入首次突破千元大关,达到1 136元/人,比上年增长21.5%,扣除价格因素后实际增长10%。

1995 年新疆人口占全国总人口的 1.38%。总体上讲,新疆近年来虽然经济持续增长,农业年年获得丰收,但经济水平仍低于全国平均水平,GDP 总量位于全国 31 个省(市、自治区)的第二十二位,农牧民人均收入位居全国的第二十四位,属于经济不发达地区。在实施"一黑一白"经济战略的基础上,还须加大各方面的投入,以促进新疆的资源优势向经济优势的转变。新疆的资源优势在于以光、热资源和土地为基础的农业优势,丰富的石油、天然气等地下资源优势,以及带动相关产业的经济优势。就农牧业而言,水利是农业的命脉,优先加强水利基础设施建设,是使农业持续稳定再上新台阶的根本,同时也是地处内陆干旱地区的新疆,在可持续利用的战略思想下,处理好资源开发利用、生态环境保护与社会经济发展的基础条件。因此,新疆不同区域的国民经济发展水平状况,与"水"有着密切的联系。

(五)1995 年分区国民经济发展现状

1995 年国内生产总值,北疆大于东疆和南疆之和。北疆 GDP 占全疆总额的 62.3%,东疆和南疆合计为 37.7%。北疆的天山北麓中段区(克拉玛依至乌鲁木齐)的 GDP 又占北疆的 75.07%,占全疆的 46.7%。因此,天山北麓中段区域是新疆经济发展的核心区域,发展前景广阔,被称为"天山北坡经济开发带"。这一带包括了新疆经济最发达的乌鲁木齐市、石河子市、克拉玛依市和奎屯市。1995 年天山北麓中段的人口为 385.6 万,占北疆总人口的 50.6%,人均 GDP 为全疆平均水平的 3 倍,而新疆其他区域人均 GDP 只有2 000~6 000 元。从三产结构来看,凡是第一产业 GDP 所占比例超过总额 50% 的区域,其人均 GDP 只有 3 000 元左右,低于全疆人均 GDP 水平。南疆人均 GDP 为 2 177 元,低于北疆和东疆的所有分区。人均 GDP 较低的还有北疆片伊犁河流域,为 2 794 元;昌吉州东三县,为 2 959 元。这表明,产业结构直接影响区域国民经济的整体水平。南疆交通不便,基础设施差,经济水平仅处于解决了吃饭问题。根据新疆主要经济特征统计,全疆大部分地区工业总产值均低于农业总产值,第二产业相对不发达,除天山北麓中段以外,绝大部分地区经济活动主要围绕农业生产进行。保证粮食生产和其他农牧业产品的稳定增产,以满足人口增长的需求,是新疆目前经济状况的主要特征。新疆分区国民经济特征指标,见表 1-1。

1995 年全疆粮食产量 747 万 t,除天山北麓中段和东疆以外,其他区域人均占有粮食水平大致为 450kg 左右,北疆和南疆人口所占全疆比例与粮食产量所占全疆比例基本一致,只有东疆人口比例高于粮食产量比例。棉花产量南疆占全疆的 67.23%,油料产量北疆占全疆总产量的 82.98%,甜菜总产量北疆占全疆总产量的 83.29%,牲畜头数和肉产量南北疆所占比例大体相等。因此,新疆现状水平年经济水平在区域间的差别较为明显。北疆和东疆经济发展水平明显高于南疆,因南疆国土面积占全疆的 63.54%,人口占47.54%,加上人均 GDP 在 3 000 元以下的伊犁河流域和天山北麓东段,因此,新疆目前有 62% 的区域国民经济处于全疆平均水平线以下,属于相对更为落后的经济区域。

(六)新疆经济发展及在全国经济中的地位

自改革开放以来,新疆社会经济发展十分迅速,各主要社会经济指标增长显著。表1-2、表 1-3 反映了新疆社会经济主要指标与全国同期相应指标的比较情况。按可比价格计算,1978~1995 年,国内生产总值年均增长率为 11.1%,高于全国 1.3 个百分点,其中

表 1-1　　　　　　　　　　　1995 年新疆维吾尔自治区主要经济特征统计

项目	指标	全疆合计	北疆 小计	北疆 占全疆%	天山北麓中段 小计	天山北麓中段 占北疆%	东疆 小计	东疆 占全疆%	南疆 小计	南疆 占全疆%	塔里木河全流域 小计	塔里木河全流域 占南疆%
社会经济特征	土地面积(10^4km²)	166	40.0	24.1	11.4	28.5	21	12.6	105	63.2	53.5	51.0
	人口(10^4 人)	1637.3	761.8	46.5	385.6	50.6	97.1	5.9	778.4	47.5	715.8	92.0
	人口自然增长率(‰)	12.5	9.1		9.0		9.0		10.5		10.5	
宏观经济特点	GDP(10^8 元)	783.4	488.0	62.3	366.4	75.1	59.7	7.6	235.7	30.1	223.7	95.0
	GDP 比上年增长(%)	10.0	9.0		11.2		8.5		3.9		5.8	
	人均 GDP(元)	4 764	5 460		14 616		6 065		2 177		2 678	
	职工年均货币工资(元)	3 841	4 753		7 253		5 899		5 076		5 057	
	农村年人均收入(元)	1 136	1 541		2 405		1 422		720		840	
产业结构特点	第一产业 GDP(10^8 元)	242.8	111.7	46.0	49.3	44.1	12.2	5.0	119.0	49.0	111.0	93.3
	第二产业 GDP(10^8 元)	284.8	194.7	68.4	167.1	85.8	30.6	10.8	59.4	20.9	57.8	97.2
	第三产业 GDP(10^8 元)	255.8	181.6	71.0	150.0	82.6	16.9	6.6	57.2	22.4	54.9	96.0
	第一产业比例(%)	30.0	45.6		15.5		21.3		61.4		55.1	
	第二产业比例(%)	36.2	28.2		61.8		46.9		15.8		19.6	
	第三产业比例(%)	33.8	30.4		47.8		31.9		22.8		25.4	
	农业总产值(10^8 元)	405.8	185.3	45.7		46.4	19.6	4.8	200.9	49.5	187.7	93.4
	工业总产值(10^8 元)	764.3	523.6	68.5	457.0	87.3	56.4	7.4	184.3	24.1	179.0	97.1
农业经济特点	粮食总产量(10^4t)	747.0	365.3	48.9	121.9	33.4	21.4	2.9	360.3	48.2	331.5	92.0
	粮食单产量(kg/亩)	305.5	296.5		356		264		337		337	
	人均粮食产量(kg/人)	443.2	511.0		289.5		212		426.6		412.5	
	棉花总产量(10^4t)	99.2	28.2	28.4	14.3	50.7	4.3	4.3	66.7	67.2	64.4	96.6
	棉花单产量(kg/亩)	83.9	56.3		80.3		91.5		70.6		76.8	
	人均棉花产量(kg/人)	56.8	26.6		22.8		36.6		35.2		42.6	
	油料总产量(10^4t)	49.3	40.9	83.0	9.8	24.0	0.5	1.1	7.9	15.9	7.5	95.7
	油料单产量(kg/亩)	107.4	111.6		120.3		93.3		63.4		83.8	
	人均油料产量(kg/人)	30.0	55.3		20.7		4.6		6.8		8.9	
	甜菜总产量(10^4t)	284.9	237.3	83.3	70.0	29.5	0	0	47.6	16.7	47.6	100
	甜菜单产量(kg/亩)	2 702	2 139		1 293				529		529	
	人均甜菜产量(kg/人)	175	219						15		30	
	牲畜总头数(10^4 头)	3 724	1 684	45	402	24	224	6	1 816	49	1 597	88
	牛羊猪肉产量(10^4t)	47	25	53		27	2	5	20	43	18	88

注：①本表根据《新疆统计年鉴》及《发展中的新疆地州市县社会经济》统计；②价格为 1995 年当年价；③各项指标含新疆生产建设兵团。

"六五"、"七五"和"八五"期间分别为 12.5%、9.7% 和 11.8%。在经济高速增长的同时，人口增长也比较快，全区总人口 18 年间年均增长 1.8%，高于全国 0.4%。粮食生产量稳步上升，1995 年全疆粮食总产量占全国的比重为 1.6%，18 年间以高于全国同期粮食生产 1.6 个百分点的速度增长。在粮食稳步增长的同时，农业高速发展，新疆农业总产值占全国农业总产值的比重在稳步上升，1980 年为 2.21%，1985 年为 2.42%，1990 年为 3.17%，到 1995 年为 3.65%。农业的高速发展，为新疆经济持续发展贡献相当大，"六五"、"七五"和"八五"期间,农业总产值发展速度分别高达10%、10%和7.1%,18年间年均增长8.9%,创全球同纬度地区农业发展之奇迹。但新疆工业发展并不乐观,工业总产值增长速度明显落后于全国同期工业发展的步伐,除"六五"期间增长速度略高于全国外,"七五"、"八五"期间分别低于全国增长2.7个百分点和8.4个百分点,18年平均年发展速度低于全国3.3个百分点。从新疆工业总产值占全国工业总产值的份额看,1980年新疆占全国工业总产值的比例为0.96,1985年略有上升,为0.99,但到1990年下降到0.88,1995年为0.62。

表1-2 新疆社会经济指标占全国的比例 （%）

年份(a)	GDP	人均GDP	工业总产值	农业总产值	总人口	市镇人口	粮食播种面积	粮食总产量
1980	1.46	1.08	0.96	2.21	1.30	2.0	1.8	1.2
1985	1.58	1.12	0.99	2.42	1.29	2.3	1.7	1.3
1990	1.72	1.15	0.88	3.17	1.34	2.3	1.6	1.5
1995	1.73	1.06	0.62	3.65	1.37	2.3	1.5	1.6

表1-3 新疆社会经济指标年增率高于全国的百分点 （%）

时期	GDP	人均GDP	工业总产值	农业总产值	总人口	市镇人口	粮食播种面积	粮食总产量
"六五"	1.7	0.8	0.7	2.0	-0.2	3.7	-1.5	1.8
"七五"	1.8	0.6	-2.7	5.8	0.9	-0.5	-1.1	3.1
"八五"	0.2	-1.7	-8.4	2.9	0.5	0.6	-2.1	0.6
1978~1995年	1.3	-0.1	-3.3	3.8	0.4	1.4	-1.9	1.6

注:表1-2、表1-3中的经济数据按可比价计算而得;表1-3中的数值,负值表示年增率低于全国的百分点。

三、国土资源及其分布

新疆国土总面积166万 km^2,平原区面积744.7万 km^2,占国土面积的44.9%。在平原区面积中,现有绿洲面积为14.28万 km^2,其中天然绿洲的面积为8.08万 km^2,人工绿洲仅占土地总面积的3.7%。全疆土地资源分类及分布见表1-4。

新疆是我国后备土地资源较丰富的省区之一,共有后备宜农土地资源1.3亿亩,占全国后备宜农土地资源的24%。平原区的土地具有宜农、宜林、宜牧的多宜性特点,有利于土地利用方向的转换,土地资源的开发潜力很大,且以二等地为主体,土地质量较好。后备宜农土地资源主要分布在北疆的昌吉州、塔城地区和阿勒泰地区,南疆的巴州、阿克苏地区和喀什地区。这6个区域的后备宜农土地资源占全疆的76%,其他8个地州仅占24%。因此,土地资源相对集中,是土地开发的有利因素。但是,由于水土资源的组合不均,又存在土地开发中水土不平衡的矛盾。新疆土地资源开发存在着许多限制因素(表1-5),其主要限制因素是盐渍化、沙化、低肥、土层薄和地下水位高等,虽然后备宜农土地资源丰富,但一等无限制的后备宜农土地资源仅占适宜开发土地面积的5.83%,因此,二等盐碱中度限制的土地面积6 159万亩是新疆主要的后备宜农土地资源潜力。

表 1-4　　　　　　　　　　　　　　　新疆土地资源面积统计　　　　　　　　　　　　　　(10⁴ 亩)

分项	地区	全疆合计	北疆区	东疆区	南疆区
农区	农耕地	9 106	5 039	373	3 694
绿地	针叶林地	2 387	1 974	116	296
	河谷林地	201	118	1	82
	胡杨林地	2 603	254	24	2 326
	小计	5 192	2 346	141	2 705
草地	草甸草地	11 356	6 607	326	4 423
	草原草地	40 038	12 949	4 205	22 884
	荒漠草地	3 723	3 116	605	0
	小计	55 117	22 674	5 135	27 308
宜农土地资源总量	一等地	862	831	4	27
	二等地	9 697	6 615	399	3 417
	三等地	19 331	6 472	1 498	11 361
	小计	29 890	13 918	1 900	14 072
不能利用土地		150 169	14 120	23 894	112 155
合　计		249 474	58 096	31 445	159 933

注:本表摘自《新疆宜农后备土地资源及开发利用规划》。

表 1-5　　　　　　　　　　　　　　　宜农后备土地资源限制因素　　　　　　　　　　　　(10⁴ 亩)

分项	分区	全疆合计	北疆区	东疆区	南疆区
无限制		862	581	254	27
温度限制	中度	255	167	88	0
排水限制	中度	1 115	517	164	434
盐碱限制	中度	6 159	2 947	548	2 664
	较强	10 905	2 475	466	7 966
	小计	17 064	5 419	1 015	10 630
土质限制	中度	972	46	658	269
	较强	5 848	1 572	1 640	2 636
	小计	6 820	1 618	2 299	2 905
有效土层限制	中度	1 062	602	407	53
	较强	2 556	891	1 640	25
	小计	3 618	1 493	2 047	78
坡度限制	中度	134	61	73	0
	较强	21	21	0	0
	小计	155	82	73	0
合计	一等地	862	581	254	27
	二等地	9 697	4 340	1 939	3 417
	三等地	19 331	4 959	3 746	10 626
	合　计	29 890	9 880	5 949	14 071

注:本表摘自《新疆宜农后备土地资源及开发利用规划》。

四、水资源条件

(一)水资源形成

水资源通常指在水循环过程中可以得到恢复和更新的淡水,主要表现形式是河川径流量和浅层地下水。进入新疆上空的水汽,遇高大的山体可截获大量水汽形成降水,因此,山区降水较丰沛,可形成众多的河流,是径流形成区。而平原区和沙漠区,降水稀少,蒸发强烈,降水量除少量补给地下水外很少或不产生地表径流,是径流散失区和无流区。因而,根据新疆地貌特征和水循环过程特点,新疆可分为山区和平原区二大区域。大约71万 km² 的山区是径流形成区;平原区面积为94万 km²,其中,盆地周边10万 km² 的地区是径流散失区,其余84万 km² 的沙漠和荒漠区是无流区。

由水分循环和水量平衡示意框图,可分析新疆水资源形成和运移转化的大体规律。新疆多年平均年降水量为2 546亿 m³,其中山区年降水量为2 120亿 m³,占83%。山区降水到达地表时,首先植物截留少量降水,通过蒸发返回空中,大部分降水到达地面后其中部分补给河网、湖泊、冰川等各种水体,部分从地表入渗土壤中。当降水强度超过下渗强度时,可形成坡面流汇入河道。渗入土壤中的水量,一部分由土壤直接蒸发和通过植物散发返回空中,一部分以壤中流的形式补给河道,其余部分下渗补给地下水。坡面流和壤中流以及冰川等水体补给河道的水量合成河道地表径流。

山区的地下水又以基流的形式补给河流,成为河流径流组成部分,即由地下水转化成地表水。因此,新疆山区地表水资源量(794亿 m³)包括地表径流(505亿 m³)和基流(289亿 m³)。若加上境外产流流入本区的水量(88亿 m³),则河川径流总量为882亿 m³。山区地下水中还有一部分水,以山前侧渗和河床潜流(51亿 m³)形式直接补给平原区地下水,成为平原区地下水天然补给量的主要来源。这就是说,山区水资源形成过程中的2 120亿 m³ 山区降水量,经过山区流域调蓄与转化,产生了845亿 m³ 的地表和地下水资源,其余水量以各种蒸散发形式返回空中。

山区地表水资源量加上境外流入量,组成河川径流总量(882亿 m³),流入平原区后的转化过程为:以河床入渗(145亿 m³)补给平原区地下水;通过工程引水(460亿 m³)以水库入渗(8.0亿 m³)、渠系入渗(132亿 m³)、田间入渗(35亿 m³)的形式,由地表水转化补给平原区地下水资源;还有部分河川径流量补给湖泊、沼泽或直接流入荒漠区。因此,流入平原区的河川径流量除流出境外的244亿 m³ 的水量外,其余水量通过各种形式转化,最终以水体蒸发、土壤蒸发、潜水蒸发、植物散发等各种形式的蒸散发返回空中。此外,平原区降水量(426亿 m³)中,只有12亿 m³ 入渗补给平原区地下水资源,其余以蒸发形式返回空中。平原区蒸散发量为1 115亿 m³,全区总蒸散发量为2 390亿 m³。

实际上,自然界中各种水量的转化关系要复杂得多,尤其在平原区地表水和地下水之间有多次的转化关系,加上人类活动的影响,可能破坏自然界原有水平衡关系,形成新的水平衡关系,因而产生各种生态环境问题。由于各地的自然地理条件不同,水分循环和水量转化的模式也不同。因此,对新疆水分循环和水资源运移转化规律的研究难度较大,如水汽输送的研究,复杂的地表水与地下水转化的研究,人类活动对水平衡关系的影响等,应逐步累积资料,作为新的专题,进一步深入研究。

(二)水资源总量

新疆的山区是水资源形成区,平原区是径流散失区和水资源开发利用区。在计算全流域水资源总量时,必须分析地表水与地下水以及山区与平原之间的水量转化关系。全流域水资源总量通常以地表水资源量与地下水资源量之和减去地表水与地下水互相转化的重复水量进行计算。

根据新疆水资源总量计算结果,采用 1956~1995 年系列,计算的地表水资源量为 794 亿 m^3,加上平原区地下水资源量 383 亿 m^3,其中的不重复量为 63 亿 m^3,则水资源总量为 857 亿 m^3。由于水资源总量中 90% 是地表水资源,因此,水资源总量的时空分布特征大致与地表水资源量变化相一致。在各地(州)中,水资源总量最多的地区是伊犁地区(150 亿 m^3);阿克苏地区本地产水量为 80.5 亿 m^3,若加上境外水量 63 亿 m^3,也是水资源较丰富的地区。水资源量缺乏地区是吐鲁番(9.4 亿 m^3),乌鲁木齐市(10.3 亿 m^3)和哈密地区(13.8 亿 m^3)。

从水资源二级区水资源总量分布看,伊犁河流域是水量最丰富的流域(160 亿 m^3),其次是额尔齐斯河流域(101 亿 m^3),叶尔羌河流域(71 亿 m^3),阿克苏河流域若加上境外产流量也是水资源较为丰富的流域。这些流域开发潜力较大,天山北坡河流和东天山小河区,水资源总量较小,应注意分析地表水和地下水转化关系,合理地开发利用地表水资源和地下水资源。表 1-6 为水资源二级区水资源总量计算结果。

表 1-6　　　　　　　　　　水资源总量计算结果　　　　　　　　　　($10^8 m^3$)

水资源二级区	地表水资源量	地下水资源量	地表地下水重复量	水资源总量
中亚细亚内陆区	192.66	62.31	57.4	197.6
准噶尔内陆区	126	68.44	46.11	148.3
塔里木内陆区	347.9	226.79	191.15	383.5
新疆羌塘内陆区	20.9			20.9
新疆柴达木区内陆区	4.03			4.03
额尔齐斯河外流区	100	25.36	24.13	101.2
奇普恰普河外流区	2.93			2.93
全　疆	794.4	382.92	320	857

(三)水环境状况

1.地表水水质

新疆各流域内大部分河流水质良好,其中符合 Ⅰ 类水质标准的河长为 1 076km,占评价总河长的 18%;符合 Ⅱ 类水质标准的河长为 2 154km,占评价总河长的 36%;符合 Ⅲ 类水质标准的河长为 2 562km,占评价总河长的 42.8%;符合 Ⅳ 类水质标准的河长为 174km,占评价总河长的 2.9%,这部分水体已受到明显污染,可作为农业灌溉用水,但不适合于其他用途;符合 Ⅴ 类水质标准的河长为 16km,占评价总河长的 0.3%,这部分水体已为污染水体,不经过处理已不具备任何使用功能。

新疆各流域污染最严重的河流是水磨沟河,其河流水质已达 Ⅴ 级或超过 Ⅴ 级,它的污染主要是由于工业污染而造成的。主要污染物为总硬度、氨氮、化学耗氧量和砷化物。

巩乃斯河主要是由于氨氮超标,造成该河流水质达到 Ⅳ 级水质标准,主要原因是该河流地处农牧区,河流流经草原、牧区后,牲畜活动的频繁,造成地表有机物增多,遇较大降水后,地表径流在汇流过程中将地表积存的有机物带入河流,在水体中由于耗氧作用,使得水体水质发生变化。

塔里木河干流、克孜河总硬度超标的主要原因:一方面是塔里木河干流位于塔里木盆地边缘,是径流散失区,很少有降水补给,河水不断蒸发浓缩;另一方面由于河流两岸灌区农田排水带进高盐分回归水回归河道,引起水体中总硬度和其他常量离子含量增高,使之超标。

综上所述,新疆各河流地表水水质基本良好,符合Ⅰ、Ⅱ、Ⅲ级水质标准的河长为5 673km,占评价总河长5 982km的94.8%,说明大多数河流水质较好,符合多功能水质要求。有2.9%的河长(174km)受到明显污染,但尚可用于农业灌溉,只有0.3%的河长(16km)受到严重污染,不经过处理,不具备使用功能。

2.地下水污染

地下水污染,大致可分为人为污染和自然污染。人为污染指工业、城镇、工矿区、生活区以及农田灌溉产生的污染物下渗污染地下水。人为污染按污染类型还可分为工业废物污染、生活废物污染、农药化肥污染、地膜污染、生物污染等。自然污染主要指所含水层本身或补给水源所挟带的各种有害、有毒元素溶于水中所造成的自然污染。自然污染表现在高氟区、低碘区、含砷区、高盐区等,大部分分布在下游,而且分布面积不大。

(1)人为污染。导致人为污染的主要是工业废水及城市污水,污染物主要是有色金属稀有元素,放射性矿物和酸性矿水等。

据初步统计,工业废水及城市污水每天排放废水总量在1万t以上的城市依次是:乌鲁木齐(8 684万t),克拉玛依市(4 210万t),石河子市(1 960万t)、哈密市、喀什市、奎屯市、库尔勒市、昌吉市和伊宁市。上述几个大城市,排污量全年总量近2亿t,其中大部分未经完全净化而直接排入河、渠、库、农田以及直接渗入地下,污染地下水,尚有数十个县排污量未经统计,其数字远远超过上述几个大城镇的排污量。

全疆使用化肥、农药较为普遍,且很集中,因此,对水质有一定影响。从目前的情况分析,对地下水影响较大的是化学农药,尤其是有机氯、有机磷农药,由于化学性质比较稳定,能长期残留在自然环境中,且能在作物、水生生物中富集,给农业生态环境及土壤和地下水造成污染。经统计,全疆化肥的使用量,已由1975年的13万t增加到1993年的118万t。化肥使用总量增加10倍。由于长期施用化肥,加之氮磷比例不够合理,利用率很低,化肥中含有的重金属、无机酸及有机化合物等有害成分大量残留在土壤中,并随灌溉水渗入到地下水含水层,使地下水的水质受到污染。随着农业的发展,化肥施用量将会迅速增加,因此,化肥和农药污染地下水的影响,将会因化肥和农药的增多而增加。经初步分析,田间灌溉中有三分之一的灌溉水回渗,补给地下水,其污染程度视各含水层性质而定。

(2)自然污染。地下水自然污染,主要表现在高氟、高盐或低碘、含砷,以及高盐区等。自然污染虽然分布范围有限,但对人民身体健康影响极为严重,已造成部分危害。目前,全疆尚未进行全面、系统地调查,因此,仅对已发现地区进行具体分析,提出治理方案和预防措施。

第二节　水土资源利用状况

一、土地资源利用状况及开发潜力

(一)土地利用状况

现状水平年新疆农业用地面积为 94 994 万亩。农业用地的构成包括耕地、园地、林地、牧草地和水面面积,比重占总面积的 38.0%。1995 年年底,全疆土地详查耕地面积为 5 978 万亩(统计数为 4 678 万亩,比详查值少 21.7%),园地面积 247 万亩,林地面积 9 600 万亩(其中平原区人工林地实存面积 1 072 万亩),牧草地面积 77 403 万亩(其中,天然草场 75 889 万亩,天然草地改良面积为 1 200 万亩,人工草场面积 315 万亩),水面面积 1 763 万亩(其中湖泊面积 711 万亩,水库水面 249 万亩)。1995 年全疆建设用地面积达到 2 250 万亩,建设用地的构成包括居民、工矿用地,交通用地和水利设施用地,比重占总面积的 0.9%,其中居民和工矿用地 1 302 万亩,交通用地 326 万亩,水利设施用地 622 万亩。现有未利用土地面积为 147 930 万亩,占总面积的 59.3%,其中冰川和永久积雪面积 3 948 万亩,荒草地 15 352 万亩,盐碱地 6 025 万亩,沼泽地和苇地、滩涂地 1 097 万亩,沙地 51 309 万亩,裸岩、裸地和石砾地 74 082 万亩,其他地 3 883 万亩。土地利用现状分类面积及分布状况,见表 1-7;分等级分布,见表 1-8。

表 1-7　　　　　　　　　　　新疆土地利用现状统计　　　　　　　　　　(10⁴ 亩)

分项		全疆合计	北疆区	东疆区	南疆区
土地总面积		249 473	58 778	31 448	159 508
耕地	合计	5 978	3 387	203	2 388
	水田	116	31	0	86
	旱地	5 862	3 357	203	2 303
园地		245	44	35	166
绿地		9 551	3 590	610	5 351
牧草地		77 404	41 044	6 975	29 384
城镇村及工矿用地		1 373	590	282	508
交通用地		326	140	26	160
水域		6 946	1 671	97	5 180
未利用土地		147 930	8 389	23 220	116 320

按 7 大类土地计算,目前已利用的土地总量为 9.7 亿亩,其中耕地占已利用土地的 6.1%,园地占 0.3%,林地占 9.9%,牧草地占 79.6%,水面占 1.8%,城镇村及大工矿用地占 1.3%,交通用地占 0.3%,水利设施用地占 0.7%。全疆农用地总量为 9.5 亿亩(包括农、林、牧等),从分布上看,北疆与东疆、南疆之和大致相等。其中,北疆东南区占 11.5%,西北区占 39.7%,两区合计占 51.2%;东疆区占 8.2%;南疆东北区占 24.1%,西南区占 16.5%。东疆和南疆合计占 48.8%。耕地主要分布在北疆,其中:北疆西北区占 37.4%,东南区占 19.3%,两区合计占 56.7%;南疆占 39.9%,其中南疆西南区占 20.2%,西北区占 19.7%;东疆仅占 3.4%。全疆人均耕地面积 3.5 亩,按人口的分布计

算,人均耕地排序为:北疆西北区 5.8 亩/人,南疆东北区 4.1 亩/人,北疆东南区 2.9 亩/人,南疆西南区 2.4 亩/人,东疆区 2.1 亩/人。

表 1-8 　　　　　　　　　　　　　　　　新疆耕地分等级面积及比重

分　区	耕地总面积(10^4 亩)	一等地		二等地		三等地	
		面积(10^4 亩)	比重(%)	面积(10^4 亩)	比重(%)	面积(10^4 亩)	比重(%)
北疆区	3 384	363.1	91.7	341.6	342.2	1 679.6	466.5
其中:地方	2 188.4	75.5	63.1	1 023.3	379.8	953.1	257.4
东疆区	246.2	45.8	40.5	103.1	84.4	95.3	75.1
其中:地方	102.5	6.8	6.6	38.5	37.5	57.2	55.9
南疆区	2 406.9	212.5	45.8	1 549.6	321.8	644.6	132.4
其中:地方	2 073.3	170.4	45.3	1 399	310.8	503.8	144
全疆(含兵团)	6 036.6	654.4	10.8	2 994.3	49.6	2 388.9	39.6
其中:地方	4 506.9	431.7	9.6	2 559.4	56.8	1 515.8	33.6

(二)土地利用特点

新疆的农业基础较差,特别是水利、地力等方面需要投入很大。从新疆 1949～1996 年的农业生产历史来看,粮食亩产在 100kg 以下的年份达 28 年,100～200kg 的年份有 9 年,200～300kg 的年份也有 9 年,超过 300kg 的年份仅 2 年。1995 年粮食亩产为 306kg,如果按土地详查的耕地计算,粮食亩产就只有 250kg 左右。牧业用地中改良草场只占 0.4%,每平方公里天然草地仅能养活 118 头标准畜。牧草地中荒漠草地的比重很高,林地中灌木、疏林地很多,直接影响了土地利用效益的提高。目前,新疆土地的利用率较低,按 1996 年土地详查变更数计算,土地利用率仅为 38.9%,未利用土地占总面积的 61.1%。因受水资源的限制,即使在可以设想的远景期限内,土地利用率也难以提高到 50%。

土地利用布局分散,土地资源的可利用直接依赖于水资源,而水资源与土地资源分布不协调。数目众多的中、小河流形成了大小不等而又相互分隔的绿洲近 800 个,每个绿洲都被沙漠、戈壁包围分割,这一土地利用格局既限制了土地利用的规模效益,造成地方经济市场狭窄,又影响了土地利用的结构与布局,因而物资的交流受到长距离的限制,各绿洲内的土地利用结构都带有较明显的"小而全"色彩。

土地开发由于受水资源在地区之间、季节之间分布不均的制约,新开发利用的土地必须通过调水、蓄水等工程建设并需建立完善配套的灌排渠系系统,土地开发的成本较高。据调查,每开垦 1 亩荒地的成本大致为 1 000～3 000 元,其中主要是水利建设投资。另外,由于利用中存在较多的障碍因子,如土壤盐碱、风沙侵蚀、土壤板结、土层瘠薄、干热多风、自然肥力低等,使得土地开发难度较大。

由于人口增长很快,近 40 年人口年均增长率达到了 28.1‰,比全国平均水平 16.2‰ 高出近 12 个千分点,因此,反映在人均占有耕地指标上,在 1960 年以前,由 1950 年的 4.5 亩/人增加到 1960 年的 6.9 亩/人,在以后的 30 多年中则逐年下降,1965 年下降为 5.2 亩/人,1980 年降为 3.7 亩/人,1995 年为 2.8 亩/人。人口的增加,建设用地也相应地有较大的发展,"七五"期间非农业建设占用耕地 59.4 万亩,"八五"期间为 54.9 万亩,10 年平均每年占用耕地11.4万亩,加上农业内部结构调整和灾害损失,耕地减少量较大,人均耕地由1976年的4亩下降到了1996年的2.8亩。受"人少地多"传统观念的影响,加上管理落后,建设用地多占少用、先占后用、占而不用等现象比较普遍,建设用地浪费严重。以农村居民点用地为例,1996年农村人口总数1 176万人,农村居民点占地666.3万亩,人均占地377.6 m²,远超国家定额,比全国农村居民点人均用地定额高出1.3倍,居民点内部建筑系数和容积率都很低。

目前土地的用途管制尚未到位,用地矛盾较多,土地纠纷不断,乱占耕地、毁林开荒、滥垦草场、越界用地、违法用地等情况时有发生。虽然新疆多年来不断开荒,但耕地总量却增加不多,有的年份甚至占补失衡。

据统计,新疆在基本建设投资中,农业所占比重"六五"期间为8.9%,"七五"期间为7.8%,"八五"期间降为3.6%。新疆农用地面积大、基础薄弱,总量投入不足的农业资金,平均到单位面积上则微乎其微,难以从根本上改善农业的生产条件。新疆水土资源分布确定了区域性的水土资源不平衡,直接制约着土地资源的开发规模与效益。即使在已利用的土地资源中,由于受水资源的制约,农田的灌溉也不充分。

(三)土地资源开发潜力

1. 后备耕地资源

据土地详查资料,自治区后备耕地资源(牧草覆盖度不超过5%的宜农地)总量7 347万亩。其分布情况是:伊犁地区31万亩,占0.4%;准噶尔盆地北部地区1 136万亩,占15.5%;准噶尔盆地南部地区1 472万亩,占20.0%;东疆地区293万亩,占4%;塔里木盆地北部地区3 498万亩,占47.6%;塔里木盆地西部地区583万亩,占7.9%;塔里木盆地南部地区334万亩,占4.6%。其中,塔里木盆地北部地区、准噶尔盆地南部和北部地区的后备耕地,占后备总量的83.1%,是今后土地开发的重点地区。

2. 现有各类用地的潜力

(1)农用地的潜力。农业用地包括耕地和其他农业用地。

耕地。一是现有耕地利用率不高,近10年平均总播种面积只占耕地面积的96.2%,如按正播面积计算,耕地利用率只占90%左右,休闲地较多,复种指数低,说明在耕地的利用上还有一定的潜力;二是耕地中存在着诸多的障碍因子,中低产田的比重较高。据有关专题的研究,耕地中肥力低下者占一半以上,土壤盐渍化的耕地约占三分之一,风沙侵蚀、土壤板结、土层瘠薄、无灌溉条件等各类耕地约占四分之一,由以上各因子而形成的中低产田占耕地总面积的88.9%;三是耕地外部的生态环境较差,直接威胁了耕地的利用。据统计资料分析,自1990年以来的7年间,自治区农业受灾面积年均达750万亩左右,占播种面积的16.5%。

从以上3个方面分析可知,现有耕地的利用潜力还是很大的。耕地利用率如能提高5%,就等于增加240万~300万亩的耕地;现有中低产田中能有50%改造为高产田,则就相当于新增耕地900万~1 000万亩的耕地;受灾率如能降低到10%,也意味着可增加20万亩的耕地。

其他农业用地。从前面的现状分析可知,园地、林地、牧草地和水面的产出率都不高,内涵潜力都很大,必须逐步实施集约化利用。

(2)建设用地的潜力。建设用地包括城镇村用地和其他建设用地。

城镇村用地。1996年城镇村用地总量784万亩,按自治区总人口计算,人均达310m²,不仅高于国家标准,而且比全国水平高出近1倍,这反映了用地内部有很大的潜力。

其他建设用地。由于长期受地多人少思想观念的影响,新疆的工矿用地、交通用地以及水利设施用地,普遍存在着用地定额高、占地规模大的情况,内部潜力很大。

二、水资源可利用量

水资源承载能力研究,按2020年和2050年两个水平年计算。2020年代表中远期,根据水资源开发利用规划和水资源合理配置方案分析的研究成果进行较详细的分析计算;2050年代表远景,远景的水资源承载能力,根据利用供需平衡原理,即水资源可利用量与耗水量相平衡的原理粗略估算。

根据本次研究,新疆的多年平均自产地表水总径流量为794亿m³,按75%来水保证率(采用典型年法计算,典型年为1957年和1963年)计算为734亿m³。远期可以被开发利用的水量还须考虑以下几部分:

(1)羌塘高原的水量无法利用。

(2)在出入境河流的水资源总量中,参照国际惯例按公平合理的原则开发利用。

(3)远景平原区下游天然生态环境耗水量正常年份为121亿m³,75%保证率的来水年份可以只维持天然植被的生态耗水92亿m³,而放弃河湖生态补水29亿m³。

(4)本次提出的新疆平原地下水补给量为402亿m³,地下水资源量为383亿m³,其中地表水转化补给量为320亿m³,天然补给量为63亿m³,井灌回归补给量为19亿m³。这说明新疆地表水与地下水转换频繁,有利于重复开发利用。由于可利用量不包括重复利用量,故新疆地下水资源可利用量为63亿m³。

综上所述,新疆水资源可利用量多年平均值为628亿m³,75%来水保证率时为610亿m³。

三、水资源利用状况

截至1995年,新疆修建各类水库463座,总库容63.58亿m³。建成引水流量大于1.0m³/s的各类引水渠首417座,总引水能力14 769m³/s;各级灌溉渠道(干、支、斗、农)总长度30.6万km,其中已做防渗处理的为6万km;各级排水渠8.6万km,机电井2.8万眼,其中配套2.6万眼,机电井设计年供水能力达到43.7万m³;提水工程294处,设计年提水能力1.8亿m³;污水回用处理工程22处,年处理能力为1.0亿m³;其他工程(坎儿井等)设计年供水能力为10.6亿m³。新疆1950~1965年以引用地表水为主,1980年到1995年水库、地下水和其他工程供水量有了较大的增长,1980年以后随着水库、地下水和其他工程供水量的增加,年总供水量有所下降,这反映了由于水利工程结构的变化,供水量趋向合理,用水的浪费量减少,供水的保证率有所提高。从新疆水利工程的发展和供水量变化可以看出,新疆的水资源开发利用,必须加大力度进行水利工程结构的转变,提高水库的调控和地下水的开采量,方可满足国民经济的不断发展。

1995 年全疆总灌溉面积 6 001 万亩,其中种植业灌溉面积 4 360 万亩,平原人工林(含果林)890 万亩、灌溉草场 751 万亩。在总灌溉面积中,北疆为 2 850 万亩,东疆 239 万亩,南疆 2 912 万亩。1995 年全疆各业净需水量为 214 亿 m^3,其中农业灌溉净需水量为 197 亿 m^3,农村居民牲畜需水量为 3.6 亿 m^3,城镇生活及工业需水量 12.9 亿 m^3。1995 年全疆各业总需用毛水量为 436 亿 m^3,其中农业灌溉占 95%,工业和人畜需用水量占 5%,按城市和农村划分,城市需用水量(包括城镇工业和城镇居民生活)占 3%,农村需用水量(包括农业灌溉、农村居民生活及牲畜需用水量)占 97%。在界定的生态耗水量中,人工生态系统的耗用水量与农业灌溉和其他用水部门的需用水量存在重复部分。农牧业毛需水量,北疆占全疆的 36.7%,东疆占 4.2%,南疆占 59.1%。城镇和工业需水量,北疆占全疆的 68.4%,东疆占 9.9%,南疆占 21.7%。需水结构反映了北、东、南疆在产业结构上的较大差异。

1950 年新疆水资源引用量(含地下水)为 203 亿 m^3,1995 年全疆各类水利工程向各行业总供水量 459 亿 m^3。其中:地表水 421 亿 m^3,占评价区当年地表水资源量的 67%;地下水开采量 37.8 亿 m^3,占平原绿洲地区地下水可开采量的 15%。总供水量中占比例最大的行业为农业灌溉,1995 年农业灌溉供水量为 447 亿 m^3,占总供水量的 97%,其次为工业(含乡镇企业)供水量为 5.2 亿 m^3,占 1%。城镇生活供水量 4.6 亿 m^3,占 1%;农村人畜供水量 3.6 亿 m^3,占 0.8%。纯生态供水量(额河干流引额补湖一项)0.58 亿 m^3。在总供水量当中,引水工程供水量占比例最大,为地表水供水量的 79%;蓄水工程占 18%;扬水站、坎儿井等其他工程供水量占 3%;地下水工程供水量占总供水量的 8.2%。因此,现状供水量中的绝大部分水源为地表水,地表水中主要供水工程为引水工程,供水量占绝对比例的行业为农业。南疆水库工程规模较小,而且供水量稳定性较差。引水工程近几年实际供水量未达到其应有的供水能力。

根据分区统计情况,地表水供水量及引水工程供水量所占比例最高的为南疆,其次为北疆,东疆地下水和其他工程的供水比例较高,反映了供水量与当地水源条件关系密切。分行业分区供水量统计结果表明,北疆的工业和城镇生活供水量占全疆这两项总供水量的比例很高。1995 年北疆城镇工业和居民生活供水量为 7.6 亿 m^3,占全疆总数的 78%,反映出供水结构与当地的经济发展水平关系密切。1995 年地下水总供水量 37.8 亿 m^3,其中向农业供水 30.5 亿 m^3,占 80.7%。

全疆地下水可开采量为 250 亿 m^3,现状水平年全疆地下水抽水量为 37.8 亿 m^3,加上引用平原区泉水 36.5 亿 m^3,坎儿井取水 3.8 亿 m^3,全疆利用地下水总量已达 78.2 亿 m^3。地下水开发利用程度较高的地区,多为地表水资源相对短缺的地(州)、大中城市及铁路沿线工业相对较集中的地区,如乌鲁木齐、石河子市、昌吉州所属各县及东疆的吐鲁番市、哈密市等。上述地区地下水现状开采量合计占全疆的 68%。目前,这些地区的地下水开采量已接近或大于可开采量,今后开发潜力有限,南疆大部分地区的地下水开发利用程度较低,其现状开采量仅占全疆开采总量的 14%,占南疆可开采资源量的 3.7%,开发潜力很大。新疆目前的水利工程设施,无论是数目还是供水能力,引水工程占有相当大的比例,尤以南疆地区更为突出。各类水利工程为农业的供水量占主导地位,比例为 98%,其中引水工程和蓄水工程几乎百分之百是为农业灌溉服务的,而这两项工程又占各类水利工程总供水能力的90%。在主要的供水设施中,调节性水库工程供水能力仅占总供水能力的14%,其中又以平原水库为主,山区控制性调节水库的规模目前很低,现有山区水库的总规模仅控制了地表水多年平均径流量的2%,山区水库为农业的供水量也仅占全疆水库工程为农业总供水量的8%。因此,现状下新疆水库规模不足,能起到调控作用为农业灌溉服务的山区水库更是匮乏。

在新疆以农业为主导地位的国民经济体系中,农业灌溉的根本保障措施水利工程,仍是以控制能力很低的引水工程为主要手段,蓄水和地下水调节工程供水规模只占21%,反映了现状水利工程措施抵御干旱、洪水等自然灾害能力较低。机电井为灌溉提供的供水量在新疆很不均衡,南疆的农业灌溉供水工程普遍单一,供水工程的结构难以提高农业灌溉供水保证率的程度。目前,全疆水利工程向农业供水效率基本情况为:水资源丰沛的地区和南疆地区普遍偏低,而水资源相对短缺地区的工程供水效率相对较高。总体上,全疆年引用水量已达到较高的程度,部分区域已在绿洲下游的湖泊、河流,产生了较多的生态问题。增加水利工程的控制能力并实施区域性的水资源再分配、农业节水灌溉、开发利用地下水,是新疆今后水资源利用面临的三大主要目标。

四、重点地区缺水状况

(一)塔里木河干流下游

塔里木河干流下游,是塔里木河绿色走廊的关键部位,主河道长约428km,走廊面积4 240km²。此段可分为3个部分:

上段为卡拉至铁干里克,该区域现有农二师的5个团场,居住着近4万人口,现有22.65万亩的耕地和3.3万亩的果园,5个团场主要依靠卡拉水库和大西海子水库供水。1991～1995年卡拉断面平均来水2.38亿m³,加上库塔干渠5年平均引水2.26亿m³,合计年平均供水4.64亿m³。

中段铁干里克至阿拉干,为尉犁和若羌两县的主要牧区,可利用草场面积约259万亩,可放牧牲畜4万头,但因缺乏人畜饮水,现只有42户牧民,人口350人左右,放牧不足1万只羊。此段中的大西海子至莫苏段,年平均从大西海子下泄0.41亿m³的水量,地下水位虽有下降,但大部分地区地下水埋深还保持在5～7m,尚在胡杨和柽柳可生长范围内,所以可认为在植被基本生长的地下水位线范围内。英苏以下由于河水断流,潜水埋深大都下降到8～12m,已不适合胡杨和柽柳等乔灌木生长,植被衰败严重。

下段阿拉干至台特马湖,由于河水断流多年,地下水得不到补给,潜水埋深已下降至地面以下10～12m,甚至更低,胡杨呈现的是枯死林,林下也多无植被,林地沙化严重,已形成2～3m高的流动沙丘。

根据塔里木河流域整治及生态环境保护研究成果,上段灌区毛需水量5.91亿m³(河道、水库、渠道及田间渗漏水2.4亿m³,能够满足维护该段的天然植被需水)。维护大西海子以下自然植被所需水量,恢复因河道断流形成的目前地下水埋深到4m时的水量为2.07亿m³。两项合计约需8.0亿m³的水量。目前,塔里木河下游5年平均得到的水量仅为4.64亿m³,缺水量为3.36亿m³,其中农业生产和人畜饮用缺水为1.29亿m³。

(二)艾比湖

艾比湖位于新疆精河县北部,形成期水面面积约 3 000km² (距今约 2.5 万年)。1950 年时湖水水面尚有 1 070km²。1950~1977 年,湖水面缩减至 522km²,平均每年缩减20.3 km²。20 世纪 90 年代湖水面面积维持在 500km² 左右,最大水深约 2.8m,平均水深约 1.4m,储水量约 7.6 亿 m³,湖面 12 月封冻,翌年 3 月解冻,最大冰厚 0.32m。近期湖面急速变化的原因,是由于艾比湖流域各入湖水源区发展经济、扩大灌溉面积大量引水造成断流后减少了约 2 亿 m³ 的入湖水量。目前,注入艾比湖的水源主要为博尔塔拉州的博河、精河,另外还有托里小河区和湖区的降水。

经水量平衡计算,1977~1987 年,平均年入艾比湖地表水量 5.6 亿 m³,地下水1.02 亿 m³,湖面降水量 0.51 亿 m³,平均每年获得水量共 7.13 亿 m³,这些水量全部消耗于水面蒸发。1988 年艾比湖流域是丰水年,入湖地表水 7.43 亿 m³,地下水 1.09 亿 m³,湖面降水 0.6 亿 m³,当年艾比湖获得总水量 9.12 亿 m³,其中 8.56 亿 m³ 的水量消耗于 651km² 的水面蒸发,只有 0.56 亿 m³ 增加了湖的储水量。1988 年入湖地表水增加了 1.83 亿 m³,水面扩大了 109km²。1989~1993 年,平均地表入湖水量为 4.64 亿 m³,其中最多的年份为 1993 年,为 5.86 亿 m³。艾比湖的水面面积年内有较大的变化幅度,1990 年 5 月湖水面面积为 615km²,低水位的 9 月水域面积为 568km²,一年内高低水位间水域面积相差 46.6km²。

根据《艾比湖演变及其对环境的影响》一文的分析计算,平均入湖水量增减 1 亿 m³,湖泊储水量便增加或减少 0.48 亿 m³,湖面水域面积将会扩大或缩减 80km²。以此计算,若使艾比湖水面面积恢复到 1950 年的 1 070km²,则需增加水量约 7 亿 m³。目前,对艾比湖的湖面面积,大多数研究成果趋向于维持在 500km²。如果按上述的入湖水量,现状水平年维持湖泊水域 500km² 的面积基本上不缺水。但目前劣变的生态环境状况,500km² 的水域面积显然偏小。改善艾比湖的湖滨环境,除了增大水域面积外,还应实施人工植被加以弥补,进行育林封沙。就现状情况看,湖水面积应在 750km² 以上,并重点在湖的北面加强人工植被的种植,方可遏制严重的沙尘暴气候。因此,估算艾比湖的缺水量在 3 亿 m³ 左右。

(三)乌鲁木齐市及克拉玛依地区

乌鲁木齐河流域界定为由 5 条水系组成,即乌鲁木齐河水系、头屯河水系、柴窝堡水系、达坂城水系、白杨河水系和阿拉沟水系。流域多年平均地表水资源量为9.94 亿 m³。流域现有灌溉面积 125 万亩,人口 150 多万人,工农业产值约 102 亿元,其中工业产值占 97%。现状水平年各业总用水量 11.7 亿 m³,其中农业用水占 82.4%,其余2.06亿 m³ 的城市用水中,工业用水量 1.16 亿 m³,居民生活及城市绿化用水量分别为0.64亿 m³、0.27 亿 m³。用水总量中,地表水用水量为 7.54 亿 m³,其中农业利用污水 836 万 m³、城市绿化利用污水量 273 万 m³。地下水合计开采量 4.15 亿 m³,其中:农业提用水3.05亿 m³,占 73.5%;自备井提水 0.43 亿 m³;自来水 0.67 亿 m³。

乌鲁木齐河流域目前水资源处于过量开发状态,区内开发利用程度不平衡。在 9.94 亿 m³ 水的总资源量当中,有 37.4%的地表水资源分布在达坂城、柴窝堡水系,该区人均地表水资源占有量分别为 4 570m³ 和 18 770m³,每年引用水量仅 1.5 亿 m³ 左右,水资源开发利用程度很低;市区及市区以北部分地表水资源量 5.71 亿 m³(含从头屯河引入的 1.22 亿 m³),总水资源 6.32 亿 m³,人均水资源占有量不足 500m³,目前开发利用量达 10.58 亿 m³,重复利用率已达 167%。据《乌鲁木齐市城市水资源精确测验与评价研究》(新疆水文水资源局,1996 年)分析研究成果,流域内最大可引用水量只有 9.44 亿 m³,而实际用水量超过最大引水量 1.2 亿 m³,出现了需大于供的情况。之所以供需平衡,是靠地下水的超采和污水的利用来弥补的。超采地下水的结果已引起了地下水位下降和水质的恶化。目前,乌鲁木齐地区水资源利用存在的问题除地下水超采外,用水结构不合理也是问题之一。多年来,农业用水比例一直较大,占 85% 左右,农田灌溉方式和灌溉技术水平还比较落后,毛灌溉定额相对其他地区虽然绝对量比较低,但对于乌鲁木齐这一经济较发达区域而言,仍显得过高。工业用水中耗水量较多的重工业用水比例偏高,黑色金属冶炼、火力发电、石油化工及化肥占工业总用水量的 60% 以上。目前,城市生活用水日趋紧张,自来水公司的日供水量已超过 30 万 m³,但夏季日缺水量仍达 14 万 m³,市区内的北山坡、碱泉街、卡子湾、六道湾等地,缺水更是全年时有发生。而同时,城市用水浪费现象也比较严重,工业用水重复利用率低,万元产值耗水量偏高,居民和社会生活用水中浪费现象还比较严重。

克拉玛依地区包括克拉玛依市及北疆油田。克拉玛依市现以形成的米油区,地处水资源极为匮乏的准噶尔盆地边缘,当地不产径流,目前全市惟一的地表水源为发源于塔城额敏县境内的白杨河。白杨河多年平均径流量 2.18 亿 m³,流经塔城地区的托里县和布克赛尔蒙古自治县后,进入克拉玛依地区的多年平均地表径流量为 1.16 亿 m³。克拉玛依市及工矿区地下水资源量为 0.87 亿 m³,其中重复量为 0.7 亿 m³。

克拉玛依油区的白杨河水库与下游的白碱滩水库,是接纳和调蓄白杨河下泄洪水的两个调节水库,总库容为 5 600 万 m³,是供给克拉玛依市生产和生活全年需水的主要水源。克拉玛依油田百口泉水源地,补给源为达布图河和克拉苏河尾端从冲积扇顶部流入时补给第三系地层的承压水,补给源可靠。百口泉水源地自 20 世纪 60 年代初开发至今,年平均开采量为 1 000 万 m³。

1995 年克拉玛依地区人口为 46.79 万,原油产量 793.9 万 t,原油加工量 456.1 万 t,耕地面积 4.09 万亩,总灌溉面积 7.5 万亩。工业年需水 0.61 亿 m³,居民生活及公共事业需水 0.88 亿 m³,总灌溉面积毛需水量为 0.51 亿 m³,灌溉定额 680m³/亩,工农业生产和生活总需水量为 2 亿 m³。根据两个水库和地下水源地 $P = 75\%$ 时的工程可供水量为 1.12 亿 m³,$P = 50\%$ 时时的可供水量为 1.35 亿 m³,目前克拉玛依地区年污水利用量平均为 0.31 亿 m³,以此计算,克拉玛依地区在 $P = 50\%$ 的缺水量为 0.34 亿 m³,$P = 75\%$ 时的缺水量为 0.57 亿 m³。引额供水一期工程可研论证的克拉玛依地区缺水量在 2000 年水平年时,$P = 50\%$ 时的缺水量为 0.604 亿 m³,$P = 95\%$ 时的缺水量为 0.993 亿 m³,因此现状水平年分析计算的缺水量,基本符合在 1990 年水平年基础上预测的结果。

综合现状不同保证率下的缺水状况,按 1995 年现状代表年分析,在 $P = 50\%$ 保证率时,全疆农业生产缺水量为 30.85 亿 m³,塔里木河干流下游缺水量为 3.63 亿 m³,艾比湖生态缺水量为 3.0 亿 m³,乌鲁木齐及克拉玛依城市及工业生产缺水量为 2.52 亿 m³,合计为 40 亿 m³。$P = 75\%$ 保证率下,全疆农业生产缺水量为 48.05 亿 m³,塔河干流下游农业生产和人畜饮用缺水 1.29 亿 m³,乌鲁木齐市及克拉玛依城市及工业生产缺水量 2.95 亿 m³,合计 52.29 亿 m³。$P=95\%$ 保证率下,只计入乌鲁木齐及克拉玛依的城市及工业生产缺水,总量为 3.24 亿 m³。

在 $P=50\%$ 保证率下,供水对象包括居民生活、人畜饮水、工业生产、农业灌溉及生态等所有的用水范围。此时虽然来水量多,且供水量也较多,但对于新疆而言,除农业灌溉外,生态用水是第二个大户,其主要部分为现有绿洲边缘的自然荒漠植被。自然荒漠的植被用水来源,一是河道在汛期的下泄水量,二是农田灌溉的回归水。而荒漠植被的面积和分布,以及目前分布区域的地下水位和植被生长状况,尚缺乏可靠的基础资料。根据新疆目前沙漠化发展现状,荒漠植被缺水状况是存在的。

第三节 水资源可持续发展面临的问题

一、水资源时空分布与生产力布局不相适应

(一)水资源分布不均及开发利用程度不平衡

新疆以天山为界,北部面积仅占全疆的 27%,南部面积占 73%,但水量约各占 50%,因而北疆相对水资源较多。若再将新疆北部、西部与南部、东部比较,南部和东部拥有水量仅占全疆总量的 7% 左右,北部和西部比例占到了 93% 左右,伊犁河和额尔齐斯河两大流域就拥有水量 282 亿 m³,占全疆总量的 32%,但利用率仅 20% 左右。水资源的地域分布不均,水量丰沛的流域,水资源的利用程度很低。

新疆人均占有地表水资源量为 4 816m³(含入境水量则为 5 383m³/人),现有耕地亩均占有水量 1 680m³/亩。但区内因流域水资源条件差别很大,现有人均占有水量最多的为额尔齐斯河,为全疆平均水平的 5.4 倍,最少的为乌鲁木齐河流域,仅为全疆平均水平的 2.1%,不同流域内人均占有水量最多与最少的比值为 47:1。全疆人均占有水量低于平均水平区域的人口为 1 200 万,占全疆总人口的 73.2%,全疆现有耕地面积占有水量低于平均水平区域的面积为 3 557 万亩,占全疆现有耕地面积的 72.9%。新疆目前约有 2/3 的人口和耕地水资源占有量偏低,今后这一范围还将进一步扩大,因此,新疆区内水资源分布不均的矛盾是相当突出的。

新疆水资源条件差的区域,主要集中在天山北麓中段和东疆地区。根据现状水平年各类水利工程供水统计结果,这两片区域又是水资源利用程度最高的区域。全疆水资源利用程度最高的为乌鲁木齐河流域,达到了 153%,为全疆平均利用水平的 3 倍。乌鲁木齐河流域属于严重缺水地区,之所以利用率很高,是以地下水的严重超采为代价的。水资源利用率超过 100% 的区域还有吐鲁番及哈密诸小河流域,这两个区域主要是水资源转化十分频繁,水资源利用表现出三次转化、四次引用,因而利用程度比较高,在新疆属于特殊情况。全疆 1995 年水资源利用程度最低的为额尔齐斯河,仅为 17%,不足全疆平均水平的 35%。水资源利用程度很低的区域还包括伊犁河流域和车尔臣河流域。1995 年利用程度低于全疆平均水平 50% 的区域的水资源量为 503 亿 m³,占全疆水资源总量的 57%,因此新疆目前分区水资源利用程度的不均衡性是明显的,这与水资源的条件有直接

的关系。加大水资源的开发力度,及早实现区域水资源量的再分配,是新疆水资源利用中亟待解决的问题。

(二)农业灌溉春旱缺水问题突出

根据供需平衡分析计算结果,全疆普遍存在缺水现象,即使在水资源量最为丰沛的伊犁河流域,其山沟灌区也存在缺水矛盾。尤其是春旱,严重制约了全疆各地农业的发展和现有农作物的产量,春旱已经成为当前新疆农业经济发展的"瓶颈",并严重困绕着新疆边远贫困地区到2000年脱贫目标的实现。

多年来,全疆各地区根据当地水资源的来水特点,不断地调整作物比例,尽可能地减少春季需水量并且大范围地实施冬灌,提高早春田地土壤的含水率;实施地膜覆盖种植的农业措施,以减少春季土壤的水分蒸发;采取春季人工破冰加大引水量、抢墒播种、坐水点种等多种方法,减少春季的旱情,但春季缺水量仍占全年总量的46%,为22.1亿 m^3。因此,春季缺水在当前新疆水资源利用中问题十分突出。

根据1995年完成的全疆土地利用现状详查成果,1995年全疆共有耕地5 978万亩,除去337万亩的旱地,耕地面积为5 641万亩。1995年全疆播种面积为4 881万亩(不含复播),因此因春旱缺水少播种760万亩,占已播种面积的15.6%。1995年全疆农业中的种植业产值为315亿元(1995年当年价),按少播种的15.6%的面积估算,因春旱缺水农业种植业的经济损失为49亿元,比伊犁州(含塔成、阿勒泰、伊犁、奎屯市)当年农业产值43.8亿元还多5.2亿元,相当于南疆阿克苏和克州两个地级单位全年的农业产值,因此,春旱缺水的问题应该说是比较严重的。

(三)农田土地盐渍化普遍

根据新疆水利厅《水利统计资料汇编》(1995年),全疆现有盐碱耕地面积1 348万亩,占总耕地面积4 692万亩(统计数据)的28.7%。分区盐碱地面积,见表1-9。全疆盐碱地面积占耕地比例最大的为喀什地区,达到了64.1%;其次为巴州,为52%。南疆总的盐碱地面积为692万亩,占南疆耕地面积的44.9%,加南疆兵团的盐碱地面积,总量约770万亩,则南疆盐碱地占全疆的57.1%。因此,南疆的土地盐碱化程度是比较严重的。目前,全疆只有伊犁地区、乌鲁木齐市和克拉玛依市的农田盐碱化程度较轻,占其耕地的5%左

表 1-9　　　　　　　　　　　　1995 年盐碱地面积统计

分区	盐碱地面积 (10^4 亩)	耕地面积 (10^4 亩)	盐碱地占 耕地%	分区	盐碱地面积 (10^4 亩)	耕地面积 (10^4 亩)	盐碱地占 耕地%
乌鲁木齐市	2.00	50.81	3.93	巴 州	85.52	164.46	52.00
克拉玛依市	0.11	4.10	2.56	阿克苏地区	188.13	489.57	38.43
昌吉州	135.71	430.37	31.53	克 州	27.11	60.02	45.16
博州	21.00	95.76	21.93	喀什地区	319.56	590.28	54.14
伊犁地区	28.02	430.32	6.51	和田地区	71.45	236.46	30.21
塔城地区	58.82	406.77	14.46	北疆小计	293.48	1 595.16	18.40
阿勒泰地区	47.84	177.05	27.02	东疆小计	23.67	133.56	17.72
吐鲁番地区	17.03	63.93	26.63	南疆小计	691.76	1 540.79	44.90
哈密地区	6.65	69.63	9.54	全兵团	338.93	1 422.74	23.82
				全疆	1 347.83	4 692.24	28.72

注:本表耕地面积为统计值,盐碱地面积为水利统计资料。

右。北疆的昌吉州和阿勒泰地区,相对盐碱化程度较高,占到了其耕地面积的 30% 左右;东疆的哈密地区,相对盐碱化程度较轻,为 9.5%,吐鲁番为 26.6%。造成土地盐碱化的直接原因是过量灌溉。根据供需平衡计算,现状水平年 $P=75\%$ 时的农业灌溉的缺水量为 48 亿 m^3,现状水平年农田实际需水量为 432 亿 m^3,1991~1995 年 5 年平均实际向农业年供水量 424 亿 m^3,由于供水不是以大田作物实际需求时间和需求水量供水,因此,年内供水对作物而言有供小于需和供大于需的不同情况。用年供水减需求量,再扣除实际的缺水量即为农田多引的水量,以此计算,全疆目前平均农田多引进水量 40.5 亿 m^3,按现有盐碱地 1 347.8 万亩计算,平均每亩多引水 300m^3,折合水深 450mm 滞留在土壤中,因此,土地盐碱化程度与过量灌溉的水量成正比关系。

根据《水利统计资料汇编》(1995 年)统计,规模在 30 万亩以上的大、中型灌区,毛灌溉定额南疆普遍在 1 000m^3/亩以上,最高的叶尔羌河东岸大渠灌区毛灌溉定额达到了 3 279m^3/亩,如此高的灌溉引用水,其中一部分是用来采用大水洗盐和压盐。用水改良盐碱地是当地采用的"土"办法,也是最省力的方法,但灌溉期结束后,盐碱又会上升,这种治盐碱地的办法只能是在短时间解决作物苗期的问题,不能治本。目前,新疆治理盐碱地普遍采用的常规办法是挖排碱渠。应该说,排碱渠工程是农田场内工程不可缺少的配套工程,但由于工程量较大,而且占用耕地较多,加之部分群众科学用地的意识不强,目前排碱渠的配套工程在全疆应实施的农田中还未能达到要求。根据《水利统计资料汇编》(1995 年),全疆现有排水渠总长度为 8.62 万 km,而灌溉渠道总长度为 30.65 万 km,干排和支排长度也与容泄区位置有关长度不一,斗排和农排与灌溉渠道的斗渠和农渠长度也未能形成 1:1 的关系。统计资料表明,全疆斗、农两级灌溉渠道的总长度为 23.21 万 km,而斗排与农排的总长度仅为 5.85 万 km,农田两级排水渠的长度仅占应达到长度的 25%。因此,在现有灌溉技术的前提下,排水渠工程远未达到应有的规模,也是形成大面积土地盐碱地的重要原因之一。这一点在目前盐碱地面积所占耕地比例较大的喀什地区莎车县反映十分明显。莎车县 1995 年斗、农两级灌溉渠道总长为 7 929km,斗、农两级排水渠道长度为 1 250km,排水渠规模仅达到了应达到标准的 15.7%,是目前新疆盐碱化土地的重灾区。

二、水资源短缺对生态环境恶化的作用

(一)沙漠化面积逐年扩大

我国沙漠总面积约 71.3 万 km^2,其中新疆最多,达 42.1 万 km^2,占全国沙漠总面积的 59.1%。在全国 11 个 5 000km^2 以上的较大沙漠中,新疆就有 3 个,面积达到 40.6 万 km^2。塔克拉玛干沙漠面积 33.8 万 km^2,是我国最大的沙漠;古尔班通古特沙漠 4.88 万 km^2,位居第二。在新疆 166 万 km^2 国土面积中,沙漠面积占 25.4%;在 74.68 万 km^2 平原中,沙漠则占到 56.4%。据初步统计,在全疆 87 个县(市)中,53 个县(市)有沙漠分布,其中沙漠面积占 50% 以上的有 9 个,比例最大的达 80% 以上。

新疆沙漠因其地理位置不同,自然特征也不完全相同,位于南疆的塔克拉玛干沙漠与位于北疆的古尔班通古特沙漠就有明显的差别。

塔克拉玛干大沙漠属于流动性沙漠,是目前世界上第二大流动性沙漠,其面积仅次于

沙特阿拉伯的鲁卜哈利沙漠(77.7万km²)。在塔克拉玛干沙漠中,裸露的流动沙丘约占85%以上,除沙漠边缘和河流两岸有少量固定、半固定灌丛沙堆外,其余全为流动性沙丘,而且沙丘高大,50m以上的高大沙丘几乎占整个沙漠面积的40%,有的甚至高达200～300m。流动性沙漠最大特点是风沙流动极为频繁,沙丘移动变化剧烈,因而形成各种形态的沙丘,有移动速度很快的金字塔形沙丘,高大穹状沙丘,以及长达5～15km²的复合型沙丘链。

古尔班通古特沙漠基本属于固定、半固定沙漠。固定、半固定沙丘面积约占整个沙漠面积的97%,是我国最大的固定、半固定沙漠。植被覆盖率在半固定沙丘上一般为15%～25%,在固定沙丘上可达40%以上。沙漠区内植物资源比较丰富,有多种荒漠植物,包括梭梭、麻黄、白蒿和多种短命植物。这一沙漠区也是畜牧业的良好冬草场。固定半固定沙漠的一个明显特点是风沙流动相对较弱,沙丘形态比较简单。古尔班通古特沙漠主要由沙垄或树枝状沙垄组成,约占沙漠总面积的80%,多为灌丛沙丘,高度10～20m,最高不超过30m。

除上述两大沙漠之外,新疆还分布着一些较小的流动和固定、半固定沙漠,如焉耆的阿克别勒库姆沙漠、福海沙漠、伊犁谷地的塔克尔莫乎沙漠、乌苏沙漠、布尔津—哈巴河—吉木乃沙漠等。

新疆绿洲沙漠化危害比较突出的地区,主要分布在极端干旱缺水的塔克拉玛干沙漠边沿,尤其是南沿及西南沿,在准噶尔盆地西部及西南部也较严重。此外,在一些干涸的河流、湖泊地带也比较突出。

1.塔里木盆地南缘的和田地区存在着沙埋、沙尘危害

和田地区紧靠塔里木盆地南缘,分布有大小数百个绿洲。在总面积24.5万km²范围里,沙漠面积占到43%,绿洲面积仅占3.75%,绿洲与沙漠及风沙戈壁相接边界线达2 000多平方公里。因此,各大、小绿洲均受到来自沙漠的沉重压力,在许多地带,绿洲与流动沙丘直接对峙。多年来,在风和其他自然力,以及人为因素的作用下,沙漠不断南侵。据航空照片和卫星照片测算,30年中,流沙南侵和人为造成的沙化土地面积已达3万km²,其中耕地沙漠化面积约10万亩。和田绿洲最严重的威胁是流沙南侵,沙漠南侵速度平均每年10m以上,在一些严重地段,速度可达每年40m左右。其次是沙尘危害,1995年以来,和田—墨玉—洛浦绿洲,沙尘日数平均每年增加4.5天,1980年曾达263天。

在和田各绿洲中,除和田—墨玉—洛浦、于田两大绿洲因面积大,水源充足,稍感压力较小外,其他由各小河形成的较小绿洲均压力沉重,其中尤以皮山、策勒、民丰的压力最为严重,沙漠侵蚀速度很快,个别地段每年推进50m左右。

2.塔里木河下游流沙堆埋,绿洲退缩

塔里木河中下游植被与沙丘交错分布,受来水变化的影响,沙丘变化明显,沙漠化进展较快,危害严重地段是从塔里木河中游轮台县至下游末,延续危害到库(库尔勒)若(若羌)公路。

轮台县南郊因塔里木河从恰阳河和阿克莫奇河改道南下,使旧河道干涸,风蚀沙起,形成流动沙丘带。在风沙作用下,流沙面积不断增大,沙漠面积迅速扩展,已形成对轮台县南郊,尤其是草湖乡等河岸绿洲的严重威胁。其中的表现趋势是,距塔里木河岸越远,

沙漠化程度越高,流沙聚集越多。

塔里木河下游农垦团场周边,因缺水沙漠化逐渐扩大。卡拉以下的5个兵团农垦团场分布于塔里木河下游西岸。这些团场的自然环境本身就比较恶劣,其北面及东面为库鲁克沙漠,南面及西南为塔克拉玛干沙漠,近年来因水量锐减,植被退缩,沙漠化日益严重。从卡拉到铁干里克以北、以东的沙漠已失去植被屏障,原来固定、半固定沙丘正转变为流动沙丘或半流动性沙丘,每年向东、向西移动速度达5~10m,下游各团场也已基本处于沙漠包围之中,有的团场连队之间被流动沙丘隔开,出现了沙漠阻断道路、水渠、林带的现象。即使现有耕地,也多因落沙、起沙、地表干旱、疏松,肥力逐渐降低,部分耕地甚至出现沙皱或小沙垄,对农业生产形成较大危害。

塔里木河下游绿色走廊日益危急。下游绿色走廊是指铁干里克大西海子水库以下南至罗布庄、台特马湖地段,长约170km。在20世纪初,台特马湖还是一片汪洋,附近并无流沙,20世纪50年代以前也还是一片丰美牧场。但到20世纪60年代以后,随着上游来水剧减,不仅台特马湖干涸,原塔里木河西岸宽1~10km的绿色带也随之退缩消失,原来无流沙的已出现流沙,原来的固定、半固定沙丘开始活化,东部的库鲁克沙漠与西部的塔克拉玛干沙漠逐渐靠近,这条绿色走廊随时都有被沙漠蚕蚀而消失的危险。

3.准噶尔沙漠西南缘垦区沙丘活化

准噶尔盆地西南缘的莫索湾垦区和下野地垦区因位于河流的尾闾,受水量不足的影响,加之樵采和耕作的不合理,垦区外围原有的半固定沙丘逐渐活化,遇有大风即向西、向南移动。部分地段沙漠进展较快,垦区受到沙漠化威胁的农田约30万亩。沙尘日数也有所增加,危害也日益加重。

4.艾比湖东南岸沙丘扩展

历史上艾比湖面积曾达3 000km²以上,近代湖面不断缩小,到20世纪50年代初期,尚有1 200km²,到目前仅有500多 km²。在风力作用下,东岸和南岸干涸湖底逐渐成为沙漠,形成了即今称之的"乌苏沙漠"。原固定、半固定沙丘也开始不断活化,形成与风向大致垂直的沙垄,有的高达30m以上。在东南岸已出现新月形活动沙丘,有些已侵入农田。

5.其他较小规模的绿洲沙漠化危害

吐鲁番绿洲曾是沙漠化危害十分严重的地区,经过多年治理,部分风蚀沙地重新辟为耕地,形成新绿洲。但由于缺水严重,目前风蚀强烈,植被稀疏,在鄯善南、托克逊北和吐鲁番西等地,尚有多处流沙须治理。

塔里木盆地西部巴楚县伽师沙积平原,原分布有大量红柳,属半固定沙丘,后因植被大量减少,沙丘逐渐活化,形成东西长约100km、南北宽2~5km的流动沙丘带,并以每年5~10m的速度向南推进,主要威胁伽师绿洲。

喀什绿洲内部及边缘沙漠化有所增强。英吉沙以东、岳普湖东北沙丘活化增多,对农田和公路威胁增大,已有部分农田遭沙埋。莎车绿洲西部边缘沙漠侵蚀增加,部分公路地段积沙。

霍城的塔克尔莫乎沙漠,基本是一个固定性沙漠,但近年因樵采,以及不正当开垦,东部边沿沙丘有活化现象,流沙已对农牧业形成危害,尽管推进速度较慢,但风季扬沙、浮尘量显著增加。

目前,新疆究竟有多少土地正受到沙漠化威胁,尚无准确统计数据,但新疆大小绿洲普遍不同程度地存在沙漠化问题。有人推算,仅南疆沙漠化土地面积就达 2.8 万 km^2,而且,沙漠化威胁又有日益加剧的倾向,绿洲生态环境日益受到侵蚀和破坏,这无疑对以绿洲为基础的人类生存环境提出了严峻挑战。

(二)水资源利用的不合理造成部分绿洲或植被群沙化

绿洲的生命就在于水源,有水源才有绿色植物和绿色植物保护下的绿洲。绿洲的外在形式,就是绿色植物生命的过程。从某种意义上讲,有了水才有绿色植物,有了绿色植物才有绿洲。反之,没有水也就没有绿色植物,也就没有绿洲;失去了水,也就必然失去绿洲。无论是历史的还是现实的沙漠化,有相当多的原因就是因为失去了水源。所谓失去水源,主要是由于用水缺乏规划,上游引水增加,下游水量减少,致使绿色植被退缩,直至整个绿洲的消亡。

如塔里木河流域,受自然条件制约,降水量稀少、蒸发量大,生态环境十分脆弱,加之下游自铁干里克以下河段的来水量逐年减少,尾闾台特马湖干涸,300 余公里的河段断流长达 20 多年,地下水位急剧下降。原来两岸大片茂密的胡杨林和多种荒漠植被逐年减少,致使绿色走廊沙漠化日益严重。东部的库鲁克沙漠与西部的塔克拉玛干沙漠正在风力的推动下不断靠近,出现合拢的态势,塔里木河下游的生态环境问题已成为国内外瞩目的重大环境问题。

再如和田河是一条汇集玉龙喀什河和喀拉喀什河两河 45 亿 m^3 水量的中等河流。在 20 世纪 70 年代以前,和田河每年下泄水量在 20 亿～22 亿 m^3,在穿越近 400km 沙漠地带中,需消耗 10 亿～12 亿 m^3 水量,输入塔里木河的水量为 10 亿 m^3 左右。进入 80 年代以来,和田河下泄进入塔里木河的水量年平均只有 8 亿 m^3 左右,最少年份不足 1 亿 m^3。下泄水量的减少,使和田河下游的灰杨、胡杨林受到干旱的威胁。目前,沿和田河中、下游的 100 万亩胡杨、灰杨林中,沙化地面积已扩展至 30%～40%。

(三)为解决农村能源、生产、生活而过度樵采放牧引起荒漠植被减少,造成沙漠化

由樵采引起的沙漠化与前面叙述的因不合理用水引起的沙漠化,其作用机理是相同的。在新疆总体水平较低,粗放型经营情况下,为解决农村能源、生产、生活而过度樵采和放牧则直接减少植被,形成沙漠化。过度樵采、放牧问题,在新疆各平原地区普遍存在,尤以临近沙漠戈壁的平原农村最为严重。历史上精河一带艾比湖附近,植被覆盖很好,生长着茂密的胡杨林和其他荒漠植被,但由于后来无节制地砍伐和放牧,使植被受到严重毁坏,逐渐形成了精河以东长达 40～50km 的流沙地。而今这种过度樵采并没有被完全制止,仍不断有固定、半固定沙丘活化的现象发生。在准噶尔盆地北缘的阿勒泰南沙窝子、准噶尔盆地东部的奇台、木垒平原草场,也都因过度放牧利用,出现草场产量下降问题。在部分与沙丘相间的草场上,有沙丘扩大、活化现象。

在塔里木盆地周边,最大的破坏乃是人们过度的樵采。荒漠植被红柳、梭梭、胡杨等,是当地人们重要的,甚至是惟一的燃料来源,每年进入沙漠地带砍挖红柳、胡杨的人数以万计。在巴楚县一带,20 世纪 50 年代普查时有红柳、胡杨等 150 万亩,但到 20 世纪 80 年代初期只剩下不足 10 万亩了。除了有一部分是因水源的变化而消失外,绝大部分是因人为砍挖消失的。和田河绿洲，共有人口 80 余万人，半数以上的居民靠烧柴度日，其余也要用烧柴补充燃料不足。初步推算，每年和田河绿洲就要耗用近 30 万 t 柴，即使一半取自人工植林，每年也要耗用 15 万 t 自然林木，这相当于 5 万亩自然生长状态下荒漠林的平均储量。因而，和田河绿洲外围植被大量丧失，沙漠不断南侵。更为严重的是，这种不顾环境的强行采挖仍在继续，即使是在策勒、民丰这些沙漠化已逼近县城的重点沙化区，每年都可以看到进出沙漠的砍柴大军。其砍挖的范围已深入到沙漠几十公里甚至上百公里，不仅仅砍伐地面部分的枝条，而且挖根掘干成片成片砍挖。

与砍挖荒漠植被具有同样破坏力的另一种行为是滥挖草药。在塔里木盆地北缘，分布有大量罗布麻、甘草、大芸等价值很高的中药材。在 20 世纪 50 年代，新疆甘草面积约 3 700 万亩，到 20 世纪 80 年代中期，只剩下约 1 200 万亩。在山区，滥挖麻黄也开始出现恶果，不仅麻黄的植物资源量大减，而且引起山区和荒漠植被退缩。芦苇地的大面积减少也是这种情况。在开都河和塔里木河中下游，原有近千万亩芦苇，随着水源减少和过度利用，目前芦苇面积仅剩 400 万亩，大片芦苇地或盐渍化，或沙漠化。

由此可见，无论是水源减少造成的沙漠化，还是植被减少造成的沙漠化，现代绿洲沙漠化最根本原因，是人口数量的增加加大了对环境的消耗，致使在自然生态条件下以及人们现有生产力水平下的物质生产无法满足人们日益增长的需要。

三、水资源相对丰富的大河流域开发落后，水资源利用程度低

按多年平均计算，新疆最大的两条河流伊犁河与额尔齐斯河地表水径流量占全疆地表径流总量的 1/3。因此，新疆水资源的开发利用中，伊犁河与额尔齐斯河又占有十分重要的地位。现状水平年上述两条大河在额尔齐斯河上游已建有可可托海水库，该水库是以发电为主，总库容仅为 1.1 亿 m^3，调节库容 0.6 亿 m^3；在建的"635"综合利用枢纽，总库容为 2.8 亿 m^3，调节库容 1.2 亿 m^3。现状水平年两河用水量为 80.6 亿 m^3，实耗水量占地表水径流总量的 1/4。因此，伊、额两大河流开发落后，是目前新疆总体水资源短缺，不能满足国民经济建设需要，对生态环境造成极大压力的症结之一。新疆目前存在的问题是，一方面大河流域地表水量利用程度低；另一方面干旱缺水，水资源没有得以利用和严重缺水并存。塔里木河流域目前所存在的问题正是最有代表性的说明。塔里木河干流的断流所形成的严重缺水现象和伊、额两河水量基本未利用，形成了极大的反差。

塔里木河流域是我国最大的内陆河流域，位于新疆南部的塔里木盆地及塔克拉玛干沙漠的西南部和北部，流域由阿克苏河、叶尔羌河、和田河、渭干河、开都河－孔雀河流域及塔里木河干流组成，流域面积 43.5 万 km^2，地跨 5 个地州和新疆生产建设兵团 4 个农业师（局）的 27 个县（市）、49 个农牧团场。总人口 598 万，灌溉面积 1 735 万亩。流域内具有丰富的土地矿产和光热资源，是新疆重要的粮、棉、瓜果、石油化工基地。

塔里木河干流全长 1 321km，河道两岸 447 万亩胡杨林是世界上天然胡杨林分布最集中、面积最大的地区之一。塔里木河以其独特的自然资源和环境条件，与塔克拉玛干沙漠齐名，闻名遐迩，引起了国外专家学者和学术团体的浓厚兴趣。

塔里木河三源流域是新疆贫困县较为集中的区域，当地国民经济发展和脱贫致富的主要途径是发展农业，而发展农业必然需要加大水资源的开发力度和利用水平。因此，塔

里木河源流在大力发展绿洲经济、灌溉农业的同时,与塔里木河下游的生态环境形成了一对难以解决的矛盾。目前,塔里木河流域已经形成了源流与干流,上游与下游,经济开发与环境保护用水比例失调,源流进入干流的水量逐年减少,干流上、中游消耗水量越来越大,输入下游的水量锐减,尾闾湖泊罗布泊、台特马湖相继干涸,300 余公里河段断流长达20 多年,成片胡杨林衰败枯亡,土地沙化,沙漠侵移,沙进人退,绿色走廊濒临毁灭,下游 5个团场的近 5 万人,已陷入日趋恶化、极其严酷的生存境地。塔里木河干流出现的水资源短缺问题,给上游三源流域增加水资源量的利用带来了很大的压力,虽然三源流域本身存在一定的水资源浪费和管理不善等问题,但三源流用水量增加主要还是用于了发展生产和满足人口增长对物质的需求。根据当地绿洲经济发展和维护生态环境的需要,今后一段时间内还需进一步新增实际耗用水量。

解决塔里木河水资源短缺有 3 个途径:一是保障三源流在流域规划时确定的下泄水量,确保向塔里木河的下泄水量。然而三源流规划确定的下泄水量目标为多年平均值,要保证塔里木河在阿拉尔断面得到 44 亿 m³ 的水量,须在阿拉尔断面附近建设大型多年调节水库,或者限制三源流在不同天然来水情况下的引用水量。二是进行塔里木河上、中游河段的河道疏浚、裁弯取直、堤坝挡水等整治,减少水量在塔里木河干流段的损失,并通过塔里木河下游段的调节水库,保证向塔里木河下游输水。三是实施邻近流域补水,从水量相对丰沛的邻近流域的上游实施向塔里木河中游的补水,增加塔里木河下游水量。从水资源量上看,前两个途径都没有增加全疆总的水资源量,仅仅是水资源在效益上的再分配,这个水资源效益再分配的得与失目前还很难定论,因而只有实施邻近流域补水,才能够在整体上增加实质性的可利用水量,发挥新疆水资源的整体利用效益。因此,大河流域的开发,对新疆的国民经济可持续发展有着极为重要的作用。

四、水能资源开发程度低,影响经济产业结构调整和水资源的合理利用

占全国面积 1/6 的新疆维吾尔自治区地域辽阔,资源丰富,除了发展大农业的水土、光热资源外,矿藏和能源资源也很丰富。新疆远景煤炭储量为 16 000 亿 t,已探明储量为953 亿 t;石油远景储量为 300 亿～500 亿 t;天然气远景储量为 600 亿～800 亿 t;水能资源理论蕴藏量为 3 355 万 kW,其中可开发的装机容量在 1.0 万 kW 以上的水电站 185座,总装机 1 450 万 kW,年发电量可达 672 亿 kW·h。水能资源理论蕴藏量仅次于西藏、四川和云南,位居全国第四位。因此,新疆是我国水能资源富集的省区之一。在可开发的185 座水电站当中,中型水电站总装机为 1 053 万 kW,年发电量为 520 亿 kW·h,仅次于四川省位居全国第二位。但是,新疆目前水电资源开发程度很低,就中型水电站而言,目前已建和在建的只有 8 座,总装机容量为 31.7 万 kW,年发电量为 17.9 亿 kW·h,开发利用率分别为中型水电资源的 3% 和 3.5%,远低于全国平均水平。1995 年全国电力行业发电量10 070亿 kW·h,其中水力发电量 1 906 亿 kW·h,占总发电量的 18.9%。新疆1995 年年发电量为 151 亿 kW·h,其中水力发电量为 27 亿 kW·h,占全国水电发电量的1.4%(摘自《中国统计年鉴》,1998 年)。因此,新疆现有水能资源开发利用程度与其全国第四位的水能蕴藏量的地位不相适应。

在工业方面,水电是电力工业的重要组成部分,电力行业是其他行业发展的保证,电

力供应的改善将会极大地促进社会的发展。但由于缺电,新疆矿藏储量丰富的阿勒泰、克州等地所拥有的矿产资源未能得以开发,全疆轻工业和加工业在县级还不发达。

在农业方面,新疆目前地下水开采量较低的主要原因之一为缺电,大多数条件优越的水源地都因电源和输电线路的缺乏而不能加以开发。丰富的地下水资源,目前的开采利用量仅为可开采量的11%。根据现状水平年水资源供需平衡计算,全疆在 $P=75\%$ 保证率下全年总缺水量48亿 m^3,其中春季缺水量22亿 m^3,占总缺水量的46%。由于春季水量的缺口较大,耕地面积的扩大在新疆的不同区域受到了一定的影响,农业的主导经济作物棉花与粮食的争水矛盾突出,在一些地区棉花播种面积受到了一定的限制。新疆又是土地盐碱化比较严重的地区,1995年全疆农田盐渍化面积为1 348万亩,占现有耕地面积(统计值)的29%。地下水在农业灌溉方面可以有效地解决春旱,是新疆抗旱的主要措施,地下水的利用不仅可以及时有效地增加灌溉水量,而且能够有效地降低农田地下水位,具有明显的增水和增产效果。水能资源的开发利用程度很低,在一定程度上制约了农业经济的发展。

在人民生活方面,1995年全疆生活电力消费电量为8.5亿 $kW \cdot h$,人均消费量为52 $kW \cdot h$,日消费仅有0.14 $kW \cdot h$,乌鲁木齐市、石河子市、库尔勒市等人口集中的城市缺电现象目前比较严重。新疆目前还有两个无电县,其他大多数市、县和乡村供电质量也很低。在农村,由于缺电,居民生活不得不大量樵采天然植被作为惟一的燃料来源,致使生态环境容量越来越小。

五、用水效率低

1995年全疆各类水利工程向各行业总供水量448亿 m^3,其中向农业灌溉供水量为441亿 m^3,占总供水量的98%。在总供水量中1995年全疆地表水为411亿 m^3,占评价区当年地表水资源量(含入境水量)的46%,若扣除当年出境水量,地表水的引水率则为64%。1995年全疆地下水开采量27亿 m^3,占平原绿洲地区地下水可开采量的11%,其他供水量为扬水泵站等。1995年地表水供水量占总供水量的93%。其中:地表水向农业总供水量为406亿 m^3,占地表水总供水量的99%;地下水供水量占总供水量的7%,其中地下水向农业总供水量为25亿 m^3,占地下水总供水量的93%。因此,总供水量中占比例最大的行业为农业灌溉,其他供水量所占比重较小。在总供水量中,引水工程供水量所占比例最大,为地表水供水量的82%。也就是说,现状供水量中的绝大部分水源为地表水,地表水主要供水工程又为引水工程;供水量占绝对比例的行业为农业,农业是用水大户,更是地表水的用水大户,也是浪费水的主要用户。

按现有农业灌溉面积计算,1995年毛灌溉定额为735 m^3/亩(含林牧业)。全疆田间下渗补给地下水量为35亿 m^3(新疆水资源评价成果),占引入田间年水量的16%,其余水量为农渠和毛渠渗漏、田间及作物叶面蒸腾所消耗。农田末端两级渠道的损失率取0.96,平均农渠利用率为98%,毛渠利用率为98%,渠系加田间农、毛两级的渠系利用率全疆平均水平为0.489,全部各级渠道总的输水损失量为225亿 m^3,用于作物和棵间蒸发的田间用水量为216亿 m^3。也就是说,农业有1/2以上引水量没有得到有效利用,损失水量占全疆水资源总量的23%。然而现状水平年在 $P=50\%$ 的来水情况下,全疆农业灌溉缺水量为 31 亿 m^3；在 $P=75\%$ 的来水情况下，全疆农业灌溉缺水量为 48 亿 m^3。农业灌溉输水渠道的损失水量是缺水量的 4～7 倍，因此，农业灌溉用水效率不高的现象是比较严重的，其严重性要大于灌溉缺水问题。

根据《水利统计资料汇编》，全疆现有 1 864 万亩大水漫灌面积，占总灌溉面积的 31%。北疆沟、畦灌溉的农田净灌溉定额为 267m^3/亩，大水漫灌的净灌溉定额为 325 m^3/亩；南疆沟、畦灌溉的农田净灌溉定额为 450m^3/亩，大水漫灌的净灌溉定额为 555 m^3/亩。北疆和南疆大水漫灌比沟畦灌溉田间多用水量分别为 21% 和 23%，如果取平均数 22% 计算，南疆大水漫灌的农田多用水 10.3 亿 m^3，北疆大水漫灌的农田多用水量为 4.51 亿 m^3，合计为 14.81 亿 m^3，占农业总用水的 3.6%。可以看出，新疆农业灌溉浪费水的现象是存在的，但不是主要的，农业灌溉目前存在的主要问题是用水效率不高。因此，农业灌溉是新疆目前水资源利用率不高的主体部分，农业用水浪费和灌溉缺水并存，形成一对水资源利用在灌溉方面亟待解决的问题。农业灌溉节水潜力的主要部分为输水渠道，田间的节水潜力第一步效益最为显著的是杜绝大水漫灌。

六、缺乏全疆水资源合理配置总体规划

新疆属于资源丰富的区域，把资源优势转化为经济优势，是国家 21 世纪国民经济发展向中西部转移的重大战略部署。1998 年 7 月江泽民总书记考察新疆时指出：中共十五大确定了我国东部地区和中西部地区协调发展的战略，决定逐步加大对中西部地区的支持力度。在中西部地区，新疆又具有重要的战略地位。发展是硬道理。无论是从政治上还是从经济上看，我们都应该多方设法加快新疆地区的发展。中央认为，新疆具备加快发展的有利条件，应该成为我国经济发展特别是 21 世纪经济增长的重要支点。加快新疆经济发展，关键是要加快资源优势变为产业优势，进而变为经济优势的进程。

新疆有丰富的水土光热资源，发展农业、畜牧业、林业的潜力很大。中央已确定要把新疆建设成为国家最大的商品棉基地和重要的畜产品基地、糖料基地、粮食基地。新疆矿产资源特别是石油、天然气资源丰富，是 21 世纪石油、天然气的主要接替基地之一。新疆的油气勘探开发已经取得很大成就。要继续努力，争取在 21 世纪初的 10 年内，把新疆建成我国西部重要的石油化工基地。

要加快新疆的资源开发，加快农业、工业和各项事业的发展，必须加强基础设施建设。新疆的地理气候特点，决定了必须把基础设施建设摆在优先的位置，其中水利和交通建设是实现"一白一黑"资源优势转换发展战略的关键。新疆水资源并不少，但分布不均匀。有水就有田，有田就有粮。开发水资源，加快水利建设，是造福新疆各族群众的一项重大战略措施。

新疆由于特殊的自然地理，河流多而分散，水资源只有与其他资源进行合理组合，才能够实现资源优势向经济优势的转换。因此，制定新疆水资源合理配置总体规划，是决策水资源与其他资源进行合理组合的基础。然而，新疆目前由于没有进行全疆的水资源合理配置总体规划，其在全国的地位还不能说有了准确的定位，新疆全区的国民经济发展战略、决策和方向，还没有比较详细的具体内容。因此，缺乏全疆的水资源合理配置总体规划，是当前新疆面临可持续发展的一项十分紧迫的问题。

从宏观经济角度看,由于缺乏全疆水资源合理配置的总体规划,新疆的土地资源在不同水平年应当开发多大规模为宜,目前没有做出定量的分析,因而不能做出定性的结论。大农业中的种植业、畜牧业、林业的比例关系和相互之间投入产出效益,产业结构与工业布局,国民经济的发展对水利水电的需求等,均需要在全疆的水资源合理配置总体规划中解决。

从水资源利用角度看,新疆水资源应该利用到一个什么样的程度,方可达到经济发展与生态保护相协调,利用方式和开发规模以及开发程序和开发地点,也需要通过全疆的水资源合理配置总体规划加以解决。

从新疆大河流域水资源开发利用的重要性看,其开发程度和开发时间、首选工程等重大问题,也需要在全疆的水资源合理配置总体规划中进行解决。

第四节 水资源可持续发展战略

一、水利的基础设施地位

水资源在经济发展与社会进步中的重要基础地位,主要体现在人口、粮食、生态环境、经济增长、水市场与水工业、国有资产控制力、国民经济价格体系等重要方面。

(一)人口增长与城市化进程

我国是人口大国,但人均水资源占有量在世界各国 1995 年的排名中仅列第 121 位。据预测,2000 年时我国人口将接近 13 亿,2050 年时将达到 15.5 亿左右。一方面,人均水资源占有量随人口增加在不断下降;另一方面,人口的增加也直接导致了生活需水量的增加,以及扩大生产相应的需水增加。

由于我国的具体国情和特定的发展阶段,在人口增加的同时,城镇化水平也将大幅度提高,以适应就业、节约土地及能源,提高广大农村的教育与医疗卫生水平的需要。我国的城镇化率目前为 28% 左右,至 2010 年将达到 40% 左右,至 2050 年将达到 60% 左右。城镇化进程意味着人口的大量迁移与集中,从而加剧了局部地区高强度需水与水资源天然分布不相适应的矛盾。

就新疆而言,现状水平年 (1995 年) 全疆总人口为 1 661 万,城镇人口 574 万。预测总人口到 2000 年和 2010 年分别为 1 831 万和 2 200 万 (为政府规划指标),2020 年预计将达到 2 550 万。而城镇人口分别达到 705 万、1 000 万和 1 250 万。人口增长地区间是不平衡的,北疆迁移人口增长相对较大,而南疆和东疆则自然增长的人口较多。城市化率从 1995 年的 34.6%,发展为 2000 年的 38.5%、2010 年的 45.5% 和 2020 年的 51.0%。从三大区域看,北疆、南疆和东疆总人口地区分布比例基本不变,但北疆人口城镇化水平相对较高。人口增长和城镇化趋势,对国民经济发展预测和需水预测将产生较大影响。

(二)粮食生产与农业发展

作为人口众多的农业大国,农业生产的发展对于确保我国社会经济的长期持续发展,具有决定性意义。由于我国天然降水时空变化大,耕地比较集中的东部与中部湿润半湿润地区的降水,不能完全满足农作物生产的需要,要补充进行灌溉;而我国北方广大干旱半干旱地区,则基本属于灌溉农业区。目前,全国的农业灌溉水量占全国总供水量的73.4%左右,若计入农村生活用水238亿 m^3,则农村用水比例高达81.7%。

由于气候条件限制,我国平均生产每公斤粮食要补充 $1.23m^3$ 的水,而加拿大、苏联和美国生产同样多的粮食,仅需分别补充 $0.07 \sim 0.93 \ m^3$ 的水。我国的灌溉补水量,是上述国家灌溉补水量的 $1.3 \sim 17.6$ 倍。据水利部门调查,我国灌溉农田的水稻亩产平均在486kg左右,灌溉旱地作物的平均亩产在300kg左右,而非灌溉农田的平均亩产仅为140kg左右。灌溉事业的发展,极大地改善了我国的农业生产条件,在不足耕地总面积1/2的灌溉面积上,提供了全国65%的粮食、60%的经济作物和80%的蔬菜。面临今后的人口与粮食问题的挑战,增加灌溉面积、提高灌溉用水效率及保证率,是至关重要的。

新疆地域广大、人口稀少,农业发展潜力巨大。在其166万 km^2 的国土面积中,绿洲面积占7.07万 km^2,农林牧可利用土地面积54.6万 km^2(约合8.2亿亩),仅占全疆总面积的33%。自1886年清末西域屯田时全疆耕地面积为1 300万亩以来,经历百年变化,到1995年全疆总耕地面积达到4 700万亩,仍具有极大的发展潜力。耕地面积的进一步开发,除稳定棉花基地外,可以提高地区粮食产量、扩大输出、促进经济发展,对解决21世纪粮食安全问题提供了很好的解决方案。但是,新疆土地资源具有数量多、质量差、潜力大的特点,其进一步的开发利用不仅需要充足的水源,而且其所产生的土地质量变化、人工绿洲与天然绿洲的关系、棉花和粮食的产量及销路等,均是在考虑扩大棉花、粮食种植面积,提高产量的同时,应予重视的问题。

(三)生态环境保护与治理

与水有关的生态环境问题主要有6大方面:河湖萎缩、森林草原退化、土地沙化、水土流失、灌区次生盐渍化、地表地下水体污染。由于人口密度大,水资源利用程度高,地下水位下降,造成了局部地区森林草地资源的劣变;大规模河道外用水导致了河流下游河长缩短、内陆河尾闾湖泊水面面积缩小以至消失,华北地区很多河流已成为季节性河流;植被退化导致了水土流失,不当的灌溉方式加重了次生盐渍化,造成了大量的国民经济损失。而对生态环境的恢复与保护,也需要考虑相当数量的生态环境用水,因此,在经济发展和生态环境保护之间的用水竞争性加大。

随着今后用水量不断增加,污废水的排放量也会相应增加。由于资金和运行机制等原因,污水处理能力的增加相对滞后,形成了大范围的水体污染,进而导致了有效水资源量的减少。加大污水处理与回用的力度,不仅能提高水质等级,同时也能增加水的有效供给量。水资源保护与水环境治理,是区域可持续发展的有机组成部分。

(四)水资源开发与经济增长

我国是发展中国家,在今后相当长时期内,经济总量的增长意味着需水总量的相应增加。据历史资料及分析,目前及今后相当长时期内,国内生产总值增长对水资源增长的弹性系数为 $0.12 \sim 0.20$,即GDP每增长5~8倍,需水总量的增长1倍。经济增长导致需水增长,从而要求扩大供水能力;供水能力扩大要求投资增加;水投资总量和结构的变化,要影响到其他经济部门的生产能力,进而又影响到长期的需水变化。

供水及水资源综合利用工程为国家重要基础设施,缺水会导致巨大的国民经济损失。

据分析,目前农业每缺水 1m³ 要损失粮食 0.85kg 左右,工业每缺水 1m³ 要损失产值 30~40 元,相应损失 GDP 10~15 元。因此,经济增长与水资源开发利用之间有十分密切的关系。

(五)水市场与水工业

作为国民经济的基础产业,与水资源开发、利用、保护有关的各环节,本身就构成了巨大的市场和产业部门。以城镇与工业供水为例,1993 年全国向城镇生活供水 237 亿 m³,向工业供水 906 亿 m³;预计至 2010 年,城镇生活及工业需水将新增 674 亿 m³ 左右,年均增加量为 40 亿 m³。与此相应的水设备、供水与排水管线、量水仪器仪表、水质分析与检测仪表、污水处理及回用成套设备等,均会形成很大的制造部门。与此相应,生活节水设施、污水利用设施、工业节水设施和农业节水灌溉设备等,也会形成世界上最大的需求市场。这一市场的发育,不仅会强化经济发展的水资源保障体系,其相关产业本身的发展也会对 GDP 的持续增长作出很大贡献。

新疆水工业发展仍很落后,1995 年城镇生活供水、工业供水,合计仅占总供水的 3%。目前,新疆尚未建立一套完整的供水体系,不能满足日益增长的水资源需求市场的需要。

(六)国有资产控制力

根据我国宪法,水资源与其他自然资源一样,属于国家所有。至 1993 年,国有固定资产总值在 46 000 亿元左右,水利固定资产在 3 000 亿元左右,占国家固定资产的 6.5%。然而,由于现行水价的严重不合理,导致了在宏观层次上的国有资产巨额流失,在部门层次上的经营管理困难,以及在用户层次上的损失浪费严重。目前,我国自来水供排水总成本(仅计算直接成本)平均在 1 元/m³ 左右,而供水平均水价却在 0.5 元左右。据此计算,自来水水价损失额每年在 380 亿元左右;农业供水的直接成本在平均 0.20 元/m³ 左右,而平均水费仅为 0.07 元左右,灌溉供水水价的实际损失,每年在 440 亿元左右。加上其他项流失,每年水费减少收入近 900 亿元。

由于水资源的重要基础地位和资源国有性质,加之其建设周期长、市场需求稳定和投资非常集中的特点,这一部门今后国有资产应保持绝对控制力是明智的。如何在今后的市场经济形态中,一方面加强国有资产的控制力,一方面拓宽投资建设渠道以加快发展步伐,是资源环境部门如何为增强综合国力作出更大贡献的重大课题。

(七)水价与国民经济价格体系

由于水在生活与生产过程中无所不在,故水价与国民经济价格体系有着紧密的联系。水价提高,有利于资源的开发、利用与保护,有利于节水,有利于基本国力的整体提高,但同时也有一个承受能力问题。因此,在研究水资源合理配置的经济机制和市场机制的同时,也应注意到水价调整对通货膨胀的影响、对居民家庭支出结构的影响和对工业制成品成本结构的影响。特别是,农业灌溉水价的调整影响更为广泛,是一个迫切需要着手研究的全局性问题。

二、水资源合理配置与可持续发展战略

水资源合理配置是指:依据可持续发展的需要,通过工程与非工程措施,调节水资源的天然时空分布;开源与节流并重,开发利用与保护治理并重,兼顾当前利益与长远利益,

处理好经济发展、生态保护、环境治理与资源开发的相互关系;利用系统方法、决策理论和计算机技术,统一调配地表水、地下水、处理后可回用的污水(回用水)、从区域外调入的水(外调水)及微咸水;注重兴利与除弊的结合,协调好各地区及各用水部门间的利益矛盾,尽可能地提高区域整体的用水效率,促进水资源的可持续利用和区域的可持续发展。

(一)水资源合理配置的基础

水资源合理配置的客观基础,是"经济—环境—社会—资源—生态"复杂大系统中宏观经济系统、水资源系统和环境生态系统在其运动发展过程中的相互依存与相互制约的定量关系。这一关系,集中体现在用水竞争性和投资竞争性上。由于水资源量不足、水质达不到用水标准或工程供水能力不足等原因,所导致的在用水目的上、时间上和地域上的冲突,形成了用水竞争。由于用水竞争的存在,引起了水在国民经济发展与生态环境保护之间的合理分配问题,同时在国民经济各部门和各地区之间也要解决水资源的合理分配问题。用水竞争,要通过工程和非工程措施来解决,各类工程与非工程措施均要求投资,由此又引起了投资竞争的问题。由于存在着多种解决用水竞争和投资竞争的途径,不同的解决方案对区域发展模式和水资源开发利用保护治理模式具有不同的影响,因此,需要对水资源进行优化配置。

水资源优化配置,要通过优化配置系统来实现。水资源优化配置系统由硬件和软件两方面的元件组成。硬件包括水源工程、供水网络、用水设施、排水网络和污水处理回用设施等5类工程;软件包括合理的开发规模与建设次序、优化调度策略、经济机制、行政机制和法律机制等5类措施。通过这些工程与非工程措施,将在不同地区、不同时段,具有不同来水规律与水质的各类水源统一调配与处理,形成在指定地区、指定时段内具有一定保证率和水质标准的有效供水,以最大程度地提高水资源的整体利用效率和综合利用效益。

(二)水资源合理配置的主要任务

水资源优化配置是针对水资源短缺和用水竞争性而提出的,其实施则通过水资源优化配置系统来实现。优化配置主要研究:经济部门间的投入产出关系和部门用水效率,促进节水型经济和节水型社会的建设;经济发展过程中速度和结构的变化,预测其水资源需求、电力需求和粮食需求,以便为合理安排城市生活与工业供水、水力发电、灌溉用水等提供依据;各经济部门在生产过程中各类污染物的排放率及排放总量,预测河流水体中各主要污染物的浓度及水质,为水环境保护和治理提供依据;水资源短缺地区由于缺水造成的国民经济损失和水的影子价格,为水利工程经济评价和水价价位的合理制定提供依据;地表水、地下水、回用水和外调水的统一调配,为确定区域水资源承载能力提供科学依据;水资源开发利用的不同方式对区域经济、环境、社会诸方面的不同影响,并在此基础上对区域水资源规划的总体目标进行识别;各类水工程的可能开发方案,包括各规划工程的合理规模及建设次序;在不同的水工程开发模式和区域经济发展模式下进行水资源供需平衡分析,确定各水工程的供水范围、可供水量和供水效益,以及各用水单位的供水量、供水保证率、供水水源构成、缺水量、缺水过程及缺水破坏深度分布等情况;在不同的水资源开发模式和区域经济发展模式下进行水电站群优化补偿调节和电力系统的容量电量平衡,确定合理的水电开发方式及装机容量参数,并对相应的水库水电站运行方式及正常水位、死水位等重要工程参数提出合理范围;在不同的水资源开发模式和区域经济发展模式下进行灌溉面积、种植结构和灌溉制度,提出农业生产函数,并在此基础上分析灌溉供水效益;在不同的水资源保护治理模式和区域经济发展模式下进行污水排放率、处理率、处理级别和回用率、回用对象,提出污水回用量及污水处理回用费用的估计;利用多目标群决策方法产生符合区域可持续发展目标的水资源优化配置的备选综合方案,供各地区决策者进行挑选,在定量的基础上进行各地区协商对话,以选出能够共同接受的总体配置方案;利用多目标群决策方法及其各有关数学模型,分析水资源优化配置方案中的各类基本平衡关系,如水量的需求与供给、污水量的产生与处理回用、污染物质的产生与去除、水工程投资的来源与分配等,以及在上述关系保持动态平衡条件下不同发展模式在目标间的竞争关系;水工程的国民经济评价和财务评价,对供水价格体系、既定水价格体系下的工程投资及从宏观经济、业主单位和普通受益者角度考察其利益分配情况及总收益的大小;水资源优化配置方案的区域长期经济与社会发展、环境情况等作出预测及评价;在经济发展过程中的不确定性和水文风险等对优化配置方案实施的影响,并提出对策措施;按优化配置方案的最可能情况提出相应的资金流程及方案实施次序;建立相应的支持系统,以便用数据库和模型支持规划人员进行滚动规划及管理,不断修正数据以适应情况的发展,从根本上提高规划管理水平。

(三)水资源可持续利用方向

新疆经济发展与水资源开发利用以及生态环境保护之间,存在着对立统一的辩证关系。当只重经济、不考虑环境时,经济的发展势必会引起生态环境的变化,经济发展产生一定的积累后,才开始注重环境。这种发展—破坏—治理的老路,已经不适应当今世界人类对经济、社会、环境协调持续发展的观念,而是应在经济发展的同时,考虑生态环境的变化,考虑资源的有限性。另外,经济的发展必须要有一个较好的资源与生态环境支持,而要创造一个合理的生态环境,就必须有坚实的经济基础作保证,只有经济发展了,才能有更多的资金,更多的方式,更多的精力改善与维护周围的生态环境,人们对生态环境的认识和自觉度才能进入更高层次。从新疆的水资源量来看,只要走生态农业内涵为主的发展道路,从粗放型转变为集约型,不但完全有能力保护还可扩大现有 6 万多 km^2 的人工绿洲以及周边的自然生态。目前,主要是处理好水资源时空分布与生态局部恶化地区的改善问题。水资源的开发利用方向,应是维持现有自然生态状况不再恶化,积极扩大绿洲范围和提高绿洲内水经济效益。对于重点经济发展区,应首先满足经济发展的需求,使总体效益增大(如石河子、玛纳斯地区水资源的开发利用),以维持生态环境恶化地区所需的生态环境改善投入。同时,加强本地区的污染治理与环境恶化控制。对于生态重点保护区,应着重考虑生态效益,积极挖掘潜力,使总体效益均衡(如塔里木河干流)。对水资源开发利用较低、经济欠发展区域,应加快水土开发速度。

三、新疆水资源合理配置总体规划

新疆水资源合理配置总体规划,将根据发展布局和水资源特点,按照"统筹兼顾、全面安排、合理利用、综合治理、提高效益"的规划思想和开发利用、保护水资源、防止水害的基本方针,提出具有新疆特点的水利工程建设格局和管理模式,为实现新疆水资源合理配置及可持续发展提供可操作的依据。

按体现宏观科学决策、满足国民经济发展对水资源需求、加强国民经济发展与生态环境保护协调性为基本出发点,本着一切从实际出发,坚持实事求是的科学态度,全面分析新疆的社会经济条件和自然特性,坚持以节水和增水相结合的方针,重点以流域综合治理与开发和对水资源进行科学的区域再分配的原则进行。

以认真分析和研究新疆现有水利工程设施状况,进行水资源利用的现状评价,总结40多年来新疆水资源利用目前存在的主要问题和主要矛盾,研究区域水资源条件和经济的可持续发展潜力。针对水资源条件和经济发展需求,明确新疆水利水电开发建设的方向和布局,确定扭转水利水电设施发展严重滞后的重点关键工程项目及建设顺序,制定经济发展与生态环境的水资源分配方案,从而为宏观经济决策和保护生态环境提供科学依据。建立健全法规,贯彻落实水法,长期指导新疆的水利水电建设。

新疆水资源合理配置总体规划的目标是,到 2020 年,使得水利设施的建设与国民经济发展的速度相适应,为建设国家最大的商品棉基地和重要的畜产品基地、糖料基地、粮食基地和国家西部重要的石油化工基地,提出满足上述发展的供水数量和供水质量及开发方式和开发项目,前期工程超前有一定的项目储备。春旱缺水的突出矛盾得以基本缓解,夏洪得到有效控制,耕地盐碱化基本得到改良,水资源利用程度和效率有较大的提高。为实施新疆可持续发展的战略,提出保护水资源、维护和改善生态环境的水资源分配及措施,使生态环境有明显改善。提出关系到新疆总体发展的大河流域合理的水资源配置方案及工程建设方案,在此基础上建立新疆水资源开发利用分区系统、数据库及地理信息系统、用于宏观经济分析的经济模型、用于水资源合理配置的多目标模型、用于近远期水利水电工程开发顺序选择的水模拟模型,从而提出水资源管理模型,为水利总体规划提供一项辅助决策系统。

第二章 社会经济发展与水资源需求

第一节 社会经济发展进程

一、发展概况

自新中国建立以来、特别是改革开放以后,新疆社会经济发展十分迅速,主要社会经济指标增长显著(见表2-1)。据1996年《新疆统计年鉴》统计数据显示,1995年全疆国内生产总值(GDP)为835亿元,总人口为1 661.35万,人均GDP为4 819元,工业总产值为804亿元,农业总产值为415亿元。农作物播种面积4 577万亩,其中粮食作物2 390万亩。粮食总产量达730万t,人均粮食产量439kg,亩均产量306kg。

表2-1 1978~1995年新疆社会经济发展主要指标

项目	时间	GDP		工业	农业	人口		农作物播种面积		粮食生产		
		总量	人均量	总产值	总产值	总计	市镇	总面积	粮食面积	总产量	人均产量	亩均产量
		(10^8元)	(元)	(10^8元)	(10^8元)	(10^4人)	(10^4人)	(10^4亩)	(10^4亩)	(10^4t)	(kg)	(kg)
绝对量	1978年	39.0	313	34	21	1 233	321	4 533	3 466	370	300	107
	1980年	53.0	410	41	31	1 283	373	4 491	3 244	386	301	119
	1985年	112.0	820	87	57	1 361	582	4 270	2 780	497	365	179
	1990年	274.0	1 799	220	145	1 529	686	4 469	2 740	677	443	247
	1995年	835.0	4 819	804	415	1 661	823	4 577	2 390	730	439	306
为全国%	1980年	1.46	108.18	0.96	2.21	1.30	2.0		1.8	1.2		
	1985年	1.58	112.20	0.99	2.42	1.29	2.3		1.7	1.3		
	1990年	1.72	115.08	0.88	3.17	1.34	2.3		1.6	1.5		
	1995年	1.73	106.56	0.62	3.65	1.37	2.3		1.5	1.6		
年增率(%)	"六五"期间	12.5	11.5	12.7	10.2	1.2	9.3	-1.0	-3.0	5.2	3.9	8.5
	"七五"期间	9.7	8.4	10.5	10.0	2.4	3.3	0.9	-0.3	6.4	3.9	6.7
	"八五"期间	11.8	10.3	13.8	7.1	1.7	3.7	0.5	-2.7	1.5	-0.1	4.3
	1978~1995年	11.1	9.8	11.6	8.9	1.8	5.7	0.1	-2.2	4.1	2.3	6.4

注:数据来源于1996年《新疆统计年鉴》;表中经济量绝对数为当年价,增长率按可比价计算。

和全国同期发展相比,新疆农业总产值、粮食产量、国内生产总值、人口等指标增长,皆高于全国平均发展水平,占全国的比重逐步上升,但工业发展却相对缓慢。1978年到1995年间,新疆国内生产总值以高于全国1.3个百分点的速度增长,达11.1%,占全国的比重为1.73%;总人口年均增长18‰,高于全国4‰,占全国总人口的1.37%。1995年全疆粮食总产量占全国的比重为1.6%,农业总产值占全国农业总产值的比重由1980年的2.21%上升到1995年的3.65%;但工业年均发展速度低于全国3.3个百分点,为

11.6%,占全国工业总产值的比重,由 1980 年的 0.96% 下降到 1995 年的 0.62%。

二、人口与就业

截止到 1995 年底,新疆总人口是 20 世纪 50 年代初期的 3.8 倍,净增加 1 228 万人。人口增长主要来自于人口的机械迁移和较高的人口自然增长率。1995 年兵团人口占全疆总人口的 14%,少数民族人口占全疆总人口的 62%(见表 2-2)。随着人口的增长,人口重心由南疆向北疆转移。20 世纪 50 年代初,全疆 70% 的人口分布在南疆,到 1995 年,南疆人口占全疆的比例下降到只有 47.08%。新疆虽然地域辽阔,但人口的 95% 集中在 6 万 km² 的绿洲面积上,人口适宜的生存空间并不宽裕。

表 2-2   1995 年新疆人口及其从业人口统计

地区	总人口 (10⁴ 人)	少数民族人口 占总人口(%)	从业人数 (10⁴ 人)	从业结构(%)		
				第一产业	第二产业	第三产业
总计	1 639.2	62.0	661.29	46.6	25.4	28.0
南疆	778.3	84.0	352.15	70.5	9.9	19.6
北疆	763.8	38.9	263.4	58.0	19.2	22.8
东疆	97.1	57.4	45.74	56.9	18.8	24.3

新疆劳动力资源充足,但从业人口相对偏低,1995 年全疆劳动力资源总数和从业人数分别占总人口的 64% 和 41%。全疆 57% 的从业人口从事农业生产,第二产业和第三产业从业人口相对偏小。从就业率看,北疆为 80%,东疆为 79%,南疆为 63%。

从劳动者素质看,目前新疆劳动者素质整体水平偏低,科技人员占总人口的比例虽然高于全国平均水平,但分布和结构不够合理,75% 以上的专业人员集中在北疆地区,其中又主要集中在乌鲁木齐、石河子、克拉玛依等主要城市;与产业技术直接相关的科技人员严重不足,工程技术人员所占比例小,知识结构偏低。

在人口持续增长的同时,新疆人口的城镇化进程也有较大发展。1949 年新疆非农化水平为 15%,仅有乌鲁木齐 1 个城市,到 1995 年,新疆共有 17 个市,人口非农化水平为 35%。新疆 1949~1995 年总人口、非农人口、市镇人口增长情况,如表 2-3 所示。

表 2-3   1949~1995 年新疆人口变化情况

年份	人口数 (10⁴ 人)	自然增长率 (‰)	其中:建设兵团人口数 (10⁴ 人)	总人口中市镇人口(10⁴ 人)	市镇人口比例(%)	总人口中非农人口(10⁴ 人)	非农人口比重(%)
1949	433.34	9.22		52.93	12.21	65.02	15.00
1960	686.33	12.46	72.41	180.04	26.23	218.50	31.84
1970	976.58	28.46	194.32	173.15	17.73	218.11	22.33
1980	1 283.24	13.66	222.24	582.24	42.78	438.67	32.33
1990	1 529.16	18.60	214.35	685.96	44.86	508.25	33.24
1995	1 661.35	12.45	228.79	822.53	49.51	574.16	34.56

三、土地利用与农业生产

(一)土地利用

据统计,新疆农林牧可利用土地约 8.2 亿亩,占全国可利用面积的 1/10。在可利用土地中,天然草地多,农林用地少。1995 年全疆总耕地面积为 4 692 万亩,比 1949 年累计增加近 3 000 万亩。在新开垦的耕地中,北疆占 69.5%,南疆占 27.5%,东疆占 3.0%。由于人口增长较快,全疆人均耕地由新中国建立初期的 4.2 亩下降到 1995 年的 2.9 亩,其中北疆为 3.48 亩,南疆 2.40 亩,东疆 1.73 亩(见表 2-4)。

表 2-4 耕地面积、人均耕地面积、灌溉面积及其构成统计

地区	耕地面积 (10⁴ 亩)			人均耕地 (亩)			灌溉面积 (10⁴ 亩)	灌溉面积构成 (%)			
	1949 年	1978 年	1995 年	1949 年	1978 年	1995 年	合计	农田	林木	其中:人工林	草场
北疆	675.5	2 632.8	2 650.3	6.29	4.56	3.48	2 850	78.3	9.0	7.9	12.7
南疆	1 059.7	1 980.6	1 868	3.49	3.41	2.40	2 912	67.9	20.2	14.4	11.9
东疆	79.5	175.4	167.6	3.66	2.35	1.73	239	65.4	19.8	8.8	14.9
全疆	1 814.7	4 788.8	4 685.9	4.19	3.88	2.86	6 001	72.7	14.8	11.1	12.5

注:本表数据是在《发展中的新疆地州市县社会经济 1949~1995》数据基础上经整理而得。

1995 年全疆现有灌溉面积为 6 001 万亩(见表 2-4),其中农田占 72.7%,林地占 14.8%,灌溉草场占 12.5%。北疆农田面积占其全部灌溉面积的比例较高,为 78.3%,南疆林地面积较高,为 20.2%。1995 年农作物总播种面积 4 885 万亩(见表 2-5),其中粮食作物面积占 46%,经济作物面积占 42%,复播面积占 12%。从区域分布看,灌溉面积占全疆的比例,东疆为 3.6%,南疆为 45.3%,北疆为 51.1%。

表 2-5 1995 年新疆农田灌溉面积统计 (10⁴ 亩)

地区	农田灌溉面积				主要农作物					
	有效灌溉	复播灌溉	粮食作物	经济作物	水稻	小麦	玉米	棉花	油料	甜菜
北疆	2 231.5	49.5	1 177	1 104	28	754.3	255.4	362.1	292.9	77.2
南疆	1 976.7	447.7	1 409.5	1 014.9	82.1	556.4	334.7	707.1	49.5	12.7
东疆	155.2	24.2	106.3	74.7	0	54.8	7.3	40.3	14.8	0
全疆	4 363.4	521.4	2 692.7	2 193.7	110.1	1 365.6	597.3	1 109.4	357.2	89.9

(二)农业生产

自 1983 年以来,新疆粮、棉、糖等农产品已自给有余,并逐渐成为我国重要的粮棉生产地区。1995 年全疆人均粮食占有量为 440kg,南疆和北疆自给有余,东疆达到 50% 的自给水平;全疆棉花人均占有量达 60.4kg,其他主要经济作物的产量也有大幅度的增长(见表 2-6)。这表明,新疆农业种植结构已经从过去的单一种植向以粮棉为主、其他经济作物为辅的多元化种植转变。

表 2-6 1995 年新疆主要农产品生产情况

分区	总产量(10⁴t)						人均量(kg)					
	粮食	棉花	油料	甜菜	水果	猪牛羊肉	粮食	棉花	油料	甜菜	水果	猪牛羊肉
北疆	364.51	559.45	40.89	236.87	16.17	24.82	478.5	36.7	53.7	310.9	21.2	32.6
南疆	360.26	1 333.60	7.86	47.60	66.43	20.07	462.9	85.7	10.1	61.2	85.4	25.8
东疆	21.43	85.86	0.53		31.58	2.13	220.7	44.2	5.5		325.2	21.9
全疆	746.2	1 978.91	49.27	284.47	114.18	47.02	440	60.4	30.1	173.7	69.7	28.7

乡镇企业经历了从无到有,并逐渐发展壮大,对提高新疆农村居民生活水平,增加收

入,吸纳农村剩余劳动力和保持农村社会稳定,发挥了巨大的作用。到1995年,全疆乡镇企业总产值为158亿元。农村居民人均纯收入,1995年东疆高于北疆,南疆差距较大,收入最低的和田地区仅为600元。

四、产业经济

自改革开放以来,新疆国民经济各产业都取得了巨大发展,经济规模不断扩大,产业结构发生了较大变化。各产业发展进程,详见表2-7所示。

表2-7　　　　　　　　1978～1995年产业经济发展与产业结构变化

指标	时间	合计	第一产业	第二产业	第三产业	农业	工业	建筑业	交运邮	商饮业	服务业
经济规模 (10^8 元)	1978年	39.0	14.0	18.3	6.7	14.0	14.5	3.9	1.2	2.1	3.5
	1980年	53.0	21.4	21.4	10.2	21.4	17.4	4.0	1.9	2.9	5.4
	1985年	112.0	42.8	40.4	28.8	42.8	32.1	8.3	4.6	9.0	15.2
	1990年	274.0	94.5	83.6	95.9	94.5	68.2	15.3	19.7	27.7	48.5
	1995年	835.0	250.5	302.3	282.2	250.5	218.8	83.5	55.1	76.0	151.1
产业结构 (%)	1978年	100.0	35.8	47.0	17.2	35.8	37.1	9.9	3.0	5.3	8.9
	1980年	100.0	40.4	40.3	19.3	40.4	32.8	7.5	3.6	5.5	10.2
	1985年	100.0	38.2	36.1	25.7	38.2	28.7	7.4	4.1	8.0	13.6
	1990年	100.0	34.5	30.5	35.0	34.5	24.9	5.6	7.2	10.1	17.7
	1995年	100.0	30.0	36.2	33.8	30.0	26.2	10.0	6.6	9.1	18.1
年均增长 (%)	"六五"期间	12.5	13.0	9.1	17.6	13.0	9.3	8.7	10.0	16.2	19.9
	"七五"期间	9.7	7.9	7.9	14.7	7.9	9.3	2.9	16.3	9.5	16.6
	"八五"期间	11.8	7.5	14.4	12.3	7.5	12.3	22.5	19.4	11.1	11.3
	1978～1995年	11.1	9.3	10.2	15.3	9.3	10.2	10.0	15.6	13.3	16.0

注:数据来源于《新疆统计年鉴》(1996年);表中经济规模(绝对数)为当年价,增长率按可比价计算。

目前,在新疆经济中占主导地位的经济部门主要为农业、轻纺工业、石油开采与加工业、建筑业及第三产业中的商业和文教卫生与科研等(见表2-8),国内生产总值、总产出和利税总额的79%、76%和83%都集中在这些经济部门。从行业自给程度看,1992年全疆33个经济部门中只有15个部门能满足自给,全疆总自给率为85%。这些自给行业基本都为资源型产业,不能自给的行业大多为重工业。这表明新疆工业化水平程度低。

经过几十年的发展,新疆产业结构总格局已有明显的变化。三产结构和农业、轻工业、重工业结构趋于协调,农村经济由单一农牧业向多元结构发展;建立了门类比较齐全、初具规模的现代工业基础;优势产业有一定的发展,基础产业得到加强。但从发展进程看,新疆尚处于社会主义初级阶段的较低层次,经济成长尚处于工业化初级阶段。产业结构的总体格局,仍然是以农牧业和以农牧产品为原料的轻纺、食品工业,以及以地下矿产资源开采及初加工业为主的、由半封闭型开始向开放型转变的资源型产业结构。这种结构反映了新疆资源状况与经济成长阶段的特点。

(一)新疆产业结构特点

第一,产业结构层次在提高。1995年新疆GDP的三种产业结构为30:36:34,和1978年(36:47:17)相比,第一产业、第二产业逐步下降,第三产业稳步上升;三种产业的从业人员构成为57:19:24,和1990年(61:17:22)相比,从业结构层次也有提高。

第二,以重工业为主的工业地位突出。1995年在工农业总产值构成中,工业占66%,

·39·

其中轻工业占 46%，重工业占 54%。在全部独立核算工业企业总产值中，石油和天然气开采业占 33.4%，纺织业占 14.6%，食品加工业占 17.9%。

表 2-8　　　　　　　　　　　　　**1992 年新疆国民经济主要行业排序**

排序	行业名	增加值		行业名	总产出		行业名	利税总额	
		现值 $(10^8$ 元$)$	百分比 $(\%)$		现值 $(10^8$ 元$)$	百分比 $(\%)$		现值 $(10^8$ 元$)$	百分比 $(\%)$
1	农业	92.9	22.1	农业	172.4	18.6	商业	58.0	25.5
2	商业	75.1	17.9	建筑	128.2	13.9	农业	53.1	23.3
3	建筑	44.6	10.6	商业	102.7	11.1	建筑	15.9	7.0
4	文教卫生科研	23.6	5.6	纺织	71.0	7.7	石油开采	12.1	5.3
5	石油开采	22.5	5.4	文教卫生科研	45.6	4.9	金融保险	10.7	4.7
6	货运邮电业	19.1	4.6	食品	43.4	4.7	食品	8.7	3.8
7	金融保险	15.8	3.8	石油加工	39.4	4.3	石油加工	8.0	3.5
8	纺织	14.7	3.5	货运邮电业	36.4	3.9	纺织	7.8	3.4
9	食品	13.1	3.1	金融保险	31.2	3.4	文教卫生科研	7.7	3.4
10	石油加工	10.3	2.5	石油开采	31.1	3.4	货运邮电业	6.9	3.0
小计		331.7	79.0		701.4	75.8		188.9	82.8
总计		420.1	100.0		925.4	100.0		228.0	100.0

注：本表数据根据 1992 年《新疆投入产出表》整理。

第三，地区间产业结构有新的变化。由于塔里木和吐哈盆地石油、天然气的开发，近 10 年来南疆工业发展速度高于北疆 5 个百分点，其工业总产值占全疆的比重由 1978 年的 21% 上升到 1995 年的 32%。北、南疆工业份额为：轻工业 59:41、重工业 77:23、基础工业 62:38，北疆工业发达于南疆的趋势虽有所减缓，但总格局仍未根本转变。

第四，农业中种植业比重过大。1995 年新疆农、林、牧、渔业产值比重为 67:10:22:1。在农村劳动力中，人员所占的比例，种植业占 82.6%，牧业占 6.7%。这表明新疆农业产业结构单一，农村劳动力向非农业转移十分缓慢。

第五，国有经济占主导地位，乡镇企业和民营经济不发达。1995 年工业普查显示，国有工业资产总额占全部独立核算工业（下同）的 87.7%，工业增加值占 88.7%，产品销售收入占 84.2%，上缴税金占 87.3%。乡村工业与民营工业发展严重滞后。

（二）新疆产业结构层次及结构比例存在的不足

第一，农牧业生产受生态环境和自然条件影响较大。农牧业进一步发展需要较高投入，新疆农牧业发展后劲已显不足。

第二，基础设施落后。水利设施不足、老化和管理不善，水问题日益突出；电网建设滞后，全疆尚未形成统一电网；交通运输业不发达，进出疆的物资运力不足；邮电通讯业仍需加强；城市的公共设施建设也难以满足城市居民生活需求。

第三，结构层次低，经济效益差。新疆资源开发程度低，深加工、高加工能力不足，产品附加值低。资源型产业加上原材料型产品，在原材料价格扭曲情况下，与区外高价的加工产品相交换，常出现双重的价值流失，这是新疆工业效益低的一个结构性原因。

第四，经济结构的半封闭性、关联和协作程度低。"二元"结构突出，"外嵌入"的现代工业与当地以农牧业为主的传统经济处于近乎隔绝的状态，呈"双轨"运行，缺乏融合效应。区外贸易近些年来发展很快,但主要是以物资调入调出为主。区内市场中加工制造产品外区占有率高,不利本地工业发展。

第五,第三产业发展不足,小经济与大机构的矛盾突出。一方面,第三产业层次较低,发展水平不高,特别是教育科技文化落后,劳动者素质低,专门人才短缺;另一方面,上层机构却比较密集和膨胀,机构开支难以控制,致使大量的建设资金被人头费吃掉,这不仅削弱了自我发展能力,而且是企业机制难以转变的重大障碍。

第六,产业布局极不平衡。工业发展区域布局极不平衡,全疆 75% 以上工业产值主要集中在兰新铁路线西段与乌—伊公路沿线。北疆工业过分集中于天山北坡的乌鲁木齐、克拉玛依和石河子一带。南疆及边远地区,几乎没有现代工业。工业相对集中,不利于广大地区的资源开发和农牧民的脱贫致富。

五、区域发展格局

1995 年东、北、南疆三区域 GDP 分别占全疆的 8%、64% 和 28%(见表 2-9),同期人口比重为 5.9%、47.3% 和 46.8%。北疆具有经济发展的区位优势,尤其以工业产值及主要工业产品占优,南疆以棉花占优,粮食作物南北相当,甜菜以北疆为主,东疆原油原煤有一定规模,但总体经济实力很弱。

表 2-9 　　　　　　　1995 年新疆三大区域经济发展主要指标及占全疆的比重

主要指标	东疆		南疆		北疆		总计
	数量	比重(%)	数量	比重(%)	数量	比重(%)	
GDP(10^8 元)	65.1	7.8	233.0	27.9	536.9	64.3	835
农业总产值(10^8 元)	16.4	4.0	169.1	41.7	195.7	54.3	381.2
工业总产值(10^8 元)	41.2	7.4	96.0	17.3	473.8	75.3	611
小麦总产量(10^4 t)	11.1	2.9	168.2	44.1	201.9	53.0	381.2
棉花总产量(10^4 t)	3.5	3.7	47.8	51.1	42.2	45.2	93.5
布总产量(10^4 m)	21.0	0.1	10 143.8	33.3	20 286	66.6	30 451
钢总产量(t)	2 462.4	0.37	532.4	0.08	662 862.9	99.6	665 858
原煤总产量(10^4 t)	429.8	15.8	342.8	12.6	1 948.0	71.6	2 720.6
原油总产量(10^4 t)	220.6	17.4	253.6	20.0	793.6	62.6	1 267.8
发电量(10^8 kW·h)	5.1	4.2	19.0	15.8	96.32	80.0	120.4
化肥总产量(10^4 t)	0.5	1.2	0.3	0.8	37.5	98.0	38.3
水泥总产量(10^4 t)	32.2	6.0	122.4	22.8	382.3	71.2	536.9

区域经济发展不平衡,北疆发展速度趋缓,而东疆和南疆有高于全疆平均增长速度的态势(见表 2-10)。从行政分区看,尽管全疆在过去的几个五年计划中发展速度都较高,但部分地、市、州仍相对较慢,比较慢的有石河子(7%)、克拉玛依(7.6%)、塔城(8.7%)、伊犁(8.9%)和哈密(8.5%)等。发展差距扩大的倾向,应予以充分注意。

从区域比较看,工农业发展在区域上是不平衡的。1978 年全疆 75.4% 的工业产值集中在北疆地区,而南疆和东疆分别只有 18% 和 6.6%。但到 1995 年,这一比例变化为:北疆 75.3%、南疆 17.3% 和东疆 7.4%。由此可以看出,工业发展的区域变化趋势为:北疆地区工业所占比重持续下降,南疆和东疆则稳步上升。

表 2-10　　　　　　　　　　　　　　区域经济发展过程

地区	GDP(10^8 元)					GDP 年均增长率(%)			
	1978 年	1980 年	1985 年	1990 年	1995 年	1981~1985 年	1986~1990 年	1991~1995 年	1979~1995 年
北疆	29.90	39.76	76.25	171.38	536.9	13.1	10.4	9.8	10.9
南疆	13.66	17.23	35.19	81.55	233.0	15.5	9.8	10.5	11.6
东疆	3.03	4.07	7.69	16.03	65.1	13.1	10.3	14.6	12.4
全疆	46.59	61.06	119.13	268.96	835.0	13.8	10.2	10.3	11.2

六、面临的机遇与发展战略

(一)面临的机遇

新疆辽阔的地域及各种丰富的自然资源、社会人文资源,构成了一种具有巨大吸引力的复合优势。由于历史和地理环境等原因,它目前的经济发展水平还比较低,经济总量小,占全国 GDP 的比重不到 2%。但从长远发展看,新疆有着巨大的开发潜力和发展前景。加速新疆的开发和建设,充分利用和发挥新疆多种资源优势,特别是农牧业资源,石油、天然气资源和向西部开放的前沿区位优势,将资源优势、区位优势转化为经济优势。这不仅对于改变新疆的落后面貌,逐步缩小同内地先进省区的差距,促进各民族的共同繁荣,加强民族团结,巩固和发展全疆安定团结的政治局面具有重要的意义,而且对于东、中、西部三大经济地带之间的协调发展,全面提高社会生产力,实现我国经济发展的战略目标,也具有重要意义。

只要能够把握历史发展趋势,采取正确的发展战略,充分利用有利条件,努力化解不利因素,克服困难,迎接挑战,加快现代化建设步伐,新疆就一定能够圆满地完成新的发展阶段的历史任务,必将成为我国现代化建设的重要基地之一。

(二)实施人口可持续发展战略

控制人口增长,实行计划生育政策。驱动经济发展和需水增长的主要因素是人口,生态环境保护的压力也主要来自于人口的过度增长。

提高人口文化素质,加快少数民族人才培养。新疆经济的起飞,关键在提高人口素质,培养高素质的劳动者。作为少数民族集聚地区,加快少数民族人才培养尤为重要。

加快牧民定居工程建设。切实实施新疆畜牧业发展规划,力争在 2010 年以前游牧人口全部定居。做好定居人口的安置工作,使居者有其田、有其草场。

加快城镇化进程。加快人口的城镇化建设,可降低农村人口对水土资源的依赖,减轻生态环境保护的压力,培育和形成区内消费市场,拉动经济发展。在城镇化建设中,应控制中心城市的过度膨胀,重点发展集镇建设。

(三)实施科教兴新战略

以科教兴新为动力,通过大力发展教育,建立自己的科技创新体系,着重提高科技在资源优势向市场优势转化中的贡献率,加快成果转化,增强国民经济的整体素质和综合竞争力。

(四)实施重点产业发展战略

结合新疆中长期的社会经济发展战略,从资源优势、技术进步、产业关联度、产业优势、市场前景等多方面综合分析判断,经过分析比较,可以将新疆重点产业,按在国民经济发展中的地位与作用分为需要加强的基础产业;发挥优势,大力发展的主导产业和积极培植的战略产业。即:优先发展的基础产业为农牧业、水利业、资源勘探与科技教育;加快发展纺织、食品工业,石油、天然气开采业,化学工业的主导产业;培育旅游业和对外贸易、有色金属和稀有金属工业战略产业。

(五)实施点轴型区域发展战略

充分发挥具有市场优势的中心城市(点)的作用,同时优先发展由高速高效通道联系的不同等级中心城市形成的城镇密集地带(轴),并逐步向外扩展,带动整个区域的发展。一级中心城市为乌鲁木齐、一级发展轴是吐鲁番—乌鲁木齐—阿拉山口(霍尔果斯)铁路沿线;二级中心城市为乌苏—奎屯—独山子等市区和库尔勒市,二级发展轴是南疆铁路沿线和北疆边境口岸群;三级中心城市是其他城市和县城,三级轴是联系这些城镇的其他三横三纵交通通道。由此形成以乌鲁木齐、奎—乌—独、库尔勒为中心的,以北疆和南疆铁路为纽带的,以边境口岸为外向发展触角的以北(疆)促南(疆)、东联西出的二三产业的布局。重大基础设施的建设地位与之相配合,协调发展。

第二节 现状用水评价与节水潜力分析

一、用水现状与用水结构

1995 年全疆国民经济总需水量为 436 亿 m³,其中南疆、北疆和东疆所占的比例分别为 58%、38% 和 4%,而水资源量分布依次为 51%、47% 和 2%。可见,用水与水资源空间分布极不协调。从三大用户看,全疆农业需水为 418 亿 m³,占总需水的 96.1%,南疆、北疆和东疆,皆超过 92%。全疆工业总用水占全部总用水的比例较低,为 2.3%;生活用水比例为 1.6%(表 2-11)。随着工业的快速发展和城镇化进程的加快,未来新疆工业、生活用水占总用水的比例将会有较大提高,农业用水则会相对下降。

表 2-11 现状年需用水情况

地、市、州	水量(10⁸m³)				构成(%)			
	农业	工业	生活	合计	农业	工业	生活	合计
北疆	154.441	6.829	3.976	165.246	93.5	4.1	2.4	100.0
南疆	246.382	2.237	2.558	251.177	98.1	0.9	1.0	100.0
东疆	17.619	1.158	0.342	19.119	92.1	6.1	1.8	100.0
全疆总计	418.442	10.224	6.876	435.542	96.1	2.3	1.6	100.0

从年内分配过程看,生活和工业用水年内需水过程大体均匀,而农业用水则年内变化较大。农业灌溉需水量春季 3～5 月占 28%、夏季 6～8 月占 56%,秋季 9～11 月占 15%。北疆普遍从 4 月份开始灌溉至 9 月份结束,夏季为需水高峰,其次为春季,3～4 月需水比例占 12.5%;东疆和南疆从 3 月份开始灌溉至 10 月份结束,一般 10～12 月还需冬灌,以解决来年春播的缺水。东疆 3～4 月占整个需水的比例为 23%,南疆也高于北疆 4%。

二、用水效率

(一)渠系水综合利用系数

渠系水综合利用系数用来反映灌溉水的用水效率。用水效率可分为蓄水的供水效率、输水系统的用水效率和田间灌溉效率三大部分。据统计分析,1995年全疆现有水库平均全年蒸发渗漏损失率为15%,实际供水效率为85%;全疆引水工程各级输水渠道平均利用率为0.47;地下水和其他工程全年向农业总供水量的利用率为0.90。由此计算,全疆蓄水、引水和其他工程农业灌溉用水的综合用水效率为52.4%。田间渗漏量,北疆地区一般为18%,东疆和南疆地区约为12%,综合平均全疆约为15%。因此,田间用水效率平均为85%。1995年新疆各地、市、州渠系水综合利用系数,见表2-12。

表2-12 现状渠系水综合利用系数

地、市、州	系数	地、市、州	系数	地、市、州	系数
乌鲁木齐市	0.59	伊犁地区	0.43	喀什地区	0.41
克拉玛依市	0.47	塔城地区	0.55	和田地区	0.45
石河子市	0.56	阿勒泰地区	0.39	吐鲁番地区	0.49
昌吉州	0.63	巴音郭楞州	0.52	哈密地区	0.45
博尔塔拉州	0.58	阿克苏地区	0.44		
奎屯市	0.58	克孜勒苏州	0.43	全疆综合	0.47

(二)亩均灌溉水量

现状各地、市、州亩均灌溉水量如表2-13所示。按全部灌溉面积计算,1995年新疆各地区亩均毛灌溉水量,全疆平均为704m³,其中北疆为548m³、南疆为854m³、东疆为745m³。新疆各类农作物的亩均灌溉水量,一般都是南疆、东疆高于北疆。新疆主要农作物亩均灌溉定额为:水稻750~1 200m³,冬小麦300~420m³,春小麦240~300m³,玉米220~325m³,高粱240~300m³,棉花300~420m³,油料200~300m³,甜菜240~360m³。

表2-13 农作物亩均灌溉水量 (m³)

地、市、州	灌溉水量	地、市、州	灌溉水量	地、市、州	灌溉水量
乌鲁木齐市	477	塔城地区	495	吐鲁番地区	785
克拉玛依市	751	阿勒泰地区	692	哈密地区	712
石河子市	526	巴音郭楞州	667		
昌吉州	443	阿克苏地区	898	北疆综合	548
博尔塔拉州	487	克孜勒苏州	836	南疆综合	854
奎屯市	504	喀什地区	859	东疆综合	745
伊犁地区	669	和田地区	925	全疆综合	704

(三)工业万元产值取用水量

现状水平年新疆工业用水量所占比重较小,工业节水有限。目前仅在水资源紧缺且用水量较高的部分城市,工业用水有部分重复利用(见表2-14)。1995年全疆工业处理回用水量为5 540万m³,重复利用率平均为12.2%,其中北疆为14.6%,东疆为3.1%,南疆只有2.1%。目前尚有许多城市工业和县城以下工业基本没有重复利用。

表2-14　　　　　　　部分城市工业用水处理回用量与用水重复利用率

地区名称	处理回用(10^4m^3)	重复率(%)	地区名称	处理回用(10^4m^3)	重复率(%)
北疆	5 253	14.59	东疆	88	3.13
伊宁市	18	0.95	哈密市	79	3.33
乌苏市	22	9.57	吐鲁番市	9	2.05
博乐市	24	5.43	南疆	199	2.10
克拉玛依市	3 116	29.03	阿克苏市	184	9.58
石河子市	441	10.46	和田市	15	3.25
昌吉市	165	7.30			
乌鲁木齐市	1 467	10.76	全疆合计	5 540	12.15

按1995年当年价计算,全疆当年工业综合万元产值取用水量为133.8m³,其中东疆、北疆和南疆分别为205.6m³、130.4m³和121.4m³(见表2-15)。和国内先进地区相比(全国平均为90~100m³,节水较好地区一般为40~60m³),新疆工业用水定额普遍偏高。

表2-15　　　　　　　工业万元产值取用水量(1995年价格水平)　　　　　　(m³)

地、市、州	用水量	地、市、州	用水量	地、市、州	用水量
乌鲁木齐市	100.5	塔城地区	229.0	吐鲁番地区	214.8
克拉玛依市	102.0	阿勒泰地区	319.0	哈密地区	183.4
石河子市	225.1	巴音郭楞州	166.9		
昌吉州	107.3	阿克苏地区	98.8	北疆	130.4
博尔塔拉州	76.8	克孜勒苏州	162.3	南疆	121.4
奎屯市	216.0	喀什地区	84.7	东疆	205.6
伊犁地区	219.1	和田地区	95.8	全疆	133.8

(四)人均生活日用水量

1995年全疆农村人均日用水量一般都在40~60L,平均为45L。城镇居民生活人均日用水量,全疆平均为90L,但克拉玛依、乌鲁木齐、石河子、塔城、奎屯等经济相对发达的地区均超过100L。城镇居民公共用水定额,全疆平均为60L/(人·日),除了克拉玛依、乌鲁木齐、奎屯3城市外,一般都为35~45L。人均日用水量,见表2-16。

表2-16　　　　　　　　　人均日生活用水量　　　　　　　　　[L/(人·日)]

地、市、州	农村居民	城镇居民	公共用水	地、市、州	农村居民	城镇居民	公共用水
乌鲁木齐市	60	135	100	吐鲁番地区	50	60	45
克拉玛依市	50	150	100	哈密地区	40	60	35
石河子市	40	120	45	巴音郭楞州	43	110	80
昌吉州	45	60	40	阿克苏地区	45	80	40
博尔塔拉州	50	80	40	克孜勒苏州	43	45	35
奎屯市	50	100	100	喀什地区	43	45	35
伊犁地区	45	70	40	和田地区	43	45	35
塔城地区	45	120	50				
阿勒泰地区	40	45	35	全疆	45	90	60

(五)牲畜日用水定额

牲畜用水定额,大牲畜一般为40~60L/(头·日),小牲畜为8~10L/(头·日)。以标准头计算牲畜用水量目前一般采用8～10L/(头·日)。

三、人均用水量

从表2-17可以看出,1995年全疆人均用水量为2 700m³,明显高于全国平均水平(全国平均约为450m³)。乌鲁木齐、克拉玛依和奎屯3市低于1 000m³。

表2-17   现状人均年用水量

地、市、州	用水量	地、市、州	用水量	地、市、州	用水量
乌鲁木齐市	484	塔城地区	3 168	吐鲁番地区	1 822
克拉玛依市	835	阿勒泰地区	5 133	哈密地区	2 174
石河子市	1 312	巴音郭楞州	2 925		
昌吉州	2 292	阿克苏地区	4 395	北疆	2 220
博尔塔拉州	2 512	克孜勒苏州	2 190	南疆	3 275
奎屯市	933	喀什地区	3 255	东疆	1 984
伊犁地区	2 357	和田地区	2 447	全疆综合	2 708

四、用水效益

采用全部用水计算的单方用水GDP生产量,可综合反映区域水使用的宏观经济效果;将粮食总产量除以粮食作物灌溉用水量即可得单方水生产粮食量,该指标反映了粮食生产的用水效率。1995年全疆每立方米水的GDP生产量为1.8元,1m³水的粮食生产量为0.46kg,均低于全国平均水平(表2-18)。这表明新疆水资源尚处于低效开发利用状态。

表2-18   新疆单方水产出效益

地、市、州	GDP生产量(元)	粮食生产量(kg)	地、市、州	GDP生产量(元)	粮食生产量(kg)
乌鲁木齐市	25.6	0.63	巴音郭楞州	2.4	0.45
克拉玛依市	33.3	0.46	阿克苏地区	0.9	0.29
石河子市	4.4	0.62	克孜勒苏州	0.6	0.36
昌吉州	2.3	0.68	喀什地区	0.7	0.42
博尔塔拉州	1.8	0.72	和田地区	0.7	0.45
奎屯市	8.9		南疆综合	0.9	0.38
伊犁地区	1.2	0.56	吐鲁番地区	4.1	0.45
塔城地区	1.3	0.61	哈密地区	2.1	0.43
阿勒泰地区	0.7	0.34	东疆综合	3.1	0.44
北疆综合	2.9	0.59	全疆综合	1.8	0.46

五、节水潜力分析

(一)节水方向

目前,新疆农业用水占总用水的97%以上,因而农业节水是当前和今后新疆节水的重点;随着工业化和城镇化进程的加快,工业和生活用水将增长较快,也应加大工业和生活节水的力度,特别是缺水城市,工业和生活节水应为这些城市今后的节水重点。

在目前的发展阶段,新疆节水的重点在于减少地表水的渗漏。减少地表水渗漏的主要途径在于减少人工渠道和田间的渗漏。从区域看,南疆水的利用效率较低,渠系水综合利用系数普遍偏低。在生态环境保护日益增大的用水压力下,南疆今后国民经济新增需水量,应主要通过农业节水来满足,配以适度开源工程建设;东疆水资源开发利用潜力有限,其农业和国民经济发展需水的增长,也主要是通过节水来满足,发展高效、节水农业是东疆未来发展的必经之路;北疆节水重点在天山北坡一带地区,如乌鲁木齐、克拉玛依、奎屯、昌吉、石河子等,在强调节水的同时,应加快具有调控作用的各类水源工程的建设。伊犁和阿勒泰两地区,因水资源丰富,重点是加紧水资源丰沛的大河的开发。

(二)输水系统节水

1995年全疆干、支、斗、农4级渠道总长30.65万km(防渗长度为5.97万km,防渗率仅为19.5%)。其中,干渠防渗率为49.9%,支渠为47.7%,斗渠为26.0%,农渠仅为4.4%。如果干、支、斗3级渠道全部采取防渗措施,渠系水利用系数有望达到0.7。若以渠系水综合利用系数0.7计算,则全疆各级渠道水量损失减少41.3%,现状农业输水系统尚有85亿m³的节水潜力。在区域分布上,根据1995年的《水利统计资料汇编》统计,北疆的渠系防渗率为25%,东疆为42%,南疆仅为12%。由此可知,通过提高渠道防渗率,减少渠道水的损失,各地、州、市均具有一定的节水潜力。节水潜力较大的为南疆和北疆的伊犁、阿勒泰地区。

(三)田间节水

据统计,沟、畦灌溉净定额,北疆为267m³/亩,南疆为450m³/亩;大水漫灌,北疆为325m³/亩,南疆为555m³/亩。大水漫灌比沟畦灌溉全疆平均多用水22%。若全疆现有的1 864万亩大水漫灌面积采用沟、畦灌溉方式,则南、北疆可分别节水10.3亿m³和4.5亿m³,全疆合计为14.8亿m³。据试验资料分析,采用膜上灌可节水30%。膜上灌最适宜的作物为棉花及瓜类等经济作物。1995年全疆膜上灌面积为414万亩,占棉花和瓜类播种面积的36%。若按每亩节水量100m³计算,对现有非膜灌的棉花和瓜类作物进行膜上灌,可节水7.3亿m³。根据《新疆农业节水与作物灌溉制度》分析,全疆可发展加压喷灌面积约500万亩,可发展加压喷灌的井灌区面积675万亩,喷灌节水率为45%,则1 175万亩适宜喷灌的面积节水量为23亿m³。滴灌技术适应的灌溉作物为瓜类和果园(含葡萄作物)等经济作物,滴灌节水率为55%,1995年全疆果林面积为226万亩,瓜类作物39万亩,如果全部采用滴灌,果林和瓜类作物每亩可节约135m³和248m³,从而可节约水量4亿m³。由此计算,全疆田间节水潜力为49亿m³。

上述分析表明,农业灌溉的主要节水潜力在输水渠道和田间的节水。如果现有渠道全部加以防渗处理,大水漫灌的农田改为沟畦灌溉,适宜喷灌的农田采用自压和加压喷灌,棉花作物改用膜上灌溉技术,果林和瓜类采用滴灌,全疆可节约的水量为136亿m³,如果按亩毛灌溉定额550m³计算,则可再扩大耕地面积2 400万~2 500万亩。

第三节 社会经济发展预测

一、人口预测

在国家对少数民族生育政策无重大改变之前,新疆人口的自然增长仍将保持较快速度;随着国家建设重点西移,流动人口和迁入人口也会有较大增长。据此分析,预计 2000 年、2010 年和 2020 年各时段人口年均增长率分别为 19.6‰、18.5‰和 14.9‰。随着社会与经济发展,人口向城市(镇)迁移是一种普遍规律,预计 2000 年、2010 年和 2020 年全疆城镇化比例分别为 38.5%、44.5%和 49%。人口预测,见表 2-19 和表 2-20。

表 2-19 新疆人口城市化率及总人口年均增长率预测

地区	人口城市化率(%)				总人口年均增长率(‰)		
	1995 年	2000 年	2010 年	2020 年	1996~2000 年	2001~2010 年	2011~2020 年
北疆	47.4	50.4	55.2	61.9	20.4	17.8	15.6
南疆	22.6	26.3	32.8	39.9	20.6	18.6	13.6
东疆	39.2	41.0	45.5	49.6	20.3	17.7	13.9
全疆	34.6	38.5	44.5	49.0	19.6	18.5	14.9

表 2-20 新疆人口及其区域分布发展预测 $(10^4/人)$

地区	1995 年			2000 年			2010 年			2020 年		
	农村	城镇	合计	农村	城镇	合计	农村	城镇	合计	农村	城镇	合计
北疆	401.49	362.23	763.72	419.4	425.4	844.8	451.2	556.7	1 007.9	448.7	728.3	1 177.0
南疆	602.72	175.61	778.33	635.4	226.3	861.7	695.8	340.2	1 036.0	713.3	472.7	1 186.0
东疆	59.06	38.06	97.12	63.4	44.0	107.4	69.7	58.3	128.0	74.1	72.9	147.0
全疆	1 087.19	574.16	1 661.35	1 126	705	1 831	1 220	980	2 200	1 250	1 300	2 550

注:地、市、州人口预测是基于现行统计口径,其汇总数比全疆总人口数略小。

新疆人口发展在区域上是不平衡的,北疆迁移人口增长相对较大,而南疆和东疆则自然增长的人口较多;北疆、南疆和东疆总人口地区分布比例基本不变,但北疆人口城镇化水平相对较高。1995 年全疆总人口为 1 661.35 万,预测到 2000 年和 2010 年分别为 1 831 万人和 2 200 万人(为政府规划指标),2020 年预计将达到 2 550 万人。

二、农牧业发展预测

(一)发展潜力与发展方向

新疆地域广阔,自然条件的区域差异大,水土资源空间匹配不良。农业资源要素的空间差异,对农业生产的发展潜力具有根本性的影响,也是对新疆农业未来发展规划和预测的基本依据。以地、市、州级行政分区为单元的新疆农业资源潜力分析,见表 2-21。

(二)预测的基本思路

第一,发展高效、节水、市场化农牧业。在保证粮食自给有余、小区域平衡的前提下,发展以优质棉花、甜菜、瓜果和畜产品为重点的商品农牧业和创汇农牧业。

第二,大力发展乡镇企业和乡村工业,同时应注重于生态环境保护。

第三,加强集镇建设。结合牧民定居政策的实施,加强集镇建设,发展集镇经济,提高农牧民生活水平。

第四,形成以常规适用技术为导向,以基地型农业为基础,农牧林紧密结合,乡镇企业和乡村工业全面发展,人口、经济、环境、城乡比较协调的多元化新型农村经济。

第五,未来新疆种植业结构应逐步实现由目前以"粮、经为主"的结构向"粮、经、饲草"

的结构转变,把畜牧业和养殖业放在更加突出的位置。

表 2-21　　　　　　　新疆各地、市、州农业资源潜力分析

地、市、州	农业发展现状	农业开发中的问题	农业开发潜力与方向
乌鲁木齐市	耕地面积占全疆的 1.6%,人口占全疆的 8.7%,粮食总产占全疆的 1.7%,人均粮食仅为 86kg。	用水紧张,部门争水矛盾突出,作物结构较为单一,工业及城市对农区已产生一定污染	农业规模不宜进一步扩大,应以提高农业效益为主攻方向,调整产业结构,面向城市,服务城市,加强农业投入,使其成为新疆高效、节水农业示范区
克拉玛依市	耕地面积占全疆的 4‰,人口占 1.4%,粮食总产也为全疆总产的 4‰,人均产肉 12.25kg。耕地面积及粮食生产全疆最少	农业生产的主要限制因素是水资源不足,需重新开辟新水源	"引额济克"工程实施后,克拉玛依市将成为北疆重要的农业开发区,应利用乌尔禾一带优质荒地及较好的光热条件,发展特色农业和速生杨等
奎屯市	人口占全疆的 0.56%,耕地面积占全疆的 2.3%,粮食总产约占全疆的 1%,人均有粮 762kg,居全疆第一,人均产肉 62kg,为全疆第二,为非牧业地区第一	土地次生盐渍化发展较快,部分田块严重盐渍化,奎屯河下游农业生态环境恶劣,受沙化威胁,水资源供给不足已影响农业发展	以挖潜及低产田改良为主,提高科学种田水平,防治次生盐渍化。地处北疆气候温暖区,应建好糖料基地,搞好农区畜牧业基地、棉花和特色农业建设
石河子市	人口占全疆的 3.3%,耕地占全疆的 4.8%,粮食总产占全疆的 3.6%,棉花占全疆的 7.3%,甜菜占全疆的 12.8%,人均产肉 17.7kg。是北疆最重要的棉区和糖料基地	农区北部玛纳斯河下游一带土地次生盐化严重,排水困难,地下水位持续上升,148～150 团一带深入沙漠,土地受沙化威胁	地处北疆气候温暖区,适合粮棉种植,应适当扩大农业规模,建好粮、棉、糖基地,发展农区畜牧业,改造低产田,发展高产、高效、生态农业
吐鲁番地区	人口占全疆的 3.2%,耕地面积占全疆的 1.5%,粮食总产占全疆的 1.3%,人均有粮 183kg,棉花总产占全疆的 2.8%	水资源利用已接近极限,水资源的区域调配不尽合理,部分地区沙化及次生盐渍化	属气候炎热区,光热资源丰富,水资源有限,应发展特色农业,积极发展葡萄、长绒棉、甜瓜等高效经济作物,处理好粮食与经济作物争地问题
哈密地区	人口占全疆 2.7%,耕地面积占全疆的 1.7%,粮食总产占全疆的 1.6%,棉花占全疆的 1.4%,人均产肉 31.2kg	农业用水较紧张,尚未培育出有特色的农业支柱产业	南部气候炎热,北部温暖,中部盆地温凉,水、土资源有限,应充分利用北部光热资源形成特色、高效农业,中部盆地发展粮食、甜菜、油料及畜牧业生产
昌吉州	人口占全疆的 8.5%,耕地占全疆的 11.6%,粮食占全疆的 13.7%,人均粮食 726kg,居全疆第二,棉花占全疆的 6.5%,甜菜总产占 19%,人均产肉 47kg	用水紧张,部分地区土地次生盐渍化发展,沙漠边缘有沙化威胁	东西距离长,西部温暖,东部温凉,西部应发展以棉花为主的经济作物,提高农业效益,东部建设新疆重要的粮、糖、油和畜牧业基地

地、市、州	农业发展现状	农业开发中的问题	农业开发潜力与方向
伊犁地区	人口占全疆的 11.8%,耕地占全疆的 12.7%,粮食总产占全疆的 16%,为北疆最重要产粮区,人均生产粮食 600 多千克,甜菜总产占全疆的 32.3%,居全疆第一,人均产肉 42.74kg,水果产量占全疆的 10.5%	部分地区有沼泽化、盐渍化发生,粮油销售困难	全区气候温凉,宜粮、糖、油料生产,水土资源丰富,是农业重点开发区之一,应进一步扩大耕地规模,建设国家粮、糖、油基地。随着交通条件改善,粮油销售问题有望缓解,在低山丘逆带种植果树,形成水果生产基地,发展畜牧业,农牧结合
塔城地区	人口占全疆的 7.2%,耕地占全疆的 10.4%,粮食总产占全疆的 7.2%,棉花产量占全疆的 4.1%,人均产肉 37kg	部分地区草场退化,影响牧业生产,农田土层薄,风蚀严重	气候温凉区,宜粮、糖、油料及畜牧业生产。适度扩大耕地规模,发展农区畜牧业,保护天然草场,农牧并重,建设粮、糖、油、肉生产基地
阿勒泰地区	人口占全疆的 3.3%,耕地占全疆的 4.3%,粮食产量占全疆的 3%,甜菜产量占全疆的 3.5%,产肉量占全疆的 9%,人均产肉 86kg,位居全疆第一,产鱼量为全疆的 10.3%	土地瘠薄,次生盐渍化严重	气候寒凉区,水资源丰富有余,土地资源量少质次,应以畜牧业及渔业为主要生产方向,坚持粮食自给"635"工程实施后,沿线扩大灌溉面积,改善生态环境
博州	人口占全疆的 2.3%,耕地占全疆的 3.4%,粮食总产占全疆的 2.6%,棉花总产占全疆的 4.9%,甜菜总产占全疆的 5.5%,产肉量占全疆的 2.5%,人均产肉 34.9kg	受艾比湖区环境恶化影响较大,盐尘暴时有发生,影响人畜健康,局部地段沙化发展	带状区域,西部温凉,为粮、糖、油料适宜区,东部光热资源条件较好,为植棉区,资源空间配置好,应加强艾比湖生态环境保护,发展以构造生产力特色的高效农业
巴州	人口占全疆的 5.6%,耕地占全疆的 5.8%,粮食总产占全疆的 5.7%,棉花总产占全疆的 7.1%,甜菜总产占全疆的 13.5%,南疆惟一的甜菜基地,产肉量占全疆的 7.3%,人均产肉 41kg	南部孔雀河三角洲用水紧张,北疆焉耆盆地次生盐渍化严重,博斯腾湖周生态环境趋于恶化	南部温暖,宜发展棉花生产,但水源紧张,制约大规模农业开发。北部气候温凉,为粮、糖生产基地。农业发展中一方面抓中低产田改造,另一方面应适度扩大耕地面积,增加在全疆农业中的地位。发展香梨等特色产品生产、加工,及城市菜篮子工程建设,服务于库尔勒地区
阿克苏地区	人口占全疆的 11.2%,耕地占全疆的 14.4%,粮食总产占全疆的 13.4%,棉花总产占全疆的 27.6%,为新疆最重要的棉花基地之一,肉产量占全疆的 8.2%,人均产肉 23kg	棉花种植面积比例过大,农作物结构趋向单一化,土地次生盐渍化严重,农区畜牧业发展尚不足	气候温暖,水土资源丰富,是新疆最主要宜棉区之一,应充分发挥农业资源优势,适度扩大耕地面积,调整优化农业内部结构,加强畜牧业发展

地、市、州	农业发展现状	农业开发中的问题	农业开发潜力与方向
克州	人口占全疆的2.5%,耕地占全疆的1.5%,粮食总产占全疆的1.7%,棉花总产占全疆的0.7%,产肉量占全疆的2.8%,人均产肉36.3kg	水源紧张,耕地面积小,农业结构单一,效益不高	大部分地区气候温凉,宜发展粮、糖生产及畜牧业,阿图什市一带气候温凉,可发展棉花生产。农业进一步扩大规模余地不大,应以提高农业效益,增加产量为主
喀什地区	人口占全疆的18.6%,耕地占全疆的17.7%,粮食总产占全疆的18.6%,棉花总产占全疆的27.4%,新疆主要棉花基地之一,肉产量占全疆的11.9%,人均产肉20.3kg	土地次生盐渍化问题较严重,棉田占地面积过大,连年植棉,土地失养,畜牧业发展不足	气候温暖,荒地面积大,南部叶尔羌河流域水资源较为充裕,可适度扩大农业规模,发展成新疆最大的连片绿洲,调整和优化农业内部结构,加强畜牧业

基于上述思路,灌溉面积发展的具体策略为:

北疆在水资源、土地资源丰富的伊犁和阿勒泰地区,加大开发力度,提高水资源利用率。在昌吉、博州、塔城3地州,适度开垦土地,以适应人口的增长。乌鲁木齐、石河子、奎屯市,在控制现有耕地面积、调整种植结构、提高单产的基础上,适度扩大灌溉面积,植树种草,巩固人工绿洲。

南疆5地州,水资源较紧缺,经济落后,农牧民生活水平较低,少数民族人口集中,处在基础设施落后,粗放型经营的过渡阶段,和田地区人均耕地仅1.5亩,适当增加灌溉面积是必要的,其他地区原则上不再扩大灌溉面积,重点是中低产田的改造,提高耕地质量。

东疆水土资源开发潜力不大。其发展主要立足于现有耕地的高效利用和开展高新技术的农业节水。

(三)种植业发展预测

根据土地资源情况和水资源条件,结合人口增长及粮食、棉花、油料、甜菜等基地建设,考虑到提高农牧业经济收入增长要求,新疆主要农作物播种面积预测见表2-22。

预测表明,全疆2020年累计新增耕地1 725万亩,其中粮食、棉花和其他经济作物为800万亩、500万亩和425万亩。在此基础上预测2000年、2010年和2020年全疆粮食生产分别达到837万t、1 076万t和1 217万t,棉花分别为115.65万t、150万t和165.4万t(见表2-23)。

新疆地处中温带,光热资源较为丰富,但适宜作物生长的时期相对较短,又因春季用水紧张,因而复种指数增长潜力不大(见表2-24所示)。由此预测2020年全疆累计新增灌溉面积1 300万亩,且主要集中在伊犁河和额尔齐斯河两流域。

表 2-22   新疆主要农作物播种面积预测   (10^4 亩)

农作物	区域	2000 年新增	2000 年达到	2010 年新增	2010 年达到	2020 年新增	2020 年达到
粮食	北疆	161.7	1 338.7	442.3	1 781.0	154.0	1 935.0
	南疆	17.4	1 426.9	15.9	1 442.8	4.0	1 446.8
	东疆	2.4	108.6	2.3	110.9	0.4	111.3
	小计	181.5	2 874.2	460.5	3 334.7	158.4	3 493.1
棉花	北疆	18.3	377.9	21.2	399.0	6.2	405.2
	南疆	134.2	841.3	247.0	1 088.3	64.0	1 152.3
	东疆	3.6	43.9	4.4	48.3	0.9	49.2
	小计	156.2	1 263.1	272.6	1 535.6	71.1	1 606.7
其他作物	北疆	83.3	827.3	156.8	984.2	99.4	1 083.6
	南疆	14.6	322.5	29.9	352.3	27.0	379.3
	东疆	3.1	37.6	4.8	42.4	6.9	49.3
	小计	101.0	1 187.4	191.5	1378.9	133.3	1 512.2
合计	北疆	263.3	2 543.9	620.3	3 164.2	259.7	3 423.8
	南疆	166.2	2 590.7	292.8	2 883.4	95.0	2 978.4
	东疆	9.1	190.1	11.5	201.6	8.2	209.8
	总计	438.7	5 324.7	924.5	6 249.2	362.8	6 612.0

表 2-23   新疆粮食、棉花生产预测

农作物	区域	总产量(10^4t)				人均生产量(kg/人)			
		1995 年	2000 年	2010 年	2020 年	1995 年	2000 年	2010 年	2020 年
粮食	北疆	365.7	432.7	608.2	689.2	478.5	518.5	613.5	601.9
	南疆	360.3	381.6	439.1	495.2	462.9	443.3	419.3	405.0
	东疆	21.4	23.6	28.3	32.9	220.7	220.8	221.4	222.4
	总计	747.4	837.9	1 075.6	1 217.3	449.9	457.6	488.9	477.4
棉花	北疆	27.98	30.1	33.33	35.01	68.9	71.0	72.8	75.4
	南疆	66.09	80.81	111.46	124.83	110.5	127.4	157.0	169.3
	东疆	4.30	4.72	5.31	5.54	67.2	69.0	71.8	75.4
	总计	98.96	115.66	150.00	165.38	92.2	102.6	120.9	129.7

注:人均棉花生产量按农业人口计算。

表 2-24   农田灌溉面积发展预测

地区	复种指数(%)				农田灌溉面积(10^4 亩)			
	1995 年	2000 年	2010 年	2020 年	1995 年	2000 年	2010 年	2020 年
北疆	102.2	104.1	106.2	107.4	2 231.5	2 443.9	2 980.5	3 189.3
南疆	122.6	124.5	126.9	129.4	1 976.8	2 081.3	2 271.7	2 301.0
东疆	115.6	116.7	118.2	120.9	155.2	162.9	170.5	173.5
总计	112.0	113.6	115.2	116.7	4 363.4	4 688.1	5 422.7	5 663.8

(四)林业发展预测

林业发展预测主要预测果园和其他人工林面积。果园面积按人均占有果园面积为依据,其他人工林主要为防护林,按其占农田合理比例进行预测。据生态方面的研究成果,南疆、东疆防护林面积占农田面积不低于15%,北疆不低于9%。预测结果为,全疆2020年果园和以防护林为主的人工林面积较现状预计均累计新增100万亩(见表2-25)。全疆

林地面积占农田灌溉面积的比例,2000 年、2010 年和 2020 年分别为 14.8%、13.8% 和 13.5%,呈稳定在 13.5% 以上的态势。

表 2-25　　　　　　　　　　　　果园及人工林灌溉面积预测

分类	区域	果园				其他人工林			
		1995 年	2000 年	2010 年	2020 年	1995 年	2000 年	2010 年	2020 年
预测指标 果园(分/人) 其他人工林(%)	北疆	0.39	0.39	0.38	0.36	10.1	9.8	9.2	8.9
	南疆	2.17	2.13	2.06	2.00	21.2	20.7	19.8	19.8
	东疆	2.66	2.75	2.75	2.67	13.5	13.9	14.0	14.2
	综合	1.35	1.34	1.31	1.28	15.2	14.8	13.8	13.5
预测面积 (10⁴ 亩)	北疆	30.08	32.70	37.93	41.28	225.4	239.7	273.6	285.0
	南疆	169.19	183.12	216.12	244.63	418.3	431.0	450.6	455.4
	东疆	25.82	29.41	35.18	39.52	21.0	22.7	23.8	24.7
	总计	225.09	245.23	289.23	325.43	664.7	693.3	748.0	765.0

(五)畜牧业发展预测

畜牧业是新疆农业的主导产业,自治区和各地区都将其列为重点支柱产业而大力培养发展。基于畜牧业需求,结合各区的水土条件,灌溉草场和牲畜头数预测,见表 2-26。

表 2-26　　　　　　　　　　　灌溉草场、牲畜头数预测

分类指标	区域	1995 年	2000 年	2010 年	2020 年	2000 年新增	2010 年新增	2020 年新增	累计新增
灌溉草场 (10⁴ 亩)	北疆	362.6	459.1	718.6	800.6	96.5	259.5	82.0	438.0
	南疆	347.2	371.0	392.3	409.0	23.8	21.3	16.7	61.8
	东疆	35.5	35.5	35.5	35.4	0.0	0.0	0.0	0.0
	总计	745.3	865.6	1 146.4	1 245.0	120.3	280.8	98.7	499.8
大牲畜 (10⁴ 头)	北疆	364.4	406.1	504.2	579.2	41.8	98.1	75.0	214.9
	南疆	316.4	340.3	393.2	429.5	23.9	52.9	36.4	113.2
	东疆	31.4	33.4	38.0	41.5	2.1	4.6	3.5	10.1
	总计	712.2	779.8	935.4	1 050.2	67.7	155.6	114.9	338.1
小牲畜 (10⁴ 头)	北疆	1 315.7	1 501.7	1 949.8	2 406.1	186.0	448.1	456.3	1 090.4
	南疆	1 498.9	1 643.0	1 976.6	2 289.2	144.1	333.6	312.5	790.2
	东疆	193.8	210.7	248.5	284.9	16.9	37.8	36.5	91.2
	总计	3 008.4	3 355.4	4 174.9	4 980.2	347.1	819.5	805.2	1 971.8

预测表明,2020 年全疆比 1995 年新增灌溉草场面积 500 万亩,其中北疆发展 438 万亩、南疆新增 62 万亩,东疆维持现状。北疆发展的灌溉草场主要集中在伊犁地区和阿勒泰地区。预计全疆牲畜总头数分别达到 4 135 万头、5 110 万头和 6 030 万头,北疆因伊犁、阿勒泰的畜牧业基地建设增长较快,而南疆和东疆人均牲畜头数拥有量却略有下降。

(六)灌溉面积发展预测

目前,新疆是我国重要的农牧业发展地区,国家正在新疆建设棉花生产基地,粮食和其他经济作物的生产也具有巨大发展潜力。基于上述农林牧业发展预测,考虑到水土资

源开发的力度不同等情况,各区域灌溉面积发展预测见表2-27所示。在农田灌溉面积中的水田灌溉面积基本维持现状,略有增长。

表2-27 灌溉面积发展预测 (10⁴ 亩)

类型	区域	1995 年	2000 年	2010 年高	2020 年高	2010 年低	2020 年低
农田	北疆	2 231.4	2 735(2 444)	3 408.0	3 748.0	2 980.5	3 189.3
	南疆	1 976.7	2 113(2 081)	2 330.0	2 425.0	2 271.7	2 301.0
	东疆	155.2	165(163)	175.0	190.0	170.5	173.5
	全疆	4 363.3	5 013(4 688)	5 913.0	6 363.0	5 423.0	5 664.0
果园	北疆	30.1	32.7	44.1	50.2	37.9	41.3
	南疆	169.2	183.1	240.6	276.1	216.1	244.6
	东疆	25.8	29.4	42.2	49.0	35.2	39.5
	全疆	225.1	245.2	326.9	375.3	289.2	325.4
人工林	北疆	225.4	239.7	290.1	311.8	273.6	285.0
	南疆	418.3	431.0	488.3	510.0	450.6	455.4
	东疆	21.0	22.7	26.2	29.1	23.8	24.7
	全疆	664.7	693.3	804.6	850.9	748.0	765.0
灌溉草场	北疆	362.6	459.1	816.6	926.6	718.6	800.6
	南疆	347.2	371.0	415.0	445.0	392.3	409.0
	东疆	35.5	35.5	35.5	35.4	35.5	35.4
	全疆	745.2	865.6	1 267.1	1 407.0	1 146.4	1 245.0
合计	北疆	2 849.5	3 467(3 176)	4 558.8	5 036.6	4 010.6	4 316.2
	南疆	2 911.4	3 098(3 003)	3 473.9	3 656.1	3 330.7	3 410.0
	东疆	237.5	253(251)	278.9	303.5	265.0	273.1
	全疆	5 998.3	6 817(6 492)	8 311.6	8 996.2	7 606.6	7 999.4

注:表中括号内数为低方案数。

三、国民经济发展预测

(一)预测方法

国民经济发展预测,由新疆宏观经济模型完成。该模型为动态投入产出规划模型,其理论基础为投入产出分析技术和计量经济学方法。其数学形式为优化模型,采用 GAMS 软件包编程和计算,模型采用模块化设计。

1. 优化目标选取模块

选取规划期内 GDP 总和最大为模型的优化目标。其表达式为

$$Obj = \max \sum_t GDP^t \tag{2-1}$$

式中 GDP——国内生产总值;

t——规划期内规划水平年。

2. 投入产出分析模块

投入产出分析模块,主要描述国民经济各行业年内间投入产出关系。这些关系是动态的和建立在国民经济行业描述基础上的。主要约束有:

$$\sum_{j=1}^{N} a_{ij}^t X_j^t + Y_i^t = X_i^t \tag{2-2}$$

式中 i、j——经济行业号;

a_{ij}^t——第 t 年中间投入系数；

$X_i^t(X_j^t)$——第 t 年的第 $i(j)$ 行业总产值；

Y_i^t——第 t 年最终总需求。

$$\sum_{k=1}^{k} S_{ik}^t Y_k^t + EX_i^t - IM_i^t = Y_i^t \tag{2-3}$$

式中　k——序号，$k = 1、2、3、4$ 分别为居民消费、社会消费、固定资产投资和库存投资；

S_{ik}^t——第 t 年第 k 需求项结构系数；

Y_k^t——第 t 年第 k 需求总值；

EX_i^t——第 t 年第 i 行业调出量；

IM_i^t——第 t 年第 i 行业调入量。

$$\sum_{k=1}^{k} R_k^t \mathrm{GDP}^t = Y_k^t \tag{2-4}$$

式中　R_k^t——第 k 项最终需求项占 GDP 的比率。

$$Eu_i^t X_i^t \geqslant EX_i^t \geqslant El_i^t X_i^t \tag{2-5}$$

式中　Eu_i^t、El_i^t——调出系数上、下限。

$$Mu_i^t X_i^t \geqslant IM_i^t \geqslant Ml_i^t X_i^t \tag{2-6}$$

式中　Mu_i^t、Ml_i^t——调入系数上、下限。

3. 扩大再生产模块

扩大再生产分析模块，主要描述经济活动年际间的关系，即描述扩大再生产过程。其主要约束方程包括：

$$FI^t = \sum_{l=1}^{L} FI_l^t \tag{2-7}$$

式中　l——固定资产投资来源项，包括自身投资和区外投资等；

FI^t——第 t 年固定资产总投资；

FI_l^t——第 l 来源的固定资产投资。

$$FI^t = \sum_{i=1}^{N} SI_i^t + OI^t \tag{2-8}$$

式中　SI_i^t——第 i 行业的固定资产投资；

OI^t——第 t 年其他部门非生产性投资。

$$FA_i^t = \sum_{t_0=1}^{T} \beta_t^{t_0} SI_i^t + \delta_i^t FA_i^{t-1} \tag{2-9}$$

式中　FA_i^t——第 i 行业、第 t 年的固定资产存量；

T——投资时滞；

$\beta_t^{t_0}$——第 t_0 年投资形成固定资产的形成率；

δ_i^t——第 i 行业固定资产折旧系数。

$$X_i^t = A(FA_i^t)^a(L_i^t)^b \tag{2-10}$$

式中　A——科技进步系数；

a、b——固定资产存量和劳动力生产弹性系数；

L_i^t——第 t 年第 i 行业劳动力数量。

一般 a 和 b 分别取 0.25 和 0.75。因劳动力充裕,生产主要取决于固定资产投资和固定资产存量,故将式(3-10)改造为

$$X_i^t = B \cdot FA_i^t \tag{2-11}$$

式中　B——固定资产产出率,即为单位固定资产存量的生产能力。

4.宏观调控模块

经济发展与外部经济环境和宏观调控政策关系密切,该模块主要用于反映这种关系。视具体行业、具体情况而定约束方程。

(二)指标分类与计算口径

本研究的主要指标和计算口径分类如下:基准年为 1995 年,规划期为 1995～2020 年。规划水平年为 1995 年、2000 年、2010 年和 2020 年,将国民经济行业分成 18 个经济部门。模型分类口径和国家标准分类对应关系,见表 2-28 所示。

表 2-28　国民经济行业分类

三次产业分类	六部门(国家标准)	十八部门(模型分类)	三十三部门(国家标准)
第一产业	农业	农业	农业
第二产业	工业	采掘业	煤炭开采业、石油和天然气开采业、金属矿采选业、其他非金属矿采选业
		食品工业	食品制造业
		纺织工业	纺织业
		服装工业	缝纫及皮革制品业
		木材工业	木材加工及家具制造业
		造纸工业	造纸及文教用品制造业
		电力工业	电力及蒸汽、热水生产和供应业
		石油工业	石油加工业、炼焦、煤气及煤制品业
		化学工业	化学工业
		建材工业	建筑材料及其他非金属矿物制品业
		冶金工业	金属冶炼及压延加工业、金属制品业
		机械工业	机械工业、交通运输设备制造业、电气机械及器材制造业、电子及通信设备制造业、仪器仪表及其他计量器具制造业、机械设备修理业
		其他工业	其他工业
	建筑业	建筑业	建筑业
第三产业	交通邮电业	交通邮电业	货运邮电业、旅客运输业
	商饮业	商饮业	商业、饮食业
	服务业	服务业	公用事业及居民服务业、文教卫生科研事业、金融保险业、行政机关

(三)模型参数设定

模型主要参数包括:各水平年下的投入产出系数、消费率、固定资产投资率、区外净调入率等。这些系数的设定,主要是基于投入产出分析理论、对历史统计资料的趋势分析和对新疆未来社会经济发展的判断等。

中间投入占总产出的比重(中间投入系数)增大趋势,已为世界各国经济发展所表明,也为新疆统计资料所显示。从 1965 年到 1995 年,全疆中间投入系数年均提高 0.5 个百

分点,1995 年为 59.2%。从三种产业看,第二产业的中间投入系数最大,1965 年为 58.2%,1995 年则增大到 71.1%;第三产业则上升幅度较大,1965 年为 37.6%,而 1995 年则为 51.9%;农业中间投入系数相对较小,1965 年为 32.9%,1995 年上升到 39.7%。但对于某个具体行业,则表现有所不同。增加值率为 1 减各行业中间投入系数之和。

随着国民经济发展和人均收入的提高,居民的食品消费在其总支出中所占的比例呈下降趋势(恩格尔定律)。同时,在解决温饱后,居民对轻纺工业品的需求也会有所下降,而因收入增加和人们吃喝品位的提高,对食品工业需求有可能上升。与此同时,居民对重工业消费品的需求会逐步增大,特别是随着家用电器、家用汽车等的消费能力的增长,居民对机械、化工等重工业产品需求会越来越大。随着生活水平提高,居民对第三产业消费需求的比重普遍增大。增加值率和居民消费结构系数预测结果,见表 2-29。

表 2-29　　　　　　　　　行业增加值率与居民消费结构系数预测

经济行业	增加值率				居民消费结构系数			
	1995 年	2000 年	2010 年	2020 年	1995 年	2000 年	2010 年	2020 年
农业	0.602 5	0.584 0	0.547 8	0.509 5	0.192 9	0.183 4	0.153 8	0.125 6
采掘业	0.374 0	0.362 4	0.349 0	0.338 2	0.005 6	0.005 1	0.004 1	0.003 3
食品工业	0.218 9	0.228 5	0.247 7	0.258 0	0.065 2	0.066 0	0.067 7	0.069 4
纺织工业	0.201 9	0.213 8	0.237 2	0.251 7	0.034 5	0.033 0	0.030 0	0.027 0
服装工业	0.231 0	0.235 9	0.234 7	0.232 8	0.040 8	0.038 8	0.034 8	0.031 8
木材工业	0.284 2	0.276 1	0.268 7	0.250 1	0.016 6	0.017 1	0.018 1	0.019 1
造纸工业	0.232 1	0.238 7	0.244 9	0.246 6	0.011 9	0.012 4	0.013 4	0.014 4
电力工业	0.383 0	0.376 9	0.367 2	0.360 3	0.000 0	0.000 0	0.000 0	0.000 0
石油工业	0.214 1	0.226 0	0.244 6	0.247 1	0.015 7	0.015 7	0.015 7	0.015 7
化学工业	0.234 4	0.237 4	0.245 2	0.240 5	0.026 5	0.027 0	0.028 0	0.029 0
建材工业	0.325 1	0.315 6	0.306 1	0.304 3	0.000 0	0.000 0	0.000 0	0.000 0
冶金工业	0.220 7	0.228 1	0.236 9	0.232 6	0.002 9	0.002 9	0.002 9	0.002 9
机械工业	0.236 3	0.245 4	0.249 2	0.240 0	0.062 7	0.067 4	0.086 4	0.101 0
其他工业	0.205 7	0.218 0	0.227 1	0.223 2	0.000 0	0.000 0	0.000 0	0.000 0
建筑业	0.343 8	0.343 0	0.330 3	0.314 6	0.000 0	0.000 0	0.000 0	0.000 0
交通邮电业	0.445 2	0.431 2	0.405 9	0.392 7	0.052 0	0.056 2	0.065 2	0.075 7
商饮业	0.347 4	0.339 5	0.324 7	0.309 1	0.277 3	0.277 3	0.277 3	0.277 3
其他服务业	0.620 3	0.587 9	0.526 5	0.506 3	0.195 2	0.197 7	0.202 6	0.207 8

在新疆 GDP 使用总额中,有相当大的一部分(约为 1/4)来源于地区外的净调入。积累率(投资总额占国内生产总值使用额的比率)比较高,"六五"、"七五"期间和"八五"期间,平均为 37.1%、40.8% 和 52.6%。在积累率呈增长趋势的同时,消费率(消费总额占国内生产总值使用额的比率)则呈下降趋势,"六五"、"七五"期间和"八五"期间,平均为 62.9%、59.2% 和 47.4%。在总投资中,固定资产投资率(固定资产投资占国内生产总值的比率)在"六五"期间平均为 36.8%,"七五"期间略有下降,为 34.5%,"八五"期间有较大上升,为 42.2%。较高的投资率,驱动了新疆经济高速发展。新疆经济发展要实现政府计划目标,在今后的中长期规划期内,固定资产投资率仍需维持较高水平。消费需求增长,对新疆经济发展有较强的拉动作用。估计在未来发展中,新疆消费率呈增长态势,尤以居民消费升幅较大。从区域间的经济联系看,今后相当长的一段时期内,新疆仍是物品

净调入区,随着交通运输业的发展,区外净调入率有可能呈下降趋势。基于上述认识,模型设定的消费、资产和净调入占 GDP 的比率,如表 2-30 所示。

表 2-30　　　　　　　　　　消费、投资及净调入占 GDP 比率

水平年	高			中			低		
	投资率	消费率	净调入率	投资率	消费率	净调入率	投资率	消费率	净调入率
1995 年	0.399	0.596	0.161	0.399	0.596	0.161	0.399	0.596	0.161
2000 年	0.370	0.615	0.140	0.355	0.635	0.150	0.335	0.655	0.155
2010 年	0.350	0.625	0.115	0.330	0.650	0.125	0.320	0.675	0.150
2020 年	0.340	0.635	0.100	0.320	0.655	0.110	0.310	0.685	0.140

(四)1995 年新疆投入产出表的生成

投入产出表是宏观经济模型的数据基础。由于 1995 年没有编制投入产出表,为满足研究要求,根据 1996 年《新疆统计年鉴》有关 1995 年国民经济若干指标,采用投入产出表生成技术,生成了 1995 年新疆 18 经济部门的国民经济投入产出表,并以此表作为本次模型研究的基础数据。在进行投入产出表生成时,各主要经济总量指标,如行业总产出、总消费、总固定资产投资等指标,皆取自 1996 年《新疆统计年鉴》。

(五)新疆国民经济发展预测

根据新疆宏观经济发展预测模型,对新疆国民经济发展进行了情景预测,国内生产总值预测结果,见表 2-31。各行业总产出及其发展速度预测结果,见表 2-32 和表 2-33。

表 2-31　　　　　　　　　　新疆国内生产总值发展预测结果

项目	指标	现状 1995 年	高			中			低		
			2000 年	2010 年	2020 年	2000 年	2010 年	2020 年	2000 年	2010 年	2020 年
GDP 规模 (10⁸ 元)	总计	834.54	1 366.42	3 291.63	7 519.92	1 307.96	2 937.15	6 351.40	1 283.35	2 796.13	5 895.03
	第一产业	250.15	332.09	557.95	886.76	320.56	501.65	742.38	316.79	484.11	699.51
	第二产业	302.53	547.49	1 405.09	3 228.74	518.81	1 277.56	2 760.03	501.35	1 178.76	2 454.70
	第三产业	281.86	486.84	1 328.59	3 404.42	468.59	1 157.94	2 848.99	465.21	1 133.26	2 740.82
人均 GDP (元、美元)	人民币计算	4 819	7 463	14 962	29 490	7 143	13 351	24 907	7 009	12 710	23 118
	美元计算	581	899	1 803	3 553	861	1 609	3 001	844	1 531	2 785
三产结构(%)	第一产业	29.9	24.3	17.0	11.8	24.5	17.1	11.7	24.7	17.3	11.9
	第二产业	36.3	40.1	42.7	42.9	39.7	43.5	43.5	39.1	42.2	41.6
	第三产业	33.8	35.6	40.3	45.3	35.8	39.4	44.8	36.2	40.5	46.5
发展速度(%)	GDP		10.4	9.2	8.6	9.4	8.4	8.0	9.0	8.1	7.7
	第一产业		5.8	5.3	4.7	5.1	4.6	4.0	4.8	4.3	3.7
	第二产业		12.6	9.9	8.7	11.4	9.4	8.0	10.6	8.9	7.6
	第三产业		11.6	10.6	9.9	10.7	9.5	9.4	10.5	9.3	9.2

表 2-32				国民经济各行业总产出发展预测					$(10^8 元)$
行业	现状	高			中			低		
	1995 年	2000 年	2010 年	2020 年	2000 年	2010 年	2020 年	2000 年	2010 年	2020 年
农业	415.19	568.85	1 018.72	1 740.12	549.10	915.92	1 456.79	542.64	883.90	1 372.67
采掘业	246.06	423.04	978.74	1 841.45	403.72	916.56	1 594.21	391.39	765.89	1 292.74
食品工业	94.63	166.03	367.46	809.38	150.37	330.65	680.67	149.02	327.69	653.69
纺织工业	224.20	479.03	1 213.67	2 872.09	455.65	1 052.32	2 239.35	436.92	1 021.62	2 102.47
服装工业	10.26	22.01	89.80	299.47	20.58	67.42	199.33	20.58	67.42	199.33
木材工业	3.45	6.29	14.28	31.98	6.44	15.13	27.24	5.94	13.75	25.73
造纸工业	12.05	21.85	56.96	135.72	21.89	52.75	112.63	20.91	48.49	107.27
电力工业	23.86	40.13	97.86	217.66	38.56	88.23	188.79	37.86	84.26	176.91
石油工业	44.39	86.77	259.11	678.39	86.30	304.80	737.52	78.78	259.96	458.74
化学工业	39.67	86.59	347.21	1 157.87	76.57	250.86	751.73	76.57	250.86	739.64
建材工业	29.66	50.21	125.53	257.50	49.91	109.59	185.96	45.43	98.99	167.98
冶金工业	43.99	77.03	195.56	454.27	84.37	289.32	881.17	84.37	289.32	774.71
机械工业	30.64	61.89	223.45	681.68	56.70	184.13	597.92	56.70	184.13	597.92
其他工业	1.40	2.18	4.68	9.47	2.18	4.72	8.80	2.13	4.52	8.41
建筑业	243.04	400.13	968.34	2 189.99	370.83	835.23	1 788.96	356.50	771.40	1 617.55
交通邮电	124.30	226.99	731.98	2 003.77	218.47	610.31	161.57	218.47	610.31	1 564.23
商饮业	218.04	394.66	1 198.64	3 342.47	378.46	1 053.46	2 859.18	378.46	1 053.46	2 859.18
其他服务业	243.07	433.77	1 219.90	3 128.31	418.34	1 079.12	2 627.50	412.59	1 032.26	2 453.84
合计	2 047.90	3 749.00	10 267.97	24 008.81	3 527.88	8 860.52	18 927.25	3 327.64	7 758.09	15 304.80

表 2-33			国民经济各行业总产出发展速度预测						（%）
行业	高			中			低		
	1996～ 2000 年	2001～ 2010 年	2011～ 2020 年	1996～ 2000 年	2001～ 2010 年	2011～ 2020 年	1996～ 2000 年	2001～ 2010 年	2011～ 2020 年
农业	6.50	6.00	5.50	5.75	5.25	4.75	5.50	5.00	4.50
采掘业	11.45	8.75	6.52	10.41	8.54	5.69	9.73	6.94	5.37
食品工业	11.90	8.27	8.22	9.71	8.20	7.49	9.51	8.20	7.15
纺织工业	16.40	9.74	9.00	15.24	8.73	7.84	14.28	8.87	7.48
服装工业	16.49	15.10	12.80	14.94	12.60	11.45	14.94	12.60	11.45
木材工业	12.76	8.54	8.40	13.30	8.92	6.06	11.48	8.76	6.47
造纸工业	12.64	10.06	9.07	12.68	9.19	7.88	11.65	8.78	8.26
电力工业	10.96	9.32	8.32	10.08	8.63	7.90	9.67	8.33	7.70
石油工业	14.34	11.56	10.10	14.22	13.45	9.24	12.16	12.68	5.84
化学工业	16.90	14.90	12.80	14.06	12.60	11.60	14.06	12.60	11.42
建材工业	11.10	9.60	7.45	10.97	8.18	5.43	8.90	8.10	5.43
冶金工业	11.86	9.76	8.79	13.91	13.11	11.78	13.91	13.11	10.35
机械工业	15.10	13.70	11.80	13.10	12.50	12.50	13.10	12.50	12.50
其他工业	9.26	7.94	7.30	9.26	8.03	6.43	8.76	7.81	6.41
建筑业	10.49	9.24	8.50	8.82	8.46	7.91	7.96	8.02	7.69
交通邮电	12.80	12.42	10.59	11.94	10.82	10.23	11.94	10.82	9.87
商饮业	12.60	11.75	10.80	11.66	10.78	10.50	11.66	10.78	10.50
其他服务业	12.28	10.89	9.87	11.47	9.94	9.31	11.16	9.60	9.04
合计	12.86	10.60	8.87	11.49	9.65	7.89	10.20	8.83	7.03

高发展情景基本和自治区政府制定的发展规划相吻合。但近几年来,国内外经济环境变化较大,特别是亚洲金融危机的影响和国内改革面临的新的困难,实现政府"九五"计划和 2010 年远景目标设想,看来有一定的难度。从目前新疆经济形势和国内外经济环境看,中等情景预测结果有较好的现实可行性,即在"九五"期间(1996~2000 年)新疆国内生产总值发展速度为年均增长 11.49%,后 10 年(2001~2010 年)期间年均增长 9.65%,以后的 10 年年均增长 7.89%。从情势判断,未来新疆经济应会保持较快的发展,估计其最低的发展速度,预计上述 3 个时段将分别为 10.2%、8.83% 和 7.03%。

若实现上述发展目标,新疆人均经济指标将会有较大提高。在中等情景下,预计新疆人均 GDP 2000 年为 7 100 元,2010 年为 1.3 万元,2020 年为 2.5 万元。折合美元,2000 年约 860 美元,2010 年超过 1 600 美元,2020 年则达到 3 000 美元。

但由于人口的增长较快,使经济发展成果有很大一部分被新增人口所抵消。国民经济发展在 2000 年、2010 年和 2020 年各时段,约 1.2、2.0 个百分点和 1.5 个百分点的发展速度被新增人口增长所消耗。从提高新疆人民生活水平的目标看,也应控制人口的过快增长。

工业化加快是新疆今后发展的一个重要特征。从表 2-33 的预测成果看,在新疆宏观经济中等发展情景下,新疆工业发展在今后 25 年里以年均 9.7% 的高速度发展,到 2020 年工业发展规模将是现在的 10 倍,增幅相对迅速。"九五"、2010 年前和 2010 年后 10 年中,新疆工业将以年均 12.6%、9.7% 和 8.4% 的速度增长。

四、区域经济发展预测

区域经济发展预测,是在全疆经济预测基础上进行的,采用了自下而上和自上而下相结合的预测方法。以全疆总体发展目标为指导,结合各地、市、州具体的发展背景、发展趋势及发展战略,预测各地市州在各规划水平年的经济发展规模、经济结构,重点是进行工业产值的预测,以便于指导工业需水的预测。基于工业发展趋势,结合"区域经济"发展战略分析,对各地、市、州工业发展,进行高、中、低三种情景预测,结果如表 2-34 所示。

表 2-34 工业总产值发展预测(1995 年价格水平)

情景	区域	工业总产出(10^8 元)				年均增长率(%)			
		1995 年	2000 年	2010 年	2020 年	1996~2000 年	2001~2010 年	2011~2020 年	1996~2020 年
高	北疆	550.92	1 028.06	2 483.94	5 554.79	13.3	9.2	8.4	9.7
	南疆	193.83	382.29	1 136.65	2 994.68	14.5	11.5	10.2	11.6
	东疆	59.52	112.71	353.71	897.46	13.6	12.1	9.8	11.5
	全疆	804.26	1 523.05	3 974.31	9 446.93	13.6	10.1	9.0	10.4
中	北疆	550.92	982.39	2 328.21	4 939.60	12.3	9.0	7.8	9.2
	南疆	193.83	358.95	1 000.95	2 461.60	13.1	10.8	9.4	10.7
	东疆	59.52	111.90	337.32	804.12	13.5	11.7	9.1	11.0
	全疆	804.26	1 453.24	3 666.48	8 205.32	12.6	9.7	8.4	9.7
低	北疆	550.92	950.86	2 203.90	4 346.80	11.5	8.8	7.0	8.6
	南疆	193.83	344.62	905.48	2 206.27	12.2	10.1	9.3	10.2
	东疆	59.52	111.12	307.52	752.47	13.3	10.7	9.4	10.7
	全疆	804.26	1 406.60	3 416.90	7 305.54	11.8	9.3	7.9	9.2

新疆工业经济的区域发展趋势为,东疆最快,南疆次之,北疆最慢。2000年、2010年和2020年的工业总产值,东疆预计分别是1995年的1.9倍、5.7倍和13.5倍;南疆分别是1995年的1.9倍、5.2倍和12.7倍;北疆分别是1995年的1.8倍、4.2倍和9倍。各地区工业均呈扩张性增长。在区域上的不均衡性发展,使新疆工业区域结构发生变化。北疆所占比重下降,南疆和东疆比重持续上升。

第四节 国民经济需水预测

一、预测方法

国民经济需水预测是基于宏观经济模型的预测结果,结合水资源利用效率的预测而实现的。国民经济需水是按工业、农业和生活3用户分别进行预测的,主要采用定额预测方法。需水预测是按地、市、州级分区进行的,同时,还提出水资源利用分区的需水预测数据及相应的需水月分配过程。

不同的社会经济发展格局、不同的用水水平和节水水平、不同的降水分布、不同水资源条件和不同的供水能力等,对需水都将产生影响。这些影响主要表现为规划期内需水量预测的不确定性和需水弹性上。从规划角度上说,应充分考虑这些变化因素对规划制定所产生的影响,以期规划具有较好的适应性和现实性。

(一)农业需水

农业需水包括农田灌溉、林地灌溉、草场灌溉、渔业用水。在计算时,农业灌溉需水量包括农业净灌溉需水量和毛灌溉需水量。净灌溉需水量的大小,主要取决于灌溉面积的发展规模、田间亩均灌溉水平;毛灌溉需水量与渠系水综合利用系数关系密切。由于渠系水综合利用系数与渠道的衬砌率有关,需要进行渠系水综合利用系数预测。通过设定不同节水投入水平下的渠系水综合利用系数,计算毛需水量。

因新疆地处内陆区,灌溉用水与降水关系不甚密切,故农业需水预测只考虑中等干旱年份下的灌溉需水情况。各水平年的灌溉面积发展指标,皆设定高、低两种情景。灌溉需水方案设定,见表2-35。

表2-35　　　　　　　　　　　　　　灌溉需水方案设定

需水方案	2000年	2010年		2020年	
	灌溉面积	灌溉面积	渠系水综合利用系数	灌溉面积	渠系水综合利用系数
高	高	高	低	高	低
中	低	低	低	低	中
低	低	低	高	低	高

(二)工业需水

对于工业,2000年、2010年和2020年均设置高、中、低3套方案。全疆工业产值预测由宏观经济模型完成,各地、市、州工业总产值基于区域发展态势,采用自上而下和自下而上的方法,进行全疆工业总产值的分解后确定。万元产值取用水定额,由充分考虑节水及工业结构调整而确定。工业需水预测分高、中、低3套预测结果。

(三)生活需水

生活需水预测只提出一套预测结果,因人口预测有较好的稳定性,生活用水占总用水的比重相对较低。牲畜需水计入农村生活需水中。

基于农业、工业和生活的需水预测,提出全疆国民经济需水总预测成果。汇总后的需水预测成果分高、中、低3套,中方案为基本方案,高、低为不确定性分析方案。

二、用水效率预测

灌溉用水效率包括田间灌溉定额和渠系综合利用系数两类指标。预测结果,见表2-36、表2-37和表2-38。用水效率预测考虑了节水的影响及其现实可能性。

表 2-36　　　　　　　　　　农田灌溉水的渠系综合利用系数预测

地、市、州	2000年	2010年		2020年			地、市、州	2000年	2010年		2020年		
		高	低	高	中	低			高	低	高	中	低
全疆综合	0.49	0.52	0.51	0.55	0.53	0.52							
乌鲁木齐	0.61	0.64	0.62	0.66	0.65	0.64	阿克苏	0.46	0.49	0.48	0.51	0.50	0.49
克拉玛依	0.49	0.53	0.52	0.57	0.56	0.54	克孜勒苏	0.46	0.53	0.50	0.55	0.53	0.52
石河子	0.58	0.62	0.60	0.63	0.62	0.61	喀什	0.42	0.46	0.45	0.48	0.46	0.45
吐鲁番	0.52	0.58	0.56	0.63	0.59	0.58	和田	0.47	0.53	0.51	0.54	0.52	0.51
哈密	0.47	0.51	0.50	0.55	0.52	0.51	奎屯	0.60	0.64	0.61	0.66	0.63	0.62
昌吉州	0.64	0.67	0.66	0.70	0.69	0.68	伊犁	0.46	0.50	0.48	0.53	0.50	0.49
博尔塔拉	0.60	0.64	0.62	0.66	0.64	0.63	塔城	0.56	0.60	0.58	0.62	0.60	0.59
巴音郭楞	0.53	0.58	0.57	0.62	0.61	0.60	阿勒泰	0.41	0.46	0.44	0.52	0.48	0.47

表 2-37　　　　　　　　　　水田、水浇地田间亩均灌溉水量　　　　　　　　　　(m³/亩)

地、市、州	水田				水浇地				综合			
	1995年	2000年	2010年	2020年	1995年	2000年	2010年	2020年	1995年	2000年	2010年	2020年
全疆综合	1 034	1 010	969	945	331	326	319	316	349	344	336	333
乌鲁木齐市	800	800	800	800	280	280	280	280	286	276	276	276
克拉玛依市					345	340	335	330	345	340	335	330
石河子市					296	295	290	285	296	295	290	285
吐鲁番地区					415	410	405	405	415	410	405	405
哈密地区					325	325	325	325	325	325	325	325
昌吉州	800	780	760	750	280	280	280	280	288	288	289	289
博尔塔拉州	850	850	825	800	290	290	285	285	296	297	294	296
巴音郭楞州	1 150	1 100	1 050	1 000	335	330	325	320	372	363	357	352
阿克苏地区	1 100	1 100	1 050	1 050	375	370	365	360	425	422	416	416
克孜勒苏州	1 150	1 100	1 050	1 000	400	385	380	375	412	402	399	398
喀什地区	1 150	1 100	1 050	1 000	400	390	385	380	414	405	400	396
和田地区	1 150	1 100	1 050	1 000	450	435	425	410	474	458	449	436
奎屯市					295	295	290	285	295	295	290	285
伊犁地区	750	750	750	750	265	265	265	265	277	276	273	273
塔城地区	750	750	750	750	280	280	280	280	281	282	282	282
阿勒泰地区	750	750	750	750	290	290	285	285	292	294	290	289

表 2-38   灌溉林地和草场的亩均灌溉需水预测   (m³/亩)

地、市、州	果园				其他人工林				草场			
	1995年	2000年	2010年	2020年	1995年	2000年	2010年	2020年	1995年	2000年	2010年	2020年
全疆综合	272	270	268	267	243	242	241	240	249	248	243	241
乌鲁木齐市	240	240	240	240	240	240	240	240	280	280	280	280
克拉玛依市	310	310	310	310	300	300	300	300	310	310	310	310
石河子市	240	240	240	240	240	240	240	240	240	240	240	240
吐鲁番地区	360	360	360	360	320	320	320	320	300	300	300	300
哈密地区	300	300	300	300	285	285	285	285	300	300	300	300
昌吉州	200	200	200	200	200	200	200	200	220	220	220	220
博尔塔拉州	240	240	240	240	180	180	180	180	240	240	240	240
巴音郭楞州	290	285	280	280	280	275	270	265	280	275	270	265
阿克苏地区	300	295	295	290	280	275	270	270	280	280	280	280
克孜勒苏州	290	285	280	275	275	270	265	260	285	285	285	285
喀什地区	220	220	220	220	220	220	220	220	240	240	240	240
和田地区	300	295	285	280	280	275	270	270	300	295	290	290
奎屯市	310	310	310	310	285	285	285	285	310	305	300	300
伊犁地区	240	240	240	240	240	240	240	240	260	255	250	245
塔城地区	240	240	240	240	240	240	240	240	220	220	220	220
阿勒泰地区	240	240	240	240	240	240	240	240	220	220	220	220

    工业万元产值取用水量,基于现状,考虑到未来工业节水、工业产业结构调整等因素后,以用水标准的方式设定,见表2-39。人口用水定额,见表2-40;牲畜用水定额,见表2-41。

表 2-39   工业用水定额   (m³/万元)

地、市、州	1995年	2000年	2010年	2020年	地、市、州	1995年	2000年	2010年	2020年
乌鲁木齐市	100.5	70	50	38	喀什地区	84.7	68	56	48
克拉玛依市	102.0	75	55	40	和田地区	95.8	75	46	30
石河子市	225.1	175	125	85	奎屯市	216.0	155	95	65
吐鲁番地区	214.8	150	75	42	伊犁地区	219.1	180	145	95
哈密地区	183.4	125	80	55	塔城地区	229.0	175	120	75
昌吉州	107.3	75	52	40	阿勒泰地区	319.0	250	180	120
博尔塔拉州	76.8	55	35	25	北疆综合	130.4	95.7	68.5	48.4
巴音郭楞州	166.9	110	62	40	南疆综合	121.4	86.4	56.1	39.3
阿克苏地区	98.8	72	50	35	东疆综合	205.6	142.9	76.1	44.5
克孜勒苏州	162.3	115	70	45	全疆综合	133.8	97.0	65.8	45.3

表 2-40   生活用水标准预测   [L/(日·人)]

地、市、州	2000年		2010年		2020年		地、市、州	2000年		2010年		2020年	
	农村	城镇	农村	城镇	农村	城镇		农村	城镇	农村	城镇	农村	城镇
全疆综合	48	157	53	167	60	180							
乌鲁木齐市	65	260	75	280	85	300	阿克苏地区	48	130	52	140	60	150
克拉玛依市	60	260	70	270	80	290	克孜勒苏州	47	90	52	100	58	118
石河子市	45	175	55	195	65	210	喀什地区	47	90	52	105	60	123
吐鲁番地区	52	115	60	125	65	140	和田地区	47	90	52	105	60	123
哈密地区	48	110	50	120	55	135	奎屯市	55	205	60	210	70	215
昌吉州	50	110	55	125	60	140	伊犁地区	48	120	55	140	60	160
博尔塔拉州	53	130	55	140	65	150	塔城地区	50	175	55	185	60	195
巴音郭楞州	47	192	50	195	58	203	阿勒泰地区	45	95	50	115	60	140

表 2-41				牲畜日均用水量				[L／(日·头)]
地、市、州	全疆平均	乌鲁木齐	克拉玛依	石河子	吐鲁番	哈密	昌吉州	博州	巴州
大牲畜	38	45	45	40	45	35	35	35	40
小牲畜	10	20	15	12	10	10	8	8	8
地、市、州		阿克苏	克州	喀什	和田	奎屯	伊犁	塔城	阿勒泰
大牲畜		45	45	30	30	30	40	40	40
小牲畜		8	12	8	8	10	12	15	12

三、国民经济需水量预测

需水预测汇总结果,如表 2-42 所示。预测结果表明,在未来 25 年内,新疆国民经济需水量将有较大的增长。全疆总需水量 1995 年为 436 亿 m^3,预计到 2000 年、2010 年和 2020 年,在中等发展情景和考虑节水的情况下,分别增加到 461 亿 m^3、511 亿 m^3 和 528 亿 m^3。北疆因扩大灌溉面积,需水增长较大;南疆和东疆通过节水,需水增长相对较慢。

表 2-42			新疆国民经济需水预测汇总							($10^8 m^3$)
项目	地区	现状年	高方案			中方案			低方案		
		1995 年	2000 年	2010 年	2020 年	2000 年	2010 年	2020 年	2000 年	2010 年	2020 年
需水量	全疆合计	435.54	477.73	550.21	588.90	460.53	511.19	527.53	459.11	491.17	505.35
	北疆	165.25	199.88	258.24	284.34	186.23	229.22	245.19	185.22	220.56	234.05
	南疆	251.18	258.29	269.63	279.65	254.88	261.54	261.18	254.58	251.15	251.49
	东疆	19.12	19.55	22.35	24.91	19.42	20.44	21.16	19.31	19.45	19.82
	农业	418.44	453.60	512.05	532.94	437.96	476.95	480.53	437.96	460.64	465.24
	工业	10.22	15.59	27.23	41.68	14.03	23.32	32.72	12.60	19.60	25.84
	农村生活	383	466	526	613	466	526	613	466	526	613
	城镇生活	305	388	566	815	388	566	815	388	566	815
累计新增	全疆合计		42.19	114.67	153.36	24.99	75.65	91.99	23.57	55.63	69.81
	北疆		34.63	92.99	119.09	20.98	63.97	79.94	19.97	55.31	68.80
	南疆		7.11	18.45	28.47	3.70	10.36	10.00	3.40	-0.03	0.31
	东疆		0.43	3.23	5.79	0.30	1.32	2.04	0.19	0.33	0.70
	农业		35.16	93.61	114.50	19.52	58.51	62.09	19.52	42.20	46.80
	工业		5.37	17.01	31.46	3.81	13.10	22.50	2.38	9.38	15.62
	农村生活		0.83	1.43	2.30	0.83	1.43	2.30	0.83	1.43	2.30
	城镇生活		0.83	2.61	5.10	0.83	2.61	5.10	0.83	2.61	5.10

注:农业需水中包括了渔业用水量。

新疆正值社会经济加速发展时期,在目前的经济水平和基础设施滞后的情况下,全疆及各地、市、州总需水呈增长态势。在中等预测情景下,预计 2000 年、2010 年和 2020 年全疆国民经济总需水比 1995 年累计净增加 25 亿 m^3、76 亿 m^3 和 92 亿 m^3,年均增长率分别为 1.12%、1.05% 和 0.32%。

从新疆水资源开发利用可能性看,高需水方案是难以实现的。如在中方案的基础上进一步加大节水投资,则有望实现低需水方案。但因节水和发展有一定的矛盾,与新疆经济发展阶段不相适应的过多的节水投入,是不现实的。中方案具有现实性。

从区域看,北疆 2000 年、2010 年和 2020 年需水量分别比 1995 年累计增加 21 亿 m^3、

64 亿 m³ 和 80 亿 m³,年均增长率分别为 2.42%、2.1% 和 0.68%;南疆在 2010 年前需水呈增长态势,2010 年后因加强节水,需水基本不再增长,预计累计增加 10 亿 m³。东疆因水资源条件有限,在充分考虑节水的情况下,预计今后的需水比 1995 年现状还将增加 1 亿~2 亿 m³。

需水增长的过程也是需水结构变化的过程。农业用水是全疆国民经济总用水的主体,全疆为 96.1%,南疆高达 98.1%。随着需水的增长,农业用水比重呈减少趋势,而工业和生活用水所占比例有所上升。新疆农业用水所占比重大,一方面反映了新疆农牧业为主的经济特征;另一方面也说明新疆农业用水较为粗放,农业具有较大节水潜力。中等情景新疆需水结构预测,见表 2-43。

表 2-43　　　　　　　　　　　　中等情景新疆需水结构预测　　　　　　　　　　　　（%）

区域	农业				工业				生活			
	1995 年	2000 年	2010 年	2020 年	1995 年	2000 年	2010 年	2020 年	1995 年	2000 年	2010 年	2020 年
全疆综合	96.1	95.1	93.3	91.1	2.3	3.0	4.6	6.2	1.6	1.9	2.1	2.7
北疆	93.5	92.3	90.5	88.1	4.1	5.0	6.7	8.6	2.4	2.7	2.8	3.3
南疆	98.1	97.6	96.4	94.6	0.9	1.2	2.1	3.3	1.0	1.2	1.5	2.1
东疆	92.1	89.8	85.4	81.8	6.1	8.2	12.0	14.9	1.8	2.0	2.6	3.3

全疆人均需水量呈减少趋势,1995 年为 2 622m³,2000 年、2010 年和 2020 年分别比 1995 年净减少 107m³、298m³ 和 553m³。主要原因,一是总人口的增长较大,其二为受水资源的制约,其三为开展节水、提高用水效率的结果。从区域看,南疆和东疆人均需水量减小幅度较大,南疆人均需水量到 2020 年下降到目前北疆的水平,25 年内下降 1 000 多 m³。而北疆在 2010 年以前则因伊犁和阿勒泰农业的大面积开荒,农业需水增幅较大,且乌鲁木齐、克拉玛依、奎屯等市区工业用水和生活用水的迅猛增长,需水量呈增长趋势。随后因加强节水则呈减少趋势。东疆现状人均需水量为 1 969m³,2020 年下降为 1 430m³。

第三章 生态环境现状评价及生态需水

第一节 新疆生态环境特点及生态保护原则

一、自然地理环境特征

(一)气候干旱多风,降雨量少

新疆属温带大陆性气候,冬季长、严寒,夏季短、炎热,春秋季节变化剧烈。年平均气温,南疆为10℃,北疆准噶尔盆地为5~7℃,1月份南疆平均气温比北疆平均气温高出10~12℃,7月份高出2~3℃。气温日差平均可达12~15℃,最大可达20~30℃。新疆夏季相对湿度、冬季绝对湿度都不大,形成夏季干热,冬季干冷的特点。全区多年平均降水量为145mm,而蒸发量为2 000~2 500mm,干燥度在4~16之间。北疆平均降水量约为200mm,南疆不足100mm。新疆多大风,大风是新疆农业气象主要灾害。北疆西北部、东疆和南疆东部是大风高值区,起沙风日数塔里木盆地一般在30天以上,北疆和东疆大部分地区在20天以下。新疆日照丰富,太阳辐射总量全年为542~646J/cm²,仅次于青藏高原。

(二)水资源短缺,且时空分布不均

新疆地表水径流量为882亿m³,仅占全国径流量的3%,暂不能利用的水量有250亿m³。按平均径流深度计算,北疆为南疆的2.7倍;按实际能利用的水量计算,北疆比南疆多1/4。新疆河流水量高度集中在夏季,在6~8月间,北疆占到40%~50%,南疆占60%~80%,水资源时空分布不均,呈现春旱、夏洪、秋缺、冬枯的特征。从整体上看,内陆河多,小河流多,流程短,仅有额尔齐斯河等少数几条外流河。新疆河流的天然水质,北疆优于南疆,西部优于东部,山区优于平原。出山口以下,由于降水量减少,蒸发量增大,并且河水量分流、入渗,河道水量不断散失、浓缩,河水矿化度增加很快,南疆一些河流矿化度极高,已不宜于人畜饮用,甚至不能用于灌溉。

(三)动植物及水生生物

降水不足,水资源短缺和时空分配不均,使新疆广大地区植被极其贫乏、稀疏。除了在阿尔泰山、天山等少数山区具有较丰富的动植物、森林资源外,新疆广大地域植物区系简单,种类很少。准噶尔盆地的古尔班通古特沙漠的植物总数仅200种左右,塔里木盆地南缘各地(不包括山区)植物总数不超出100种。不仅种类单纯,而且群落结构简单,分布稀疏,许多群落由不到10种植物组成。全区天然草地总面积为85 995万亩,占全区总面积的34.3%,其中有效利用面积72 225万亩,居全国第二位,草地类型丰富多样,从平原到山地发育有荒漠、草原、草甸、沼泽等多种草地类组。但以产草量低的荒漠草地为主。

全疆森林主要分布在阿尔泰山、天山北坡。在天山南坡,准噶尔西部山地帕米尔和西

昆仑台地的北坡亦有面积不大、呈零星分布状的森林。全区天然林林地面积为1 410万亩,荒漠河谷林336万亩,平原人工林766.5万亩,森林覆盖率很低,仅为全国的1/8,居全国倒数第二位。动物资源主要为野生脊椎动物,共计640种,其中两栖类49种,鸟类394种,兽类135种,鱼类有62种,其中大头鱼、新疆北鲵、野生双峰驼为濒临灭绝的国家一级保护动物。

水生生物资源种类繁多,共有各类饵料生物470余种。其中,浮游植物157种,浮游动物76种,底栖动物130种,水生高等植物107种。

(四)地质矿产

新疆境内地质构造复杂,地层齐全,沉积构造多样,岩浆活动强烈,变质作用发育。复杂多样的地层与构造类型,为成矿提供了有利条件。截止到1995年底,发现矿种138种,占全国总数的80%,已查明的矿物产地有4 000余处,在已探明储量的矿产中,白云母、钠硝石、陶土、蛭石等矿产,居全国第一。此外,还有富铁矿、锰、铬、钽、铯、石油、菱镁矿等18种矿产,居西北地区之首,开发利用前景广阔。煤炭资源预测量达16 095亿t,约占全国的30%,居全国首位。石油储量居全国第三位,三大盆地(塔里木、准噶尔、吐哈)的油气资源量预测为300亿~500亿t,约占全国油气资源的27%。

(五)城市建设

1995年全区17个城市,城市规划面积1 887 km²;建成区面积420.1 km²,其中城市建设用地404.7 km²。城市绿化覆盖面积23.8万亩,其中建成区绿化面积1.6万亩;人均公共绿地面积5.1 m²,建成区平均绿化覆盖率24.2%,比1990年减少1.8个百分点。城市绿化问题须引起各城市政府及有关部门的高度重视。

1949年以来,新疆致力于经济、社会、环境建设,取得了巨大的成就,带来了显著的生态效益、经济效益、社会效益。在经济发展取得长足进步的同时,生态环境问题日益突出。应当正视这一现实,把生态环境问题作为影响区域经济发展的全局性问题认真对待。

二、干旱区生态环境的特点

(一)生态系统类型多样,但变异性大

以新疆而论,发育生态系统的生态环境类型,从大的方面,可以分为山地和盆地二个部分,其中山地是生态系统的核心发育地带;从大的尺度而言,国内外所具有的森林、草原、河流、湖泊等生态系统在这儿均有发育。此外,还发育有最为典型的绿洲与沙漠生态系统。新疆位居欧亚大陆腹地,地形封闭、气候干旱,这对生态系统的发育是极其不利的。绿洲与沙漠生态系统之所以能够出现,完全得益于境内的阿尔泰山、天山、昆仑山、阿尔金山等山体,这些山体的平均高度均在2 500m以上,从而改变了自然地理条件水平分异的不利影响,并能阻挡西风环流中的水汽,形成降水,进而为以山地垂直自然带为标志的垂直地带性的发育奠定了基础。同时,山地作为干旱区径流的形成区,亦为盆地内隐域性生态系统的发育提供了水源保障。

同时,就这些生态系统类型而言,其内部的变异性也是很大的。这包括两个方面:一是各类型生态系统所包含的亚类数目多寡不一,组成其生物种的多样性差别亦很大。以森林和草原论,新疆森林中乔木林仅有27种类型,且均具有层次结构简单、林分稀疏、种

类组成单纯等特点。而草原与森林相比,则组成要丰富得多。按全国的分类系统统计,共包括了8类、131组、687个草场型。其类型的多样性与种类的多样性均是国内其他牧区所无法比拟的。变异性的第二个方面,体现在各类生态系统对于干扰的抗性上亦有多变之特点,其中有抗性最小的荒漠生态系统,也有抗性较强的森林生态系统。这样从强到弱的抗性系列比较完整。

(二)地处内陆,水系多以盆地内湖泊为归宿,缺乏大范围的以水为载体的物质交换能力

干旱区属内流区域,各种以水为载体的有害物质只能积聚于盆地之中,缺乏参与全球水文大循环的能力,这就决定了其一方面水环境容量相对有限;另一方面,随着时间的推移,其境内的环境承载能力有逐步减小的趋势。在人类开发程度相对不高的情况下,山区径流出山口后即进入绿洲,之后越绿洲进入沙漠中的湖泊水体,此阶段因为绿洲物质的进出渠道畅通,故而环境质量尚好;随着人类干预程度的加剧,山区径流被最大限度地引入绿洲,并消散于绿洲之中,从而使得干旱区湖泊呈现出不断萎缩干涸的演变趋势。此时的绿洲,因为物质进大出小或只进不出,有害物质逐渐积聚于绿洲中,使得绿洲环境质量出现劣变态势。更严重的是,这一发展演变特性,也为未来干旱区的工业化进程的进一步发展留下了隐患。工业化是一个区域经济发展的必由之路,而现代工业化的严重后果之一即是污染的产生,对干旱区而言,以水环境的污染最为有害。水循环终点朝绿洲的移位,将会进一步引发绿洲环境质量的劣变。这对以绿洲为主的干旱区未来的经济持续发展,将是极为不利的。

(三)干旱区地域广大,但适于人类居住、生活的范围却十分有限

我国西北干旱区面积280余万平方公里,约占全国国土面积的29%,但人口仅占全国人口的7%左右,因而常有人用"地广人稀"来形象地说明这一点。但是,由于其境内的地质、地貌、气候等的分异,其中适合人类居住、生活的空间却十分有限。以新疆而论,扣除戈壁、沙漠等不适于人类居住的区域外,人类活动仅集中于占全疆国土面积4%的人工绿洲上。加上天然绿洲,人类活动的最大范围也仅占全疆国土面积的7.65%左右。在这4%的人工绿洲上,却集中了该区域90%以上的财富和95%以上的人口。若以绿洲论,其人口密度已达352人/km^2,高于我国内地的一些区域。

(四)生态环境脆弱,不可逆性强

与其他区域比较,干旱区生态环境是比较脆弱的,这种脆弱性主要体现在以下3个方面:

第一,从生物上讲,尽管其有多样的生态系统类型,但与其他区域的同类型生态系统比较起来,其生物产出量普遍偏小,尤其是在面积广大的沙漠上,由于其生态环境严酷,其生物产量更低;同时,其生物产出量的年际变化亦很大,如遇水分条件较好的年份,其生物量将几倍或几十倍于干旱年份。

第二,从土壤看,其脆弱性亦表现为两个方面:首先是成土作用原始,其土壤剖面的发育厚度及完整性远不及湿润区,且土壤的石质化较强。除广大的沙漠之外的非荒漠化地区,这里虽然集中了目前干旱区最大部分的经济活动,但土壤的沙质化亦很强。据全疆荒漠化普查资料,沙质化面积占全疆非荒漠化地区面积的0.4%,虽面积不大,但潜在危害很强,因为其主要集中于耕地中,占耕地面积的 7.5%。其次是土壤的有机质含量普遍偏低,且盐渍化较强。这主要与上述的生物学脆弱性有关。

第三,主要表现在荒漠物理环境与绿洲相互作用的过程中,荒漠物理环境始终处于主导地位。该区风大沙多、盐碱重的环境特点,使得任何一种经济活动中的不慎,都很容易引起绿洲环境的逆向演替,且这种逆向演替具有极强的不可逆性特点。

三、主要生态环境问题

(一)土地面积辽阔,可利用土地面积少

全区可利用的土地少,可作农业利用的土地更少,而沙漠、砾漠、盐漠面积大。这类土地占全区总面积的一多半,主要分布在平原区。全疆 62% 的土地,即 102.33 万 km² 是荒漠,其中有 42.1 万 km² 为沙漠。

(二)河流断流,湖泊萎缩

新疆河流在人类活动影响下,特别受土地开发的影响,导致河流在中下游段流程缩短,多数已不能到达归宿地,如北疆玛纳斯河下游和南疆塔里木河下游的干涸;许多湖泊萎缩甚至干涸,如著名的罗布泊、台特马湖、玛纳斯湖、艾丁湖、艾比湖。据统计,新疆的湖泊面积已由 20 世纪 50 年代的 9 700km² 减少为 4 784km²。大量农田排水进入河流,使河水及湖泊的矿化度增加,水质盐化。全疆每年农田盐碱水排量估计达 40 亿 t,多数排入河流湖泊。由于植被破坏,造成土壤侵蚀加剧,使河水泥沙含量增加;部分流经城市和矿区的河流,由于工业和城市污水的排入,水质遭受污染。

(三)地下水水质恶化,水位变化

土地在开发利用过程中改变了地表水的地域分配,从而影响到地下水的补给,使得地下水的水位和水质发生变化。绿洲灌溉区由于引水量增加,补给量增大,表现为地下水位上升,而一些依靠地下水供水的城市和机井灌溉区,地下水位也急剧下降。

(四)土壤侵蚀增加,肥力下降

在土地开发过程中,由于对土壤利用不合理,致使次生盐渍化和沼泽化有所发展,部分土壤肥力下降,土壤侵蚀增加,风蚀和荒漠化增强。水资源利用不当,引起地下水位上升,是造成土壤次生盐渍化的根本原因;土地利用不合理,使绿洲生态系统良性循环遭到破坏,加速了盐渍化发展;土地开垦后,由于只用不养,施肥不足,特别是有机肥施用量不够,养地作物比例很小,不能合理轮作倒茬,再加上风蚀、水蚀,使土壤肥力有所下降。

(五)动植物资源破坏,物种减少

动物由于具有迁徙能力,对环境的变化十分敏感,人类活动对动物栖息环境的破坏和改变,以及无限制的捕猎,使动物的种群和分布发生很大变化。这种变化,主要表现为种群灭绝、数量减少及分布面积的缩小。林地的变化,主要表现为山地森林集中过伐严重,用材数量及质量呈下降趋势,平原胡杨林、灌木林及河谷次生林遭受严重破坏。由于过度放牧及对草地资源的不合理利用,草地的退化现象十分严重。牧草产量下降,草地面积减少。

(六)土地沙漠化加重

新疆土地沙漠化,既有人为因素又有自然因素。人为因素是由于土地利用过程中滥垦乱伐无计划的开垦,荒漠草场以及弃耕的土地失去水分和植被保护,导致风蚀流沙形

成;自然因素是由于气候干旱少雨加之大气环流影响,致使流沙移动形成的沙漠化。古尔班通古特沙漠南缘出现了宽度为几百米到数公里的沙丘活化带,塔里木盆地形成的现代沙漠化土地有 0.86 万 km^2。地表结构的破坏,造成许多地区浮尘、沙暴天气的增多。如塔里木盆地西北部,1980 年前每年浮尘天气平均为 39.5 天,1981~1993 年平均为 75.9 天,较 1980 年前增加了 1 倍。精河县 1981~1993 年间浮尘天气总日数,年平均高达 50.2 天,比前 10 年平均增加 5.6 倍,比 20 世纪 60 年代增加 8.7 倍。

(七)城市污染趋于严重,农业污染有所发展

城市污染以乌鲁木齐最为严重,特别是大气污染。1994 年全国北方 30 多个城市 SO_2 年平均排序,乌鲁木齐居第三位,NOx 居第一位,TSP 居第四位。

由于大量使用化肥、农药及地膜,农业环境也遭到污染。

四、干旱区生态保护基本原则

经济发展与生态环境的保护,是一对既互相矛盾又有着极强相互联系的事物,特别是在目前大力发展经济、还没有把环境成本纳入经济核算体系的情况下,这一问题尤为突出。要能够正确地看待这一对矛盾,就必须树立长远观点,而长远观点的核心,则是经济与环境的双重可持续性。由于干旱区环境,本身对于人类活动的承受能力上有许多先天不足,加之生态系统本身又存在着发育上的不同阶段,环境与生态功能的反馈又存在着从量变到质变的累积效应,这就更要求树立持续发展的观念,不能为了一时的经济利益,而损害了将来发展的潜在机遇。为此,以可持续发展为目的,在本次攻关项目中制定了以下原则作为干旱区生态保护中应遵循的基本准则。

(一)水资源利用中优先考虑生态耗水的原则

干旱区农业是绿洲农业。绿洲农业的持续稳定增长依赖于两个方面:一是绿洲外围的荒漠植被以及绿洲与荒漠相邻近地段的人工、半人工绿洲防护体系;二是绿洲内部的农田防护林网建设。离开了这两个方面中的任何一方面,绿洲农业的持续发展都无从谈起。从更大范围看,绿洲仅占干旱区总面积的 4%~5%,而其外围又围以荒漠。在以前人们开发利用自然生产力较多的天然绿洲的情形下,人的活动范围局限于天然绿洲之内,由于天然绿洲隐域性的特点,因而是非常稳定的。现在的人类活动范围已远远超出了以前的界限,一方面开发低质劣等的天然绿洲,由于这类绿洲立地条件差,对各种干扰的抵抗力本身就较低,开发之后如不付出较大的人力、物力,在人类高强度利用下,其逆向演替的潜在危险极大;另一方面,现在人类已可以利用自己掌握的科学技术,在荒漠上开发绿洲,建设绿洲。荒漠的生物产出极微,在其上建立人工生态系统,要维持所建系统的稳定,人们需要付出的努力更大、更多。因此,总体上来说,绿洲生态系统时时刻刻都存在着向荒漠化反弹的生态位势,而绿洲的扩展主要是人口压力的结果。由于人口增长的趋势一时半刻不可能摆脱增长的惯性效应,所以这种生态位势会随着新垦绿洲面积的增加而扩大。要抑制这种生态位势,只有在前述的两方面上多做工作。众所周知,水是一切生命之源,在干旱区水资源总量有限的前提下,随国民经济的发展,各行各业的用水需求都将有进一步扩大的趋势。在这种情况下,就存在着一个用水需求供给的排序问题。在新疆这样一个生态环境十分脆弱的大系统中,在区域发展中,只追求区域经济的增长及生产、生活功

能的改善与提高,忽视区域环境与生命支持系统的养护与维持,甚至有意损害区域生命支持系统以换取区域的经济增长,往往是区域生态环境问题的思想根源。由于绿洲是干旱区人类活动的主导区域,因此,一切有利于绿洲持续稳定的内、外部生态系统(或组成),都是绿洲的生命支持系统。绿洲与其生命支持系统的关系,犹如毛与皮的关系一样,"皮之不存,毛将焉附"。因此,应当把生命支持系统的用水优先考虑,在此基础上,统筹规划,安排各行业、各部门的用水。

(二)以绿洲为中心原则

绿洲面积虽小,但却是干旱区的精华所在。由于其集中了干旱区 95% 以上的人口,因此,无论是绿洲本身还是绿洲的外部环境,都承受着人口增长所带来的巨大生态压力。在山地、荒漠、绿洲这三大系统内,绿洲是危及山地与荒漠环境的最大破坏源。从生态系统的源-汇关系看,绿洲既是源,同时也是汇。山地与荒漠所产生的财富最终都将归于绿洲。因此,无论干旱区生态危害及环境问题多么严重,但就其动因而言,则直接地或间接地最终都可以归到绿洲上面。同时,山地与荒漠所产生的生态问题,也最终都危害到绿洲的生存与发展。水是干旱区一切生命过程存在与繁盛的根本保证,因此,从水上分析才能抓住干旱区一切过程的本质。由于绿洲存在于荒漠基质之上,而荒漠环境中降雨稀少,因此无法满足绿洲环境的生存用水;而山地则因其高大山体的存在,从而成为干旱区的"湿岛"。就降雨情况而言,山地降雨对维持山地生态系统已能满足并且有余。多余的部分则以径流形式输入到盆地系统中,从而为绿洲的生存与发展提供了水源保证。由于山地降水已足以维持其内的各种生态过程,加之人为高强度影响较小,因此,在生态保护时对其不予考虑。虽说山地的畜牧业与林业生产,在干旱区经济中也占有一定的份额,但始终是在利用林草的天然生产力。而荒漠系统中人类的活动强度则更小,虽有个别强度较大之处,但均处于邻近绿洲 40～60km 范围内,且以 0～4km 处为最甚。因此,就干旱区域而言,绿洲应是考虑问题的出发点同时又是归宿之所在。

(三)以植被为主体原则

在任何一个系统中,只有绿色植物才能够直接截取与转化太阳能,从而使系统获得运转的动力。在生态系统内,植物群落居于核心地位。因此,由植物群落组成的植被的类型、结构、功能,又是整个系统的一面镜子,它可以反映整个系统的状态。

在干旱区(除山区外),由于水分从量上和分布上的匮乏与不均匀,造成了植被稀疏,总体生物产出低。因而,从大尺度上讲,其生态环境的发育具有先天不足之一面,即本身就比较脆弱。且由于风大沙多等特点,破坏之后又不易恢复,即不可逆性较强。而在如此广阔背景上发育起来的绿洲,却因局部水条件的改善而显得生机盎然。然而,由于一方面其面积狭小且多为荒漠所割裂,另一方面也由于目前人类已通过自身的技术、经济手段的干预,大大改变了天然绿洲的分布格局,且这种干预还处于进一步发展之中,而对新的分布格局的评价又莫衷一是,没有形成共识。因此,绿洲一方面遭受自身发展过程中因环境劣变而产生的危害,另一方面还时时刻刻存在着荒漠反弹于绿洲的各种灾害。要对抗上述危害,最直接、最经济、最持久的手段即是恢复与扩大植被覆盖。因此,干旱区生态保护的基本手段即在于一方面保护现有植被,另一方面在条件适宜的地方,尽可能多地扩大植被覆盖。

(四)以水为纽带原则

水利不仅是农业的命脉,也是工矿、交通运输业及城镇人口发展的基本条件,水资源利用的程度与方式,在很大程度上决定了新疆国民经济发展的规模、速度和地区分布。

绿洲经济的主体是农业经济,因此农业是各业中的用水大户,其引水量占可引用水资源量的 90% 以上。作为基础产业,其用水向来是被优先保证的。随着工业化、城市化的发展,以及生态环境问题的愈益普遍,它的优先地位也受到了一定程度的冲击。

1949 年以前,新疆的工业十分落后,连火柴也要从苏联进口,而城市建设也没有什么规模,因此,其经济还是以农、牧为主导的。1949 年之后,特别是经过了近 50 年的建设,其工业与城市发展取得了十分喜人的成就。而工业与城市的发展需水,亦大多是从农业节水而来,这主要是以前新疆农业经营十分粗放,存在着很大的节水潜力的缘故。就总体而言,新疆目前仍处于工业化与城市化进程的早期阶段,其进一步的发展是必然的结果。因此,工业与城市发展的用水需求,亦会进一步加大。随着各种节水措施的实施,农业节水的潜力亦会越来越小,而人口的增加则要求农业能有所发展,否则将无以维持人们的生活需求,这本身就构成了国民经济内部的用水矛盾。然而,总的可利用的水资源量是一定的,水不仅仅是国民经济各部门发展的基本条件,也还是维护地区生态平衡的基本保证。绿洲被荒漠包围,必须有强有力的生态保障体系,以维持绿洲内工农业和城市健康、稳定的发展。然而,长期以来的开发实践中,对水资源的经济价值很重视,而对水资源的生态价值重视不够,因而使得绿洲的生存环境遭受了较大的创伤。在平原区内,生态环境用水与工农业和城市生活等用水,又存在着此长彼消的关系。因为总可用水量是一定的,则出现了另一对矛盾,即生态环境用水与工、农业生产和城市生活用水的矛盾。

在以上矛盾的每一方面中,对于干旱区发展而言,其重要性程度都是等同的,而其焦点都是水。故在干旱区经济建设中,应以水为纽带,重视其综合平衡。

(五)以现状为主原则

就目前的生态保护标准而言,绝大多数人所采用的本底标准,是以天然状况为基本出发点的,即离天然状况的程度愈远,则认为生态破坏得越厉害,越需要保护。而目前所面临的实际是,天然状况下的环境愈来愈少,而人工创造的环境则愈益增大。这就产生了疑问:用天然状况作为生态评价的标准是否足够科学,能否满足现实生活中的需求?而且上述论点还有一个问题,即在做工作时,对天然状况下的生态环境的生态合理性缺乏考虑。当现在要开展干旱区的生态需水研究时,这依然是首先要遇到的问题。而干旱区由于工作积累很少,因此,要开展针对上述存在问题的专门研究,困难显然更多,且这也非现在工作的重心。鉴于这种情况,考虑到干旱区生态环境的现状,以现状为基础,其潜在假设是:未来的开发对生态环境的影响程度,不能使环境质量比现状条件差。

当然,以现状为主并非现状不能改变。由于天然植被与人工绿洲建设,是干旱区经济活动中与环境保护中最大的一对矛盾,对于二者合理的配比关系,目前还没有做过什么工作,故而无法评说。目前,新疆的生态保护中出现了两种具有代表性的观点:一种认为,人工绿洲的扩大,极大地破坏了天然植被,严重威胁到了生物的多样性等特征,并将对未来的经济发展造成影响,故而应该对天然植被进行严格的保护;另一种观点认为,经济发展虽然破坏了一定面积的天然植被,但却在此基础上建立了更高效、更经济的人工绿洲,这对于社会的发展是十分有利的。如此看来,两者都有一定的道理。今后除应在上述薄弱环节多做工作外,目前所能做和要做的,就是在上述合理关系尚未明朗的前提下,如何协调二者的关系。

第二节 生态环境质量评价方法

一、评价方法简述

对于环境质量评价的定义,众说纷纭。一般认为,确定、说明和预测一定区域范围内人类活动对人体健康、生态系统和环境的影响程度,称为环境质量评价。环境质量评价的类型,按评价的时间划分,可分为环境质量回顾评价、环境质量现状评价和环境质量预断评价(或影响评价)。生态环境现状评价方法正处于探索与发展阶段,亦无定论。下面仅对常见的评价方法做一简述。

(一)评分叠加法

首先在确定各个评价参数的基础上,根据评价原则以及评价地区的实际情况,确定各个参数的评价指标。把各个参数指标划分为五级,并给每级定分,即一级(5 分)、二级(4 分)、三级(3 分)、四级(2 分)、五级(1 分)。每一级对应一定的指标范围,根据每个评价单元的实测数据和上述五级指标,计算出每个单元的各个参数等级分值,再将各个参数分值叠加得出综合评价分数。该分数可按一定的标准划分等级,然后将结果成图。

(二)综合指数法(质量指标法)

首先确定评价参数,然后将评价参数的实测值与指标值(或标准值、其一特征值)相比,进行数据归一化处理,得出一系列无量纲指数;其次对评价参数赋权,将各单元参数的无量纲指数和参数权重进行加权平均,得出综合评价指数,再将综合指数按一定间隔划分为等级。

该方法一般需建立环境因子的评价函数曲线,通常是先确定环境因子的质量标准,再根据不同标准规定的数值确定曲线的上、下限。但在生态环境评价中,大部分生态因子无明确且统一的标准。在区域评价中,往往只将各评价单元区进行综合指标值的排序,以确定相对的生态环境质量级别。

(三)聚类分析法

定出各个评价参数并统计其各单元的参数值,从多指标数量关系的特点,结构上的近似程度,用模糊数学等计算方法,将复杂的多指标问题简化,提取内在的本质结构特征,据此进行分类,并在此基础上寻求专业的解释和启示。

(四)自然度方法

自然度即人类干扰破坏自然界,使其改变的程度。一般是以植被自然度作为衡量自然界人为变化程度的标准。自然度分为 10 级,级别越高,标志着人类干扰破坏程度越少,反之说明人类活动影响越大。作为生态环境破坏等级研究,仅以植被自然度为标准,不能充分反映人类对生态环境破坏的程度,应考虑土壤的变化,通过综合分析植被自然度和土壤自然度,进而对生态环境现状进行分级。

(五)景观生态学方法

景观生态学对生态环境质量状况的评价,是通过两个方面进行的,一是空间结构分析,二是功能与稳定性分析。这是因为,景观生态学认为,景观的结构与功能,是相当匹配的,且增加景观异质性和共生性,也是生态学和社会学整体论的基本原则。

空间结构分析基于景观,是高于生态系统的自然系统,是一个清晰的可度量的单元。景观由拼块、基质和廊道组成。其中,基质是景观的背景地块,是景观中一种可以控制环境质量的组分。基质的判定,多借用传统生态学中计算植被重要值的方法。这一分析同时反映自然组分在区域生态环境中的数量和分布,因此能较明确地表示生态环境的整体性。

景观的功能和稳定性分析,包括生物恢复力分析、异质性分析、种群源的持久性和可达性分析和景观组织的开放性分析。

二、指标体系的结构及论证

综合指标体系的构造,应以指标体系构成的 4 个方面基本特征为前提,即总体性、多项性、层次性、关联性。

(1)总体性。要求指标完整,具有总体的代表性。各分指标具有典型性,并且统一以生态效应级别为着眼点,客观反映生态因子对环境的实际效应程度为共同的目标。

(2)多项性。要求指标不只是单一的,应具有多种属性。每一种指标有各自独特的属性,多种指标具有多种属性,构成一个体系所必须的综合体。

(3)层次性。是指指标体系以指标的环境效应程度分解为若干层次,反映出不同层次(子系统)生态环境效应的差别。从指标体系整体来看,综合指标反映的是一个地域总的生态环境质量状况,分指标反映的是某一个方面(某一子系统)的环境质量状况。

(4)关联性。体现指标体系中的纽带作用,各项之间和层次间都通过其内在的联系构成有机体,形成一个相互关系的完整体系。

对综合指标体系的合理性,应进行分析论证。一般可与原定性的评价结果进行对比,或与其他的评价方法(如自然度、景观生态学等)进行相关性分析,以此进行进一步的调整,包括因子的取舍,权重的择定等。

生态环境质量评价指标体系不是一成不变的,但应具有相对的稳定性。这是可比的必要条件,指标是为管理服务的,指标的调整与环境认识、管理的水平密不可分。因此,指标体系也是一个动态的体系,有一个不断调整完善的过程。

三、生态环境现状评价的一般步骤

首先应确定评价的目的,然后以此广泛收集资料并进行分析,制定评价工作实施计划大纲,征求专家意见,建立评价指标体系,调查和实测各评价因子的基础数据,进行指标体系的相关计算,得出综合指数,最后定出生态环境质量级别。据此,同时考虑各评价单元实际情况,划分不同的级别并分别进行分析论述,见图 3-1。

四、新疆生态环境现状评价的目的和主导思想

新疆地处欧亚大陆中心,生态环境的基本特征是:气候干旱,水资源短缺,植被稀少,

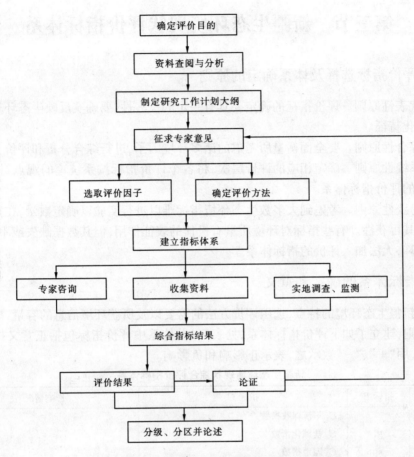

图 3-1　生态环境现状评价及指标体系建立工作框图

荒漠广布,生态脆弱。新疆又是我国的资源大省,西部陆路开放的前沿,国民经济的发展规划及可持续发展,一定要与生态环境质量现状与潜力相适应,一定要与水资源的合理开发利用相配合,为新疆经济持续发展和能源永续利用方案的制定,特别是为各流域和地域发展格局的确定,提供可靠的依据。近百年来,新疆生态环境的变化,主要表现在绿洲扩大、沙漠扩大、水域缩小、森林缩小、草场缩小。对于新疆生态环境的现状评价,正是基于上述基本特点和变化特征而进行的。

五、评价方法选择和单元确定

根据本课题的总体需要及目前掌握的基础资料,选用最为常用的综合指数法,对新疆的生态环境现状进行评价。评价着重考虑绿洲(农田)生态系统、自然(荒漠)生态系统、人工(环境压力)生态系统的生态环境质量,以综合衡量新疆各地域(以县市为单元)的总体生态环境质量状况。

根据子课题的总体分区要求,考虑到生态环境评价因子选择的难易程度及其数据的可获性,确定以新疆各县(市)的行政区域为该评价的评价单元,共计 87 个评价单元。

第三节 新疆生态环境现状评价指标体系

一、评价指标选择及体系确定的原则

(1)代表性原则。评价指标的确定要具有一定的代表性,要确实反映生态环境质量的现状及变化特征。

(2)综合性原则。要全面衡量所考虑的诸多环境因子,进行综合分析和评价。

(3)系统性原则。确定相应的评价层次,将各个评价指标按系统论的观点进行考虑,构成完整的评价指标体系。

(4)易获性原则。考虑到大多数生态环境指标难以进行实验以确定数量,在指标确定时要考虑其可获性。有些指标对环境质量有极佳的表征作用,但其数据缺失或不全,就无法进行计算,无法加入评价的指标体系。

二、指标体系的确定和意义

根据新疆生态环境的特点,选用评价方法的需要以及所获环境信息的容量,按照上述确定的原则,建立了如下评价指标体系,见表 3-1。体系中评价指标包括正意义指标和负意义指标,用"＋"、"－"数示之,表示正影响和负影响。

表 3-1　　　　　　　　　　新疆生态环境现状综合评价指标体系

指标 A	指标 B	指标 C	影响情况
A 综合评价指标	B_1 农田生态环境指标	C_1 旱涝保收指数	＋
		C_2 盐碱化指数	－
		C_3 园地指数	＋
		C_4 农防林指数	＋
		C_5 耕地指数	＋
		C_6 化肥施用强度	－
		C_7 农业供水量指数	＋
	B_2 自然生态环境指标	C_8 天然绿洲指数	＋
		C_9 山区森林覆盖率	＋
		C_{10} 山区草地指数	＋
		C_{11} 水域指数	＋
		C_{12} 荒漠化指数	－
		C_{13} 潜在沙漠化指数	－
		C_{14} 土地严重退化指数	－
	B_3 人工生态环境指标	C_{15} 绿洲人口密度	－
		C_{16} 交通居矿地指数	－
		C_{17} 废水排放强度	－
		C_{18} 废气排放强度	－
		C_{19} 固废排放强度	－
		C_{20} 开荒指数	－

整体指标的选择主要基于新疆生态环境的基本特征,即以自然条件为基础,同时考虑了人类活动对生态环境的影响。在具体指标的设置上,从县(市)域作为一个系统单元的角度,考虑区域的生态景观、格局和生态功能,不仅选用了其结构功能指标,如化肥施用强度、农业供水量指数、废水排放强度等,还更多地考虑了反映景观格局的指标,即各种景观类型的面积比例指标,如盐碱化指数、天然绿洲指数,山区林地、草场指数等,这些指标是整体生态功能的综合反映。新疆的县(市)域一般呈山区—平原—荒漠与自然—半自然(农牧业)—人工(城市)的复合景观生态区域。这些指标的选取,将从新的角度审视新疆各县(市)域生态环境质量的现状。另外,由于影响新疆生态环境质量的主导因子是水,指标体系中着重选取了反映水资源状况的指数,如旱涝保收指数、农业供水量指数、天然绿洲指数、山区森林指数、水域指数、废水排放指数等。在指数选取中,考虑到数据的易获性和实际应用的便利,借鉴和引用了各部门现行的某些统计指标,如旱涝保收指数、荒漠化指数、潜在荒漠化指标等。

三、评价指标的计算及权值的确定

(一)指标的计算

各指标的计算方法如下:

C_1 旱涝保收指数:旱涝保收面积/灌溉面积

C_2 盐碱化指数:盐碱化耕地面积/耕地面积

C_3 园地指数:园地面积/平原面积

C_4 农防林指数:农防林面积/平原区人工绿洲面积

C_5 耕地指数:耕地面积/平原区面积

C_6 化肥施用强度:化肥施用量/耕地面积

C_7 农业供水量指数:水利工程为农业年供水量/平原区面积

C_8 天然绿洲指数:平原绿洲(河谷林、灌木林、草甸)面积/平原区面积

C_9 山区森林覆盖率:山区天然林面积(有林地+灌木林地)/山区林区面积

C_{10} 山区草地指数:山区草地面积/山区面积

C_{11} 水域指数:平原河流、湖泊、坑塘面积/平原区面积

C_{12} 荒漠化指数:荒漠化土地面积/总土地面积

C_{13} 潜在荒漠化指数:潜在沙漠化土地面积/总土地面积

C_{14} 土地严重退化指数:非沙化土地变化趋势面积(严重风蚀面积+严重水蚀面积)/总土地面积

C_{15} 绿洲人口密度:人口数/绿洲面积(天然绿洲+人工绿洲)

C_{16} 交通居民点及工矿地指数:交通居民点及工矿地面积/平原区面积

C_{17} 废水排放强度:废水排放量/平原区面积

C_{18} 废气排放强度:废气排放量/平原区面积

C_{19} 固体废物排放程度:固体废物排放量/平原区面积

C_{20} 开荒指数：新开荒面积/耕地面积

计算以上各指数的基础数据包括：

a_1	土地总面积(亩)	a_{14}	土地严重退化面积(亩)
a_2	平原区面积(亩)	a_{15}	人口数(人)
a_3	山区面积(亩)	a_{16}	水利工程为农业供水量(m^3)
a_4	灌溉面积(亩)	a_{17}	交通居民点及工矿用地面积(亩)
a_5	绿洲面积(亩)	a_{18}	新开荒面积(亩)
a_6	天然绿洲面积(亩)	a_{19}	废水排放量(t)
a_7	天然水域面积(亩)	a_{20}	废气排放量(标 m^3)
a_8	山区林区面积(亩)	a_{21}	固体废物排放量(t)
a_9	山区草地面积(亩)	a_{22}	农防林面积(亩)
a_{10}	耕地面积(亩)	a_{23}	山区天然林面积(亩)
a_{11}	旱涝保收面积(亩)	a_{24}	化肥施用量(折纯法计)(t)
a_{12}	荒漠化土地面积(亩)	a_{25}	盐碱耕地面积(亩)
a_{13}	潜在沙漠化土地面积(亩)	a_{26}	园地面积(亩)

(二)权值的确定

为了较为符合实际地表达出新疆生态环境现状，必须对评价参数重要性进行赋权，即对各指标的整个生态系统中的影响程度进行评价，区分其贡献大小。

权值的确定方法很多，常见的有专家估测法、频数统计分析法、指标值法、层次分析法、因子分析法等。

上述权值的确定方法，有的富有浓厚的主观色彩，使评价结果失真；有的则工作量大，评价周期长。从中选择思路简明、系统性强，需要数据信息较少且容易掌握的方法——层次分析法(简称 AHP，Analytic Hierarchy Process)，来确定新疆生态环境现状研究评价参数的权重。

AHP 基本原理为：首先将包含在问题中的所有因素按其地位或作用，划分并排列成一系列有序层次；其次确认并标明各层次因素之间的联系，从而建立起一个层次结构；再其次根据对具体问题的分析，构造判断数据矩阵，并利用数学方法求出反映每一层次诸因素对于上一层次某因素的相对重要性的数值；最后以排序方法求出最底层因素(即评估对象)对于最高层因素(即总目标)的排序向量，得到问题的解答。

按照评价指标体系确定的层次结构，根据 AHP 要求，咨询有关专家的意见后，构成判断矩阵，输入计算机，获得各层次指标权数及随机一致性的率值，见表 3-2～表 3-6。

(三)评价指数的处理

由于全疆生态环境质量无统一的标准，各指数量纲不同，故进行标准化(归一化)处理。采用的方法是：首先计算全疆各指数的累加值，然后将各地域的指数值除以全疆的累加值，即该地域该指数的相对标准值(归一化值)。由于该计算没有将正、负影响进行标准化处理，故取值范围的绝对值在 0～100 之间。

表3-2　　　　　　　　　　　　　总体评价系统指标判断矩阵及权重

A	B_1	B_2	B_3	权　重
B_1	1	3	1	0.424 1
B_2		1	1/3	0.136 6
B_3			1	0.439 3
	$CCI=0.000\,6$			$CR=0.001\,1$

表3-3　　　　　　　　　　　　　农田生态系统指标判断矩阵及权重

B_1	C_1	C_2	C_3	C_4	C_5	C_6	C_7	权重
C_1	1	1/5	1	1	3	5	3	0.147 8
C_2		1	3	3	5	3	5	0.356 2
C_3			1	1/3	3	3	1	0.106 3
C_4				1	3	5	3	0.188 5
C_5					1	3	1/3	0.056 8
C_6						1	1/5	0.041 3
C_7							1	0.103 0
	$CCI=0.131\,6$							$CR=0.099\,6$

表3-4　　　　　　　　　　　　　天然生态系统指标判断矩阵及权重

B_2	C_8	C_9	C_{10}	C_{11}	C_{12}	C_{13}	C_{14}	权　重
C_8	1	1/5	1/3	1	1/7	1/5	1/3	0.033 6
C_9		1	5	7	1/3	1	3	0.215 7
C_{10}			1	1	1/7	1/3	1	0.063 1
C_{11}				1	1/5	1	3	0.084 7
C_{12}					1	3	5	0.382 6
C_{13}						1	3	0.152 6
C_{14}							1	0.064 7
	$CCI=0.120\,4$							$CR=0.091\,2$

表3-5　　　　　　　　　　　　　人工生态系统指标判断矩阵及权重

B_3	C_{15}	C_{16}	C_{17}	C_{18}	C_{19}	C_{20}	权重
C_{15}	1	3	5	7	7	5	0.448 1
C_{16}		1	3	5	5	1	0.192 4
C_{17}			1	6	3	1/3	0.091 0
C_{18}				1	1	1/5	0.041 4
C_{19}					1	1/5	0.041 4
C_{20}						1	0.185 7
	$CCI=0.053\,5$						$CR=0.043\,1$

表 3-6 总体评价系统指标总排序权重

A	权 重	说 明
C_1	0.062 7	
C_2	0.151 1	
C_3	0.045 1	
C_4	0.079 9	
C_5	0.024 1	
C_6	0.017 5	
C_7	0.043 7	
C_8	0.004 6	
C_9	0.029 5	
C_{10}	0.008 6	$CI = 0.095\ 7$
C_{11}	0.011 6	$RI = 1.284\ 9$
C_{12}	0.052 2	$CR = 0.074\ 5$
C_{13}	0.020 8	
C_{14}	0.008 8	
C_{15}	0.196 9	
C_{16}	0.084 5	
C_{17}	0.040 0	
C_{18}	0.018 2	
C_{19}	0.018 2	
C_{20}	0.081 6	

(四)综合评价指数的计算及分级

据综合评价参数权重,可算出新疆生态环境现状评价综合指标,计算公式为

$$P_i = \sum C_{ij} \times W_j \tag{3-1}$$

式中　　P_i——i 县(市)的综合评价指数;

　　　　W_j——j 指标的权重;

　　　　C_{ij}——i 县(市)j 指标的标准化数据。

根据进一步综合评价指数排序的分布特点,通过专业判断法和专家咨询法,考虑各地域生态环境实际,对新疆各县市生态环境质量进行分级。为分析各单元总体生态环境现状的影响因子,同时进行了分系统的环境现状质量分级。为直观起见,各系统指标评价值未做进一步标准化处理。

第四节　新疆生态环境现状评价结果

一、分级标准确定及结果论证

由于目前可供借鉴与参照的环境标准大都是单一的环境标准,如地面水环境质量标准、土地环境质量标准、空气环境质量标准等。这些标准,侧重于对污染程度的评价,在所涉及的范围内,对于评价来说应用十分便利。而本次所做的工作是生态环境综合评价,采用的是综合指数法。对此,目前既无全国也无地方的生态环境综合质量标准。由于生态

环境的地域差异,现在及不远的将来,也不可能产生这样一个放之四海而皆准的综合标准。对于单一的生态环境标准,有的研究有所涉及,但仍无成熟、规范的标准出现。为此,人们的注意力都转向省一级的生态环境的评价体系和标准化建立,这是可行且非常必要的,但非此专题研究所及。目前的工作,只能是为此提出基础资料和可能途径。

目前,大多数生态环境质量评价只能采用定性与定量相结合的方法进行评价,从而服务于当地的管理、决策机构,此处也基本沿用这一方法。所谓定量,就是对于每一个评价单元而言,都可以计算出一个综合环境质量指数值,并进行排序。全疆各县市总体及子系统生态环境综合指数值及排序结果,见图 3-2～图 3-5。但仅此还无法进行分级,即对于综合指标的分级,目前多采用在统计学计算基础上的人为定性方法。

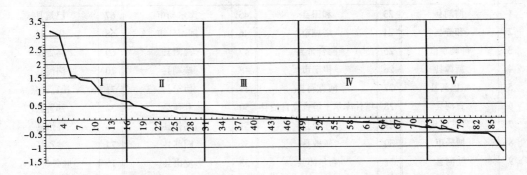

顺序	区域	顺序	区域	顺序	区域	顺序	区域
1	奎屯市	23	额敏县	45	吉木萨尔县	67	若羌县
2	喀什市	24	温宿县	46	哈密市	68	且末县
3	泽普县	25	阿合奇县	47	巴里坤哈萨克自治县	69	麦盖提县
4	吐鲁番市	26	尼勒克县	48	伊吾县	70	福海县
5	疏附县	27	乌鲁木齐市	49	沙湾县	71	富蕴县
6	石河子市	28	裕民县	50	和静县	72	托克逊县
7	巩留县	29	昭苏县	51	库车县	73	玛纳斯县
8	霍城县	30	阿克苏市	52	阿勒泰市	74	青河县
9	莎车县	31	博乐市	53	和田县	75	乌什县
10	伊宁市	32	疏勒县	54	叶城县	76	阿克陶县
11	塔城市	33	柯坪县	55	新和县	77	洛浦县
12	新源县	34	拜城县	56	于田县	78	阿图什市
13	伊宁县	35	奇台县	57	精河县	79	伽师县
14	察布查尔锡伯自治县	36	吉木乃县	58	塔什库尔干塔吉克自治县	80	博湖县
15	温泉县	37	托里县	59	乌恰县	81	巴楚县
16	特克斯县	38	皮山县	60	和硕县	82	哈巴河县
17	和田市	39	米泉市	61	焉耆回族自治县	83	民丰县
18	呼图壁县	40	和布克赛尔蒙古自治县	62	昌吉市	84	沙雅县
19	克拉玛依市	41	英吉沙县	63	库尔勒市	85	岳普湖县
20	鄯善县	42	策勒县	64	墨玉县	86	轮台县
21	乌鲁木齐县	43	木垒哈萨克自治县	65	布尔津县	87	阿瓦提县
22	乌苏县	44	阜康市	66	尉犁县		

图 3-2 新疆各区域(县、市)农业生态环境分级

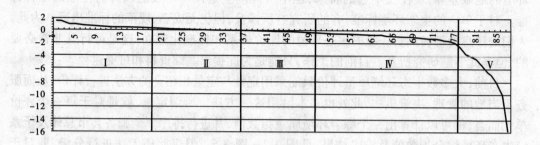

顺序	区域	顺序	区域	顺序	区域	顺序	区域
1	博湖县	23	和田县	45	库尔勒市	67	巴楚县
2	和静县	24	塔城市	46	阿图什市	68	墨玉县
3	阿勒泰市	25	阿合奇县	47	疏附县	69	昌吉市
4	新源县	26	伊宁市	48	疏勒县	70	洛浦县
5	哈巴河县	27	阿克陶县	49	伊宁县	71	托克逊县
6	青河县	28	塔什库尔干塔吉克自治县	50	和硕县	72	鄯善县
7	玛纳斯县	29	泽普县	51	乌什县	73	乌恰县
8	博乐市	30	额敏县	52	昭苏县	74	沙雅县
9	精河县	31	布尔津县	53	皮山县	75	吐鲁番市
10	乌苏县	32	石河子市	54	新和县	76	乌鲁木齐县
11	巩留县	33	喀什市	55	若羌县	77	尼勒克县
12	呼图壁县	34	伊吾县	56	柯坪县	78	霍城县
13	木垒哈萨克自治县	35	裕民县	57	于田县	79	吉木乃县
14	策勒县	36	轮台县	58	和布克赛尔蒙古自治县	80	巴里坤哈萨克自治县
15	温泉县	37	乌鲁木齐市	59	且末县	81	特克斯县
16	沙湾县	38	焉耆回族自治县	60	伽师县	82	吉木萨尔县
17	托里县	39	奎屯市	61	哈密市	83	阿瓦提县
18	察布查尔锡伯自治县	40	和田市	62	麦盖提县	84	库车县
19	米泉县	41	莎车县	63	民丰县	85	阿克苏市
20	富蕴县	42	拜城县	64	岳普湖县	86	阜康市
21	奇台县	43	温宿县	65	尉犁县	87	英吉沙县
22	福海县	44	叶城县	66	克拉玛依市		

图 3-3　新疆各地域(县、市)自然生态环境分级

目前已有的环境类别划分成果,多采用5级划分法,如中国典型生态区破坏现状评价,即采用5级划分法,分为良好、较好、一般、较差、差5个环境级别,即5类区域。这样的划分,也便于区域的生态环境管理。

通过专家咨询与论证,建立的指标体系是合理可行的,总体及各子系统生态环境评价指标排序结果,与目前人们对全疆生态环境的总体认识是相符的,证明此定量评价是可行的。由于时间、经费的限制,定量评价主要与原定性结果进行对比,未进行与其他的评价方法(如自然度、景观生态学)的相关性分析。

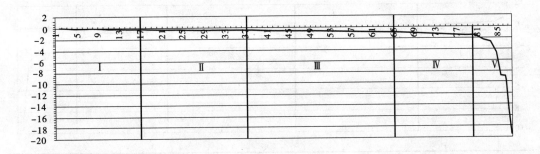

顺序	区域	顺序	区域	顺序	区域	顺序	区域
1	若羌县	23	阿克陶县	45	米泉县	67	英吉沙县
2	且末县	24	轮台县	46	叶城县	68	新和县
3	布尔津县	25	昭苏县	47	温宿县	69	巩留县
4	哈巴河县	26	奇台县	48	和田县	70	博湖县
5	乌恰县	27	温泉县	49	昌吉市	71	岳普湖县
6	民丰县	28	阜康市	50	阿瓦提县	72	疏附县
7	和布克赛尔蒙古自治县	29	托里县	51	乌鲁木齐县	73	泽普县
8	巴里坤哈萨克自治县	30	木垒哈萨克自治县	52	察布查尔锡伯自治县	74	尉犁县
9	吉木乃	31	塔城市	53	福海县	75	阿勒泰市
10	裕民县	32	精河县	54	乌苏县	76	新源县
11	柯坪县	33	托克逊县	55	麦盖提县	77	洛浦县
12	富蕴县	34	博乐市	56	和硕县	78	吐鲁番市
13	伊吾县	35	哈密市	57	疏勒县	79	巴楚县
14	拜城县	36	皮山县	58	吉木萨尔县	80	沙雅县
15	额敏县	37	墨玉县	59	莎车县	81	奎屯市
16	和静县	38	呼图壁县	60	伊宁县	82	库尔勒市
17	塔什库尔干塔吉克自治县	39	库车县	61	阿克苏市	83	和田市
18	沙湾县	40	特克斯县	62	青河县	84	伊宁市
19	于田县	41	尼勒克县	63	克拉玛依市	85	石河子市
20	策勒县	42	玛纳斯县	64	伽师县	86	喀什市
21	乌什县	43	阿合奇县	65	鄯善县	87	乌鲁木齐市
22	阿图什市	44	焉耆回族自治县	66	霍城县		

图 3-4　新疆各地域(县、市)人工生态环境分级

对于具体标准的确定及结果论证,未采用统计学方法,而是采用了专业判断法和专家咨询法,具体做法是:

(1)将确定的指标体系交给专家,专家可以对指标体系中的评价因子进行取舍,然后根据有关原则,采用专业判断法提出 5 个级区所包括的县(市)。

(2)将以上结果,与排序结果进行对比,其符合率达 95 % 以上,由此进行评价因子及权重的取舍和调整,并初步确定各级别的划分标准。

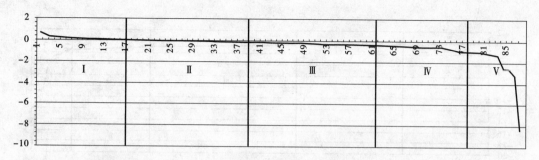

顺序	区域	顺序	区域	顺序	区域	顺序	区域
1	泽普县	23	奇台县	45	皮山县	67	阿克苏市
2	奎屯市	24	托里县	46	哈密市	68	博湖县
3	巩留县	25	和布克赛尔蒙古自治县	47	于田县	69	麦盖提县
4	吐鲁番市	26	柯坪县	48	阜康市	70	阿勒泰市
5	塔城市	27	乌恰县	49	阿克陶县	71	新和县
6	莎车县	28	乌鲁木齐县	50	和田县	72	库车县
7	霍城县	29	木垒哈萨克自治县	51	疏勒县	73	轮台县
8	温泉县	30	伊吾县	52	玛纳斯县	74	伽师县
9	察布查尔锡伯自治县	31	尼勒克县	53	克拉玛依市	75	尉犁县
10	特克斯县	32	吉木乃县	54	乌什县	76	阿瓦提县
11	昭苏县	33	乌苏县	55	焉耆回族自治县	77	洛浦县
12	和静县	34	塔什库尔干塔吉克自治县	56	叶城县	78	岳普湖县
13	呼图壁县	35	精河县	57	民丰县	79	和田市
14	额敏县	36	阿合奇县	58	吉木萨尔县	80	巴楚县
15	疏附县	37	哈巴河县	59	阿图什市	81	沙雅县
16	裕民县	38	若羌县	60	昌吉市	82	库尔勒市
17	伊宁县	39	巴里坤哈萨克自治县	61	鄯善县	83	伊宁市
18	博乐市	40	新源县	62	墨玉县	84	英吉沙县
19	布尔津县	41	米泉县	63	托克逊县	85	喀什市
20	策勒县	42	富蕴县	64	福海县	86	石河子市
21	拜城县	43	且末县	65	青河县	87	乌鲁木齐市
22	沙湾县	44	温宿县	66	和硕县		

图 3-5　新疆各地域(县、市)生态环境现状综合评价分级

(3)将排序结果及初拟标准,再次交给专家进行分析判定,根据反馈结果,最终确定划分标准。最终标准取专家所提标准的均值。

分级标准划分,见表 3-7;各子系统及环境总体生态分级结果,见图 3-2~图 3-5。此标准只限于本专题生态环境各级别划分所用,并非普通的生态环境标准。

表 3-7　　　　　　　　　　　新疆总体及子系统环境质量分级标准划分

项　目	范　围	分　级				
		Ⅰ	Ⅱ	Ⅲ	Ⅳ	Ⅴ
总体生态环境质量	0.70～-8.50	0.70～0.00	0.00～-0.17	-0.17～-0.40	-0.40～-1.00	-1.00～-8.50
农业生态环境质量	0.30～-1.20	0.30～0.50	0.50～0.22	0.22～0.00	0.00～-0.30	-0.30～-1.20
自然生态环境质量	1.50～-16.00	1.50～0.25	0.25～-0.10	-0.10～-0.40	-0.40～-2.00	-2.00～-16.00
人工生态环境质量	0.00～-20.00	0～-0.25	-0.25～-0.50	-0.50～-1.00	-1.00～-2.00	-2.00～-20.00

二、评价结果及分析

(一)生态环境分级及特征

对农业、自然、人工系统进行综合考虑,将各单元总体生态环境质量进行加权计算,综合生态环境指数值的范围在0.70～-8.50之间,同样分为5级。对于个别县市指标分值及排序位置,根据专家意见和实际情况作了适当调整。通过调整的分级情况如下:

从总体生态环境评价看,Ⅰ类区为生态环境良好地区,具有好的自然生态基础,良性循环的农业生态环境,人为活动强度适中;Ⅱ类区为生态环境较好地区,自然生态环境较好,农业生态环境良好,人为活动压力不大;Ⅲ类区为生态环境一般的地区,包括各子系统环境居中的县(市),或由某一子系统环境甚差所导致;Ⅳ类区为生态环境较差地区,自然生态环境较差,农业生态环境不良,有一定的人为活动压力;Ⅴ类区为生态环境差的地区,自然生态基础差,农业生态环境恶化,特别是人为活动强度超载。

从农业生态环境看,Ⅰ类区农业用水保证率较高,垦殖率(包括园地)高,农防林面积比率大,保证了农业生态环境的良性循环;Ⅴ类区旱涝保收面积较小,盐碱化面积大,耕地指数也较低。

从自然生态环境看,Ⅰ类区天然绿洲、山区林地面积都较大,而荒漠化面积较小,保证了自然生态环境的较高质量;而Ⅴ类区绿洲荒漠化面积比率大,存在着潜在沙漠化土地,水域面积也很低。

从人工生态环境看,Ⅰ类区绿洲人口密度小,废水排放强度低,交、居、矿用地也小,保证了人为干扰的较低层次;而Ⅴ类区绿洲人口密度大,废水、废气等排放强度加大,新开荒面积也较大,反映出人为活动强度的增加。

从以上综合评价及分级中,可找出影响各区域可持续发展的症结,从较为敏感的影响因子入手,进行各区域的生态环境治理和建设,特别是解决生态需水量问题,保证绿洲生态系统和人工生态系统的良性循环,防止荒漠生态系统继续恶化,使新疆生态环境整体质量保持在一定水平上,满足其国民经济持续发展的需要。

Ⅰ类区(0.70～0.00)包括巩留县、霍城县、温泉县、察布查尔锡伯自治县、特克斯县、昭苏县、和静县、呼图壁县、额敏县、新源县、裕民县、伊宁县以及奎屯市、吐鲁番市、塔城市,属总体生态环境良好的区域。

Ⅱ类区(0.00~-0.17)包括布尔津县、福海县、青河县、拜城县、沙湾县、奇台县、托里县和布克赛尔蒙古自治县、柯坪县、乌恰县、乌鲁木齐县、木垒哈萨克自治县、伊吾县、尼勒克县、吉木乃县、乌苏县、塔什尔干塔吉克自治县、阿合奇县、哈巴河县、若羌县、巴里坤哈萨克自治县,以及博乐市,属总体生态环境较好的区域。

Ⅲ类区(-0.17~-0.40)包括米泉县、富蕴县、且末县、温宿县、皮山县、于田县、阿克陶县、精河县、和田县、疏勒县、玛纳斯县、乌什县、焉耆回族自治县、叶城县、民丰县、吉木萨尔县、鄯善县、墨玉县、泽普县、莎车县、疏附县,以及哈密市、阜康市、克拉玛依市、阿图什市、昌吉市,属总体生态环境中等的区域。

Ⅳ类区(-0.40~-1.00)包括策勒县、托克逊县、和硕县、博湖县、麦盖提县、新和县、库车县、轮台县、伽师县以及阿克苏市、阿勒泰市,属于总体生态环境较差的区域。

Ⅴ类区(-1.00~-8.50)包括尉犁县、阿瓦提县、洛浦县、岳普湖县、巴楚县、沙雅县、英吉沙县等,属于总体生态环境差的区域。列入该级区的和田市、库尔勒市、伊宁市、喀什市、石河子市、乌鲁木齐市,考虑其环境容量、城市绿化、污染治理率,其总体生态环境应属于中等以上水平,但此次不做调整。

(二)农业子系统分级

农业子系统指数值在 3.30~-1.20 之间。根据指数排序,结合实际情况分析,可大致分级如下:

Ⅰ类区(3.30~0.50)具有良好的农业生态环境,主要是有较高的旱涝保收指数和农业供水量指数,水土基本保持平衡。一定的垦殖率和农防林指数和较低的盐碱化程度,也保证了其良好的农业生态环境。

Ⅱ类区(0.50~0.22)旱涝保收指数较高,但农业供水量指数稍低,垦殖率和农防林指数也稍低,盐碱化程度不高,处于较好的农业生态环境之中。

Ⅲ类区(0.22~0.00)农业生态环境属于中等水平。

Ⅳ类区(0.00~-0.30)农业供水量不足,盐碱化严重,致使农业生态环境处于较差水平。

Ⅴ类区(-0.30~-1.20)农业供水量不足,盐碱化十分严重,加之垦殖率(包括园地)不高,农防林指数很低,致使其农业生态环境处于差的水平。

(三)自然子系统分级

自然子系统综合指数值在 1.50~-16.00 之间,其大致分级如下:

Ⅰ类区(1.50~0.25)天然绿洲面积大,分布有较大面积的山区林地和草地,或具有一定面积的水域,荒漠化面积比例多在 30% 以下,无潜在荒漠化土地,少有非沙化退化土地。自然生态状况处于良好水平。

Ⅱ类区(0.5~-0.10)天然绿洲面积有所下降,平均在 10% 左右;山区林地减少,有一定面积的山区草地,荒漠化面积有所上升,少有潜在荒漠化土地和退化土地,处于较好水平。

Ⅲ类区(-0.10~-0.40)自然生态状况属中等水平。

Ⅳ类区(-0.40~-2.00)天然绿洲面积较小,山区林地少或无,山区草地面积不大,退化土地面积可达 3%~9%,荒漠化面积多在 50% 以上,自然生态状况较差。

Ⅴ类区(-2.00~-16.00)荒漠化土地面积达 60%~80%,有一定面积的潜在荒漠化土地,退化土地面积也很大(如阜康市达 37.45%),山区林地、草地很少。自然生态环境属差的水平。

(四)人工子系统分级

人工子系统选用的评价指标主要为环境压力指标,综合指数值在 0.00~-20.00 之间。

Ⅰ类区(0~-0.25)人口密度较小,工矿用地很少,三废污染也很少,所在区域的人为环境压力最小,为环境压力轻微区域。

Ⅱ类区(-0.25~-0.50)人口密度有所增加,有一定量的新开荒面积,其他指标基本同上,属环境压力较轻区域。

Ⅲ类区(-0.50~-1.00)环境压力处于中等水平。

Ⅳ类区(-1.00~-2.00)人口密度增大,三废负荷较大,新开荒面积增加,属环境压力稍大的区域。

Ⅴ类区(-2.00~-20.00)人口密度很大,三废负荷很大,工矿用地也较大,属环境压力较大的区域,主要为新疆的几个大、中城市。

需要指出的是,城市生态系统是人工生态系统,人为活动在造成对天然生态环境压力的同时,也有利于人工生态环境发展,如绿地的建设、污染治理设施的建设等,如果考虑这些指标,它们的实际的环境压力会得到一定的补偿。

第五节　生态耗水机理[*]

一、生态耗水的概念与分类

(一)生态耗水的概念

生态耗水在有的文献中又被称为环境用水或生态环境用水。虽然在许多研究中广泛地使用了这一术语,但到目前为止,还没有一个明确的定义,因而使得使用者在外延中总有那样或这样的差异。但有一点则是共同的,即一般而言均是指改善或维护生态环境质量,使其不至于进一步下降时需要的水量。由于此共同点中的环境主体不很明确,既可以指经济环境,又可以指自然环境,因此在使用中容易引起混淆。由于植被是地球上陆地生态系统中生态平衡最重要的维护者,而环境的概念又过于宽大,对某些自然地理过程,诸如天然的潜水蒸发、水面蒸发等用水过程,亦被包括在其内。而这些过程无论是对于生态系统,还是对于人类社会而言,均是水分的无效耗损,对于生态过程的,作用极微,且这又与人们最广泛意义上接受的生态系统思想有些背离。为了避免这类大的误解,用生态耗水的概念较为适宜,在实际应用中,也将其作为生态需水进行计算。

对任何事物,都有必要区分出其主体与环境,这样才能突出主体。生态耗水亦应首先

---

[*] 本节部分内容参阅了新疆地矿局第一勘测院资料:塔里木干流流域水文地质及地下水开发利用调查,1990。

明确生态耗水的主体对象是什么。由于水资源是与区域相联系的,脱离了区域,谈论水资源的分配等就没有什么意义。在这里讨论的是干旱区,而干旱区的主体又是绿洲,这主要是因为绿洲集中了绝大部分的人类活动及聚积了最大部分的财富。而山地依靠降水已能完全维持山地各种生态过程的顺利进行,且其降水的分布均匀性远远高于径流可不予考虑。绿洲之外的荒漠作为绿洲主体的依存环境来考虑,也才符合景观生态学的思想。据此,可以给出干旱区生态耗水的粗略概念为:在干旱区内,凡是对绿洲景观的生存和发展及环境质量的维持与改善起支撑作用的系统所消耗的水分,称之为生态耗水。

需要说明的是,生态耗水一般只适用于极端环境条件下所需水量。虽说在自然条件优越的湿润区内,也存在着改善河湖水质、维持鱼类洄游等用水,但由于其是外流区域,只要根除引起事件的源头,仅靠自然过程已足以引起环境的根本性改观;而鱼类等还可以采取人工迁、栖保护等手段来消除不良影响。而在干旱区,绿洲的生存与发展,则完全依赖于生态耗水养育下的环境条件的支撑。如果其生命支持系统遭受了巨大的创伤后,在不可逆性强的环境背景下,要人为改善往往是不可能的,至少在目前的经济、技术条件下是这样的。

(二)生态耗水的分类

在明确了生态耗水的概念之后,对生态耗水进行分类亦是十分必要的。绿洲的生命支持系统的来源,一是来自于绿洲内部,二是来源于绿洲的外围环境。由于目前人类活动的主体是绿洲中的人工绿洲部分,故采用绿洲的狭义定义,即以人工绿洲表示绿洲,而把天然绿洲作为人工绿洲的生命支持系统的一部分来考虑。因为天然绿洲现在一方面是农区畜牧业发展的基础;另一方面,它同时又是人工绿洲进一步扩展时所要改造的对象,分开来考虑,可以更加明确其功能定位,也符合持续性原则。

就人工绿洲内部而言,主要的生命支持系统是农田防护林体系。这一体系又包括了三个部分:一是"窄林带小网格"的护田林网;二是绿洲外围风沙前沿灌木(草类)防蚀固沙带,它的作用在于增加地表粗糙度,减弱气流动能,避免风蚀发生,从而最大限度地把来源于荒漠中的流沙阻拦在这一地带;三是乔灌木防沙林带,它是继前沿灌(草)防蚀固沙带之后保卫绿洲的第二道防线。这三部分既有外貌及结构上的差异,又有内在作用机制的相辅相成的密切联系,它们在防治风沙、巩固绿洲的总的效果上,合为了一个整体。

人工绿洲外的天然绿洲,目前基本上是由三个部分组成的:第一部分是荒漠河岸林(即吐加依林),主要由胡杨与灰杨组成,另外还存在有大面积的红柳等灌丛。其分布主要限于新疆塔里木盆地。随着新中国成立后的大规模农垦事业的发展,以及由于资源的不合理利用,一方面其面积减少了许多,但更重要的一方面是,现存的胡、灰杨林中,又有相当部分因地下水位下降而相继衰退,尤以塔里木河中、下游为甚。天然绿洲的另一个组成成分是平原区低地盐化草甸。它与吐加依林一样,也是与地下水位相联系的隐域性植被。第三部分即河谷林,它主要分布于北疆的额尔齐斯河河谷,树种主要是杨属种类,此外南、北疆的其他一些小河河谷中亦分布有榆、沙枣等林木。

作为人工绿洲人工化程度之极的是在绿洲上发展起来的城市景观。尽管其功能与作用、结构等已与原先的人工绿洲产生了重大分异,但却在社会、经济等方面与人工绿洲发生着千丝万缕的联系。在城市环境中,城市绿地对城市环境的生态平衡起着重要的作用,同时,它又是城市高密度人流活动中对人的精神生活起着很大作用的成分,因此,生态耗水亦应当把其包容进来。

而在绿洲外的荒漠中,与绿洲作用最大的莫过于荒漠植被以及荒漠中的湖泊。由于塔克拉玛干沙漠以流动性沙丘为主,缺乏大范围的植被覆盖,故新疆的荒漠植被主要考虑北疆的古尔班通古特沙漠。荒漠植被虽说与绿洲的直接联系甚微,但其逆向演变的后果则往往是构成绿洲的灾害源地。北疆古尔班通古特沙漠上生长着梭梭等小乔木及红柳、琵琶柴等灌木,故自然状态下沙丘呈固定、半固定状态,人为影响则往往造成沙丘活化,进而引起流沙危害。

湖泊的生态耗水,也是近期亚洲中部湖泊普遍出现萎缩、干涸和盐化,造成了严重的生态环境问题,直接影响到绿洲的持续发展之后才引起重视的。在干旱区,大多数湖泊是由河流的尾闾形成的,因为绿洲大量引水灌溉农田,使得湖泊流入水量减少,加上蒸发量大,收支的长期不平衡累积的结果,使得湖泊萎缩,乃至干涸;加之湖泊处于绿洲下游,大量的农业排水亦可进入湖泊,这些农业排水中挟带了大量的盐分,从而又引起湖泊的盐化问题(其中,一些湖泊还是干旱区少有的天然渔场或高芦苇资源地)。因此,湖泊的生态耗水,应是干旱区生态耗水的组成部分之一。但是,不是所有湖泊都应当包括进来,应从二个方面考虑。一是看其对绿洲经济的贡献及其与绿洲持续发展的关系;二是看其对周围生态环境是否有重要作用,只有对绿洲经济贡献大、与其持续发展关系密切、对周围环境作用重要的湖泊,才考虑其生态耗水。新疆目前符合上述两个条件的湖泊有三:即博斯腾湖、乌伦古湖、艾比湖(关于这三个湖泊的详细情况见后文叙述)。

除上面谈及的几个方面之外,对于人工绿洲内的薪炭林、园林地、用材林地等,亦值得探讨。新疆属于少林区,其林业存在着一林多用的特点,即一个林分可以同时起到好几方面的作用。薪炭林、园林与用材林,既是绿洲农业经济的不可缺少的重要组分,同时客观上亦起到了增加绿洲林地覆盖率、保护绿洲的功用,因此,在生态耗水上,似乎应把其从农业用水中分离出来,而归入生态耗水框架内。为了刻画其与防护林体系的区别,可称其为弹性生态耗水,即没有时并不构成对绿洲的伤害,而当其存在时,则可显著改变绿洲的生态质量。而把防护林体系生态耗水称之为刚性生态耗水,即这部分生态耗水对绿洲环境是必不可少的。

此外,绿洲的供水系统,亦应当纳入生态耗水的范畴。众所周知,干旱区的农业是绿洲农业,绿洲农业的最大特色在于非灌不植。因此,遍布新疆境内的渠系及水库系统也是绿洲能否存在的前提与保障。这一特点,在目前天然绿洲日渐萎缩而人工绿洲日益扩大的今天与未来,联系将更加显著。

根据以上叙述,生态耗水分类体系可归纳如表3-8。

二、生态耗水机理

水是植物体的主要组成成分之一。植物体含水量的多寡直接影响着植物自身的各种代谢活动,并最终在植物的生长发育上得到反映。但植物含水量同时也受到外部环境因素的制约,这种制约集中反映在了植物吸收水量(根吸水)与支出水量(叶蒸腾)的平衡关系上,其中以植物吸收水量又处于矛盾的主要方面。

表 3-8　　　　　　　　　　　　　　　干旱区生态耗水分类

生态耗水类型		组成要素	分布
人工系统生态耗水	绿洲生态耗水 — 刚性生态耗水	护田林网 灌(草)防蚀带 乔灌防沙带	人工绿洲
	绿洲生态耗水 — 弹性生态耗水	薪炭林 用材林 园林及特用林等	
	供水系统生态耗水	渠系及水库	全疆各地
	城市园林绿地等生态耗水	城市公共绿地、专用绿地、生产绿地、防护绿地、郊区风景名胜区、城市水体	各地级市中
天然系统生态耗水	荒漠河岸林生态耗水	胡杨林、灰杨林、红柳灌木林	南、北疆各地,但以南疆塔里木盆地为主
	低地草甸生态耗水	芦苇、骆驼剌、胖姑娘、芨芨草等	南、北疆平原
	河谷林生态耗水	榆、沙枣、河谷杨树林等	主要分布于额尔齐斯河谷,其他散见于南、北疆各河前山带,干旱河谷中
	荒漠植被生态耗水	梭梭、白梭梭、红柳、琵琶柴等	古尔班通古特沙漠
	河、湖生态耗水	重要湖泊的生态补水,一些重要河道为维持生态环境平衡的河道来水	塔里木河上游、中游、下游河道,艾比湖(缩小)、乌伦古湖(缩小、盐化)、博斯腾湖(盐化)

影响植物吸水能力的因素很多,总体可归纳为内部条件与外部条件两个方面。内部条件包括根系木质部溶液的渗透势大小、根系的发达程度、根系对水分的透性程度、根的呼吸速率等。外部条件则主要包括大气因子和土壤因子两方面,其中大气因子是通过影响植物的蒸腾速率,进而间接地影响到根系的吸水;而土壤因子则直接影响根系吸水。在这层关系中,外部条件的影响是主要的,而其中尤以土壤因子中土壤含水量的影响更为直接。由于植物只吸收与之接触的土壤水,因此土壤含水量是植物生长发育所依赖的直接水源。由于不同区域的自然地理环境特点不同,因而影响土壤含水量的主导因素也表现出明显的差异,而正是这种差异性,构成了各异的生态系统类型赖以发育的水分基础。

(一)人工植被生态耗水机理

一般而言,土壤水分的补充来源有以下几个方面,即大气降水、灌溉以及地下水的毛细管上升,另外还有凝结水入渗。在干旱的荒漠气候条件下,随干燥程度的增加,降水量以及大气相对湿度的减少是非常明显的。以新疆而论,除山地降水稍多外,在绿洲集中分布的平原地区,北疆年均降水量为 200~250mm,南疆平均不到 100mm;与降水情况相对应,年均相对湿度北疆地区多在 55% 以上,南疆多为 40%~55%,东疆地区多为 40% 及以下。因此,在这一地区,降水对土壤水分的补充作用意义不大,而灌溉和地下水毛细管上升,成为土壤水补充的最主要来源。这一土壤水分来源上的差异,最终反映在了人工绿洲与天然绿洲生态需水机理上。

在人工绿洲内,基于人类的利益驱使,在树种的选择上,主要是一些中生树种,只有在绿洲外围的植被带建设上,才适当地选择了一些比较耐旱的当地旱生树种,如沙枣、红柳、梭梭等,但面积均不大,相对于整个绿洲的防护体系而言,所占份额就更小了。由于中生植物的抗旱性构造不发达,因此对土壤含水量的变化情况更为敏感,在干旱区大气干旱的大背景之下,最容易遭受土壤干旱的危害。如果仅依赖地下水毛细管上升作用补充到土壤中的水量,远远不足以维持其自身生活需水。因此,灌溉是这一生态类群植物能够顺利生长发育的最重要手段。虽然不同区域的水文特点不同,其差别仅在于灌溉水量的多寡不同,而手段均是一致的。

(二)天然植被生态耗水机理

对于天然植被而言,在长期的进化与自然选择过程中,它们都发展了各自的一套适应大气干旱与土壤干旱的机制,因而才能在仅有地下水毛细管上升作用为惟一的土壤水分补充来源情况下,而生生不息。这种适应性可表现为以下三个方面:第一类是物候生态适应。这一点在北疆荒漠地区的早春短命、类短命植物的发育中,最为典型。这类植物可以利用当地的早春降水以及冬季的积雪融水,而能在短短的1~2个月时间里,在旱季来临之前,而完成其发芽、开花、结果的生活史周期。另一类适应是形态-生态适应。例如,在荒漠区生活的植物大多具有较发达的根系、不发达的表面积、角质层发达、小的叶面积、小而下陷的气孔等特点。这些特点,一方面减少其蒸腾耗水量,另一方面增加根与土壤的接触面积,增加水分吸收。第三类适应是生理-生态适应。这类适应主要体现在气孔开闭控制体系等方面。

上述三方面的适应性,仅仅是植物主动节水的特点。这类植物能否在一地长久地生活下去,其决定性因素依然取决于土壤中水分补充的完善程度。由于干旱区旺盛的大气干热条件,使得土壤的蒸发作用很强。当土壤因蒸发失去大量容易被植物吸收利用的毛管水之后,在没有良好的补充水源的情况下,土壤的有效含水量不能满足植物需要,植物就会因失水而萎蔫死亡。只有在地下水潜水面较高,土壤可以源源不断地得到上升毛细管水的补充,或植物根系可直达潜水层的情况下,植物才能够正常地生息繁衍。因此,在干旱区,地下水对于天然植被的生存具有重要的意义。换句话而言,地下水通过埋深与水质(尤其是矿化度)两个方面而影响植被的存活状况与植被类型的组成。

1.地下水埋深与植物的分布

对于不同植物种类而言,相同的地下水位埋深对其生长发育的影响是不同的。由于干旱区植物群落的组成种类少且多有单优现象,因此,可以选取一些具有代表性的植物来分析其与地下水埋深的关系。鉴于北疆地区降水量稍大,且降水对土壤水的补充有一定意义,为了减少分析中的变量因素,且更有利于问题的阐述,选择南疆塔里木河干流流域的胡杨、红柳、芦苇、甘草、罗布麻、骆驼刺等植物,按生长良好、生长较好和生长不好3种情形,来探讨其与地下水埋深的关系。

各种植物都有其稳定生长的地下水面埋深变动范围。在此范围内,植物一般枝叶繁茂、个体众多、生长密集。在红柳、胡杨等高大乔灌木的幼树生长的环境中,地下水位深度比其正常生长时要浅;新繁殖生长的幼苗由于个体矮小,根系还不够发达,耐干旱的能力弱,适宜的地下水位埋深范围只占整个适宜生长区的较小的区间部分。能满足植物生长较好的地下水位埋深变动范围,为植物生长的适宜区。在适宜区内,存在一个植物生长良好的范围,为最适区。在最适区中,水位的变化对于植物的生长状态影响不显著,但当水位变动值偏离最适区达到其适应生长范围边界附近时,每增减不大的数量,都会对植物的生长状态产生显著的影响。当地下水位变化降低(或升高)到接近适宜生长范围的最低点(或最高点)时,则植物生长因水分强烈不足(或过剩)的影响,而呈现出衰弱(良好)状态。

通过对上述数据的进一步分析,就塔里木河干流的5种植物的不同生长状态及适应水位埋深进行了探索,结果见表3-9。

表3-9　　　　　　塔里木河干流区主要植物的不同生长状态及适应水位埋深　　　　　(m)

生长状态	生长良好		生长较好		生长不好		枯萎死亡
水位适应条件	适应区	最适区	适应区	稳定区	分布区	稳定区	发生区
胡杨	0.6~5.0	1.0~4.0	0.5~6.9	1.0~5.0	2.0~12	>7.0	>10.0
红柳	0.5~6.0	1.5~3.0	1.0~8.0	1.0~5.0	0.5~9.7	>7.0	>10.0
芦苇(高)	<2.2	0~2.0	<3.0	>3.0			
芦苇(矮)	0.3~4.0	1.5~3.5	0.5~5.0		>5.0		
罗布麻	0.5~5.0	1.5~3.0	0.5~6.0	1.0~4.0	>6.0		
甘草	0.5~4.2	1.5~3.5	0.5~6.3	1.0~4.5	>5.0		
骆驼刺	0.9~7.3	2~3.5	0.5~8	1.5~4.5	>6.0		

由表可见,维持以芦苇、罗布麻、甘草、骆驼刺等组成的盐生草甸植被生长的地下水埋深,均较胡杨、红柳等乔、灌木为浅。换言之,满足草甸植被生长所需的地下水潜水埋深完全可以满足乔、灌木的生长发育。总的趋势是,地下水埋深愈浅,植物的生长发育状况愈好;但地下水位埋深愈浅,则由于强烈的毛细管蒸发作用,而将大量的盐分带到地表,造成地表土壤积盐过重的局面。土壤含盐量增加,又会对植物的生长发育起抑制作用。根据中科院新疆生物土壤沙漠研究所在塔里木河干流区所做的工作,盐生草甸植被因为根系浅,其最适宜的潜水埋深在2m左右,此时土壤的含水量大于24%;当地下水埋深为2~4m时,含水量为20%,此时植物的生长就变差;当潜水埋深大于4m时,剖面的土壤含水率小于15%,植物也就衰败死亡。根据这一情况,要保护像塔里木河流域胡杨、红柳这类复合型植被,其合理的地下水埋深应保持在2~4m为宜。而其极限生态耗水,对于低平地盐化草甸植被而言,应为4m地下水埋深的蒸散发量,而对于红柳、胡杨则应为地下水埋深为7m时的蒸散发量,因为当地下水埋深大于5m之后,潜水蒸发已接近于零。

2.植物分布与地下水水质的关系

在干旱地区,植物群落的分布除与地下水埋深有关系外,与地下水的水质变化也很有联系。这种联系明显地表现在植物群落的种类、组成、结构上。

仍采取与分析地下水位埋深与植物的关系相同的方法,利用不同的3种生长状态的主要植物种在不同地下水矿化度区间内的出现频率,来分析植物种类与矿化度的关系,结果见表3-10。

表 3-10　　　　　　植物类型及生长状态对于地下水矿化度适应范围　　　　　　(g/L)

生长状态	生长良好		生长较好		生长不好		枯萎死亡
矿化度适应条件	适应区	最适区	适应区	稳定区	分布区	稳定区	发生区
胡　杨	0.5~3.5	1.5~2.5	0.5~5.0	3.5~5.0	5.0~9.0	>10.0	
红　柳	0.5~5.5	1.0~3.5	0.5~10.0	5.5~8.0	5.0~8.0	>10.0	
芦苇(高)	1.0~5.5	1.5~3.5					
芦苇(矮)	0.5~6.5	1.0~5.0	0.5~10.0	5.0~10.0	1.0~9.0	>10.0	
罗布麻	0.5~4.5	1.0~3.0	0.5~8.0	4.0~6.0	>8.0		
甘　草	0.5~5.5	1.0~3.0	0.5~7.5	3.5~5.5	>7.5		
骆驼刺	0.5~5.5	0.5~2.0	0.5~6.0	2.5~6.0	>6.5		

由表可见,根据生长较好的适应区,上述几类植物耐盐性由弱到强的排序为高芦苇、胡杨、骆驼刺、甘草、罗布麻、红柳、矮芦苇。

根据前述的以现状为主原则,目前各类天然植被生存的地方,其地下水水质基本上都是与其生长状况相吻合的,加之大部分植物均比较耐盐,故本次生态耗水的计算,暂不考虑水质因素。但随着开发活动的进行,水质对植物生长发育的影响则是一个不容回避的问题。

第六节　生态耗水量计算模型

由前面的叙述可知,在人工绿洲内,生态耗水是以灌溉的方式来保证的。由于其处于高度人工化的环境中,故对其生长状况的要求亦应与它所庇护下的农作物要求相同。若按前面的生长良好(最高需水)、生长较好(合理需水)和生长不好(最低需水)三类的要求,只需计算最高生态需水,其余二项对这类植被而言已不再具有意义。

而绿洲以外的天然植被生态耗水,则需按前述的三类要求分别计算,以作为生态保护的最高、合理与最低目标,但从水资源综合分配以及生态与经济效益的总体效果而言,应以合理生态需水为中心,其余二项仅具有参考意义。因为,在水资源总体紧缺、经济不甚发达的情形下,若以最高目标为基准,则不能够兼顾到经济与社会效益的同时发挥,且易于激化原本就很紧张的水资源分配矛盾;而如以最低要求来计算,虽可以最大程度地减缓生态保护与经济发展的需水矛盾,但由于林木处于勉强存活的条件下,而影响到林木本身的生长发育,进而又会在生态很脆弱的大背景下影响到其生态效益的发挥。

在生态耗水的具体计算时,依据资料的详尽程度,可有两种办法:即直接计算法和间接推求法。在直接计算中,以某一区域某一类型植被的面积乘以其生态耗水定额。该法仅适于基础工作较好的地区与植被类型。针对新疆的情况,它主要用于人工绿洲内部生态耗水的计算。由于该法直观且易于理解,故在这儿不再多述。但天然植被的生态需水以及河湖需水,因具体情况不同,加之参数的可获取性以及前期工作积累程度均对其有重要影响,且直接求算比较困难,故这里作稍为详尽的阐述。

一、计算模型

用某一植被类型在某一潜水位的面积乘以该潜水位下的潜水蒸发量与植被系数,计算其耗水量。公式表示为

$$WST_i = A_i \cdot Wg_i \cdot K \tag{3-2}$$

式中　WST_i——植被类型 i 的生态耗水量;

A_i——植被类型 i 的面积;

Wg_i——植被类型 i 在地下水某一埋深时的潜水蒸发量;

K——植被系数,即有植被地段的潜水蒸发量除以无植被地段的潜水蒸发量,常由试验确定。

由于干旱区平原植被生存依赖的水源主要是地下水,故该式很适合于本次计算。

在该式中,除 K 外,Wg_i 亦是一个很重要的变量。中科院新疆生态与地理研究所在阿克苏水平衡站求得的计算关系式为

$$Wg_i = E20 \times \left(1 - \frac{h_i}{h_0}\right)^n \quad n = 2.52 \pm 0.025 \tag{3-3}$$

式中　$E20$——20m² 蒸发池水面蒸发量;

h_i——植被模型 i 的地下水埋深;

h_0——潜水蒸发极限埋深。

二、参数选取

(一)K 值

在式(3-2)中,K 值是其能否应用的关键参数。由于新疆境内没有这一方面的试验数据,故在以往的水文地质计算中,均参考河西走廊玉门镇的有关试验成果。本次计算亦承袭以往传统,在具体应用时,则根据南、北疆的不同情况稍作调整。由于玉门的试验数据为一区间值,考虑到南疆地区的蒸发值(3 000mm 左右)较玉门强(2 946.8mm),而北疆地区则稍弱(1 500~2 300mm)但降水稍多(玉门 61.8mm、北疆地区 100mm 左右)的情况,把区间的上限值作为南疆(东疆)地区的植被系数取值,而把区间的平均值作为北疆地区的植被系数取值(见表 3-11)。

表 3-11　　　　　　　　　　　　潜水蒸发的植被系数

潜水埋深(m)		0~1	1~2	2~3	3~5
植被系数(有植被/无植被)	南　疆	2.86	1.98	1.82	1.40
	北　疆	2.42	1.77	1.47	1.19

(二)h_0 值

就新疆的情况而言,南、北疆平原区均以 5m 为限。大于这一深度的潜水蒸发量,几乎等于零。且这也是目前水文地质计算中普遍采用的参数。

(三)$E20$ 值

由于新疆地区这一试验观测资料非常欠缺,目前仅在阿克苏河流域上游水库与北疆

头屯河流域哈地坡水文试验站有这一项目的观测数据。为了使这一有限的资料能够被别的地方延伸引用,常以该两地的 $20m^2$ 蒸发池蒸发量与 $20cm$ 口径蒸发皿蒸发量的比值再乘以应用地的 $20cm$ 口径蒸发皿蒸发量来进行推算。此外,由于 E601 型蒸发皿的蒸发量非常接近水面的蒸发量,加之该蒸发皿在相当多的观测站上均有数据,故在对 $E20$ 值进行计算时,也有人用该值代替 $E20$ 值,或是通过相应的转换系数,把 $20cm$ 口径蒸发皿观测值转换成 E601 蒸发皿的值来进行计算,在《新疆维吾尔自治区地表水资源》一书中,即采用了该方法。

在本次计算中,为计算方便,以上游水库的 $20m^2$ 蒸发池蒸发量作为南疆地区平原区 $E20$ 计算用值;而以哈地坡的 $E20$ 值作为北疆地区的 $E20$ 值,以汤奇成等所著《中国干旱水文及水资源利用》一书中的推算为准。这二地的 $E20$ 值分别是:上游水库为 1 340mm,哈地坡为 1 072mm。

三、生态耗水定额的确定

区域单元内的生态耗水总量计算,以服务于区域水资源合理分配为目的,从而需要确定不同类型植被的生态耗水定额。在前述的生态耗水分类与计算模型的基础上,基本上可以开展此项工作。由于植物的生态需水定额不仅与气候条件、土壤基质等自然因素有关,还与群落类型、植物种类等关系极大。而新疆不仅地域广大、生物的栖息生态环境类型多样,而且以前的基础工作积累有限,因此要针对每一气候区域、每一立地类型、每一林分(草场型)分别计算各自的生态耗水定额,存在的困难极大(尽管从理论上说,只有如此才能做到十分的准确性)。在这种情况下,针对不同林分,以主要树种的生态耗水定额为代表,来估算整个系统的生态耗水量还是可行的。其主要有以下几点理由:首先,就人工林而言,大多数为纯林,混交的情况极少;其次,尽管有不同的林分但从新疆的区域分布看,树种选择具有区域上的一致性;第三,以天然林而言,群落具有单优性特点,其优势树种是相同的,因其在群落中的作用与地位极大,故用其作代表,仍可反映系统的基本属性。为此,针对不同的生态耗水类型,选择具有代表性的树种作为参考树种,以其生态耗水定额代替该类型生态耗水的用水定额。

(一)植被生态耗水

1. 绿洲人工林

绿洲林业全系人工林,尽管按其作用可以分为防护林、用材林、经济林、特用林等林型,但决定其生态耗水定额的主要因素有两个:一是树种,二是大的立地气候条件。不同树种,其生理生化存在着种间差异,因此,其用水定额亦是不相同的;而同一树种,由于地处不同气候立地条件,其生态耗水定额亦存在着差异。新疆地域辽阔,气候、土壤类型多样,因此必须考虑区际因素。就大范围而言,新疆可分为三个自然区域:即东疆区、南疆区和北疆区。而东疆与南疆具有较大的一致性,故在资料不充分条件下,仅对这两个区(北疆和广义上的南疆区)分别估算出其不同的生态耗水定额。

根据 1992 年《新疆森林资源汇编》中的资料,全疆人工林树种组成中,主要以新疆杨、银白杨、钻天杨、箭杆杨、胡杨为主。其中,新疆杨和银白杨组合占 78.1%,钻天杨和箭杆杨占 11.7%,胡杨占 4.7%,三者合计占全疆平原区人工林总面积的 94.5%。故用这 3

个树种组合基本上可以反映人工林树种组成的特点。就总的方面而言,不同的林种之间亦存在较大差异。在防护林、用材林当中的树种组成,基本上与前述总体情况比较接近,但对经济林与薪炭林而言,则其有自己的特点。经济林当中,全疆普遍以苹果、梨、桃、杏、葡萄为主,地域差异不明显;而薪炭林则在南疆地区以沙枣为主,而北疆地区以杨、柳类为主。农田防护林目前南北疆均以新疆杨和银白杨最为普遍,但在北疆地区,由于其越冬时树杆冻裂严重,严重影响到了将来的一林多用,故其有逐渐被箭杆杨取代之势。基于这种情况,农田防护林生态耗水参考树种,在北疆选择箭杆杨为代表,在南疆选择新疆杨为代表;北疆薪炭林以新疆杨为主,南疆选沙枣为参考树种。用材林中,北疆情况与前述的人工林情况十分一致;而南疆情况稍有不同,其中许多地方的用材林中有大面积胡杨人工林。故用材林中,北疆选箭杆杨为代表,南疆仍以新疆杨为代表。

由于以上类型林木的生长完全处于人工管理之下,在人们对其的管理过程中,通过长期的生产实践,已经对其需水规律有了相当的了解。在此基础上,为了达到管理的统一与规范化,相应地产生了一些规程与规范,故对这类植被参考树种的生态耗水定额的确定,亦以这些规范的规定为标准。在新疆地区,这类规范被本次计算参考的有:《农田防护林营造技术规程》(新疆地方标准,1989年)、《主要树种造林技术规程》(新疆地方标准,1992年)、《杨树速生丰产林》(新疆地方标准,1989年)等。据此选取的灌溉定额,见表3-12。

表3-12 绿洲人工林生态耗水定额 (m³/亩)

类　型	防护林		用材林		薪炭林		园　林	
地　区	北疆	南疆	北疆	南疆	北疆	南疆	北疆	南疆
树种	箭杆杨	新疆杨	箭杆杨	新疆杨	新疆杨	沙枣	苹果、杏	苹果、葡萄
灌溉定额	263	386	382	414	382	385	350	400

注:本表根据李银芳等人的资料整理。

2. 荒漠河岸林

荒漠河岸林主要以南疆塔里木盆地为分布中心,其中的乔木主要是胡杨、灰杨。胡杨和灰杨占荒漠河岸林全疆总面积的60%和40%。由于二者的许多生态习性相近,而尤以对胡杨所做基础工作较多,故以胡杨作为参考树种。

与荒漠河岸林相伴生的,有许多灌丛生长。这些灌木林地在维护当地的生态平衡过程中,亦发挥着重要的作用。其主要种类有红柳、黑刺、沙拐枣、白刺、铃铛刺、琵琶柴等。但就其分布而言,以红柳灌丛分布最为广泛,因而可不考虑其地域差异,南、北疆均以红柳作为参考树种。

对胡杨林生态耗水定额的确定,根据周彬等人在塔里木河中游所做试验的结果,胡杨林要维持正常生长的需水量为422m³/亩;维持生存的需水量为313m³/亩;当地下水埋深大于5m时,潜水蒸发为零,胡杨由于其根系可达潜水层,故能正常生长,但此时的耗水量仅剩蒸腾作用一项。结果表明,胡杨蒸腾强度为83g/(m²·h),每亩叶面积为848m²。如按每天蒸腾作用为12小时,每年生长期按7～8个月计,则全年蒸腾量可推算为179～204m³/亩,平均192m³/亩。

但这里的胡杨需水量,是对退化胡杨林地进行人工灌溉恢复时所得的结果,与天然状态下的差别较大,故不能够采用。根据王积强在石河子的莫索湾垦区用 E83 蒸渗仪所做的试验结果,胡杨的蒸散发量为 227m³/亩。由于其试验所用材料系高 1.85m 的幼树,反映的是北疆地区幼林的情况,考虑到南疆与北疆气候条件有差异,故以生长状况较好的中龄林为代表。由于幼林与中龄林对生长地段的地下水位高低要求不同,因此其耗水定额也不同。总的情况是:幼林大于中龄林。参照樊自立等的工作成果,平均定额为 210 m³/亩左右,与南疆地区基本相符,故本次计算采用这一数值。

对于红柳而言,以前述模型为依据,植被系数分别取地下水埋深为 2~4m 的平均值 1.61(南疆)和 1.33(北疆),则南疆地区红柳的合理生态耗水定额应为 200m³/亩,北疆地区为 133m³/亩。至于其最低生态耗水定额,由于目前缺乏叶生物量的数据,故在计算上存在困难。

3. 河谷林

河谷林广泛分布于新疆内陆河流自源头以下至出山口止的河谷中。其分布上限可与针叶林相混交,下限则与荒漠河岸林衔接。根据《新疆森林》一书的划分,从纬度上区别,共可分为三个大区:最北为阿尔泰—塔城区。该区河谷林主要有苦杨林、密叶杨林、欧洲黑杨林及各种柳树。中部为天山河谷区。该区内主要类型有密叶杨林、伊犁杨林、小叶白蜡林及柳林。最南为帕米尔—昆仑山西部河谷区。该区林地呈小片或孤立木状态,林相发育差。就分布而言,以阿尔泰河谷杨林最具有代表性,故选其作为参考林种。

河谷林因处于河谷中,林地受河水作用比较明显,且地下水位较高,加之以前对该类林木所做工作积累极少,故对其生态耗水定额的计算无法按前述的 3 个目标进行。现仅以流域规划资料为据,根据额尔齐斯河流域规划的资料,该类林木的用水定额为 470 m³/亩,扣除降水量后,则其生态耗水实际量为 350m³/亩。

4. 荒漠林

荒漠林主要分布于北疆地区的古尔班通古特沙漠中,其主要树种有梭梭、白梭梭、红柳、琵琶柴、沙拐枣等,其中以梭梭和白梭梭占绝对优势。根据李银芳等在莫索湾地区所做的测定来看,两个树种的蒸散发量相差无几,而梭梭稍高一点,考虑到这一特点,以及梭梭比白梭梭分布更广泛的实际情况,选梭梭作为参考树种。

在李银芳等人的工作中,其结果是梭梭的亩蒸散发量为 242m³/亩。该计算过程的基本假设,是地表完全被植被覆盖。现实情况则是其覆盖度在北疆地区为 30% 左右,故要使该数据与实际情况相符合,还需乘以一个修正系数。取天然梭梭林的覆盖度(30%)为修正系数,则梭梭的生态需水定额为 73m³/亩。而北疆荒漠中年降水量平均即在 100mm 以上,如以莫索湾地区的年降水量为 120mm 计,折合梭梭的生态需水定额为 80 m³/亩,远大于试验所得数值。也就是说,梭梭依赖盆地内的降水已完全可以满足其生存需求,这与实际情况也是相吻合的。故在总量计算中将不再对其耗水量进行计算。

5. 低地草甸

在平原地区,低地草甸植被广泛分布于南、北疆各地,根据《新疆草地资源及其利用》一书的资料,该类植被可以分为水泛地草甸、低地盐化草甸、低位沼泽共 3 类,总面积 10 320 万亩。它是最大的天然绿洲,也是新疆平原畜牧业发展的重要基础。

水泛地草甸分布于南北疆平原的低地、河谷及河漫滩上。由中生及旱中生的禾草、杂类草组成。它的生存与地下水及河流的周期性泛滥有直接联系,主要种类有假苇拂子茅、葡匐冰草、小糠草、狗牙根、黄花苜蓿、苦豆子、车轴草等,但面积不大,仅615万亩。

低地盐化草甸是低地草甸的主要构成者,分布最为广泛,由各种耐盐的中生、旱生禾草及杂类草组成。它主要有芨芨草、芦苇(矮)、赖草、小獐毛、甘草、骆驼刺、花花柴等组成,总面积9 525万亩。

低位沼泽分布于平原区地势低洼、排水不畅条件下的地方。由湿生多年生草本植物为主组成群落,主要有芦苇(高)、苔草等组成,面积165万亩。

由于低地盐化草甸在面积与类型上都居于绝对优势,故可作为低地草甸的代表。目前,这类植被基本上生长于地下水埋深为1~3m的范围内。由前述可知,虽然这类植被区的地下水埋深可降至4m,但此时植被生长稀疏、生物量产出低,4m已是其存活的临界值。从有利于群落生物产出量增大的情况看,地下水位越接近地表,群落生物生产量越大。但此时,随着地下水位的变化,植被的组成等亦发生相应变化。从保持群落特征上而言,这类植被只能计算出合理的生态耗水定额,其极限用水定额的计算已无任何意义。

对于低地草甸类植被耗水方面的研究,目前仍基本上处于个别优势种的水分生理研究上,缺乏详尽的群落耗水方面的资料。就所获文献情况看,目前仅有芨芨草群落与花花柴群落的耗水资料。罗家雄等指出,在供水充足条件下,花花柴群落生育期的耗水量可达500m³/亩。在干旱区,这一先决条件基本不存在,故该值对于本次计算的应用而言,意义不大。

根据雷特生等在新疆阜康地区的工作成果,对于退化的芨芨草群落,若要使其生产力恢复,则每年需灌水160m³/亩,若加上该地年降水量125m³/亩,该群落的实际耗水量为285m³/亩;而郎百宁等在青海测得芨芨草 – 无脉苔群落的蒸腾耗水量为297.5 m³/亩;王比德在“栽培草地的田间管理”一文中提出,栽培草地的年灌溉量应为250 m³/亩。而芨芨草草甸在新疆的低地草甸中是很有代表性的。

以上数据是在灌溉条件下的情形,这与天然状态下的情况差别较大,故其仅具参考意义,而对天然植被耗水量的计算没有任何实际意义。为此,只能用间接的方法进行推算。在北疆地区,埋深为1~3m的潜水蒸发量采用玛纳斯河流域平原区的数值60m³/亩;南疆地区则以《新疆阿克苏河流域平原区地下水开发利用规划调查报告》的资料为依据,该平原区埋深为1~3m的潜水蒸发量为92m³/亩。南北疆植被系数取地下水埋深为1~3m时的平均值1.9(南疆)和1.62(北疆),经过计算,其相应的生态耗水定额分别为175m³/亩(南疆)和98m³/亩(北疆)。

(二)湖泊生态耗水的确定

根据前述的生态耗水的概念与分类内容,新疆目前需考虑的湖泊主要有3个,即博斯腾湖、艾比湖和乌伦古湖。

1. 博斯腾湖(简称博湖)

博湖是我国最大的内陆淡水湖泊,位于新疆塔里木盆地中的巴音郭楞蒙古自治州(以下简称巴州)境内,是天山南坡焉耆盆地的最低洼处。而其所在的焉耆盆地在构造上是天山海西褶皱带的坳陷,故为断陷湖。上连开都河,下通孔雀河。

该湖东西长55km,南北宽25km,在最高水位1 048.75m时,湖区面积1 002.4km²,

容积 88 亿 m³,共分大小 2 个湖区。大湖区是湖泊的主要部分,面积 968km²;其西为由一连串浅湖泊和芦苇地组成的小湖区,其中水面面积 30~40km²。在大湖区西北部和黄水湾一带,由于农田排水散流入这一片低洼地区,故而形成芦苇、沼泽区,与小湖区的芦苇地相加,该区共有苇沼面积 350km²。

从时间序列资料上看,该湖泊目前存在的主要问题:一是水质盐化,二是水位下降,尤以水质盐化问题严重。根据资料,从 1958 年新疆综合考察队的第一次分析时起,湖泊含盐量一直呈上升趋势,以后,由于采取了一些有力措施,矿化度才略有下降。博湖湖水矿化度增加主要有以下几方面原因。首先是随着焉耆盆地大规模的农业开发,高矿化度的农田排水进入大湖,使得入湖盐量大为增加。其次是开都河部分改道,直接引走了一些水量,使得入湖淡水减少。这主要体现于一些工程的建设上。解放一渠是 1952 年建成的灌溉焉耆以西耕地的输水干渠,由开都河直接引水,以后又与孔雀河贯通,并 3 次扩大断面。同时,为进一步增加孔雀河水量,在开都河下游东西与分汊处又修建了宝浪苏木闸,迫使更多的河水经由西支进入小湖区,进一步减少了大湖区的入湖淡水量。再其次是由于开都河西支引水量增大,进入小湖区的水量增加,造成小湖区水位明显高于大湖区的情况,结果产生顶托作用,使大湖出流不畅,循环减弱,盐分不能排出。

针对以上问题,自 20 世纪 80 年代开始,相继采取了一些有效措施,如 1982 年修建的西泵站扬水工程,从一定程度上增加了大湖区的水文循环;同年在自然堤基础上,筑坝堵死了大、小湖区的直接联系,从而消除了小湖区的顶托作用。同时,在西泵站及宝浪苏木闸分水工程建成后,停用了解放一渠,加之降低农区用水定额等措施的实施,使得该湖 1990 年后盐化问题逐步有了好转,1994 年 6 月湖水的矿化度下降到了 1.51g/L。

与矿化度增加相反,从 1955 年以来,湖水位则呈现出历年下降的趋势。至 1987 年降到最低(下降 4.95m),之后又呈现出逐渐升高的趋势。1995 年春季湖泊水位已上升到 1 047.25m。鉴于上述问题,人为成因居主导地位,且在采取相应措施之后都会朝着良性方向演化。而对本次计算而言,主要考虑水量问题。在出、入湖水量相对确定的情况下,若以现状为原则的话,要保持湖泊现有水面,其天然支出量最大者就是湖泊的水体蒸发。

根据巴州水电局的资料,博湖水文站 1955~1990 年 20cm 口径蒸发皿的蒸发量为 1 866.2mm/年,E601 与 20cm 口径蒸发皿的蒸发量之比为 0.62,E601 蒸发皿的蒸发量与水面蒸发量的折算系数为 0.83,则博湖水面蒸发量多年平均应为 960mm。苇沼地的蒸散发主要发生在 4~10 月的生长期,其蒸散发与水面蒸发的折算系数为 1.3。由前述的水面面积与苇沼面积,可算得博湖生态耗水总量应为 14 亿 m³。

2.乌伦古湖

乌伦古湖,又名布伦托海,位于阿尔泰地区福海县境内,由大、小 2 个湖组成。大湖即布伦托海,亦名大海子,小湖又名小海子,也称吉力湖。大、小湖之间由库依尔尕河相连。该湖是乌伦古河的尾闾。

在新中国建立以前,乌伦古河流域人口稀少,经济以牧业经济为主,处于靠天养畜状况。20 世纪 50 年代以来,随着人口的增加,农垦事业得到了很大发展,致使乌伦古河中、下游水量急剧减少,导致湖水位、水域面积等都发生了较大变化。根据杨川德的资料,从 1959~1986 年,大湖水位下降 5.4m,平均每年下降 0.19m,水域面积缩小了 110.5km²,

平均每年缩小 3.95km²。湖水矿化度也由 2.72g/L,上升到 3.51g/L,增加达 0.79g/L。而吉力湖从 1959～1973 年,湖水位下降 2.8m,水域面积缩小 23.9km²。为控制吉力湖的变化,1974 年修建了库依尔尕河控制闸,使吉力湖流入布伦托海的水量大为减少。从 1973～1986 年,吉力湖水位下降 0.4m,水域面积共缩小了 1.0km²。总体而言,1986 年以前,吉力湖水位下降的趋势得到了控制,而布伦托海则下降较大。为了控制布伦托海的水位下降,1970 年末,原兵团农十师建成了引额济海渠,把额尔齐斯河水直接引入了布伦托海湖区,但因引水量少,故一直未能阻止布伦托海水位继续下降的趋势。1987 年 11 月,原引额济海渠扩建工程竣工,其设计引水量为每年 10 亿 m³。

根据额尔齐斯河流域规划时拟定的近期保护目标是:利用扩建后的引额济海大渠,力争尽快恢复乌伦古湖 1961 年的历史水位,即布伦托海 482.0m,吉力湖为 483.4m;相应的湖面面积为:布伦托海 814km²,吉力湖 182.4km²。而远景目标则是改造乌伦古湖成为"吞吐型"湖泊。

据汤奇成先生在《中国干旱区水文及水资源利用》一书中的推算,阿尔泰地区年水面蒸发量为 960mm。如此,若要保持乌伦古湖 1961 年时的水位,扣除人为影响,湖泊的最大支出当为水面蒸发。扣除降水量 116.5mm 后,净水面蒸发量为 843.5mm,则计算后相应的生态耗水量应为 8.4 亿 m³。

3. 艾比湖

艾比湖位于准噶尔盆地西南缘的精河县北部,是新疆目前存在的三大平原湖泊之一。1950 年时,湖水面积 1 070km²,到 1987 年时仅剩 500km²。由于其西北部是新疆著名风口——阿拉山口,故而湖区经常遭受风蚀。受湖泊萎缩与风蚀的影响,该区域目前已成为新疆境内仅次于塔里木河中、下游的生态严重退化区。与前述的博斯腾湖和乌伦古湖不同的是该湖为咸水湖。由于湖泊变化,使得该区域风沙浮尘天气增加、沙漠化扩展、天然植被衰退。因此,该湖的生态保护与当地经济发展和环境改善关系极为密切。在 20 世纪 70 年代末以前,该湖主要受精河、博尔塔拉河和奎屯河的补给。其后,由于奎屯河上游修建水库,致使该河断流;加之精河与博尔塔拉河农业发展很快,河水引用量增加,从而大大削减了入湖总水量,导致了目前的严重局面。

在 20 世纪 90 年代初进行博河与精河流域规划时,基于对该湖在当地生态意义的认识,并充分考虑到该湖湖面近一段时期基本稳定于 500km² 左右的事实,当时提出,艾比湖生态保护的目标,是在 50% 的来水保证率前提下,保持 500km² 水面。经过对当地经济发展等的预测结果的分析表明,到 2000 年与 2010 年时,湖面完全可以满足上述目标,且至少均大于现状 70 余平方公里;到 2020 年时,湖面可达 507.49km²。因此,从总体上讲,500km² 水面的保持目标是完全可以实现的。

在 500km² 水面前提下,该湖的水分消耗同样主要是水面蒸发。该湖矿化度已达 92～137g/L,平均为 112.4g/L,故而属咸水湖。由于卤水的蒸发与淡水水面有较大出入,根据乔传明的专门研究,该湖水面的年蒸发值为 1 100mm 左右,如以 500km² 湖面计,扣除降水量 93.5mm,则艾比湖的年生态耗水量应为 5 亿 m³。

(三)重要河道的生态耗水估算

在干旱区的平原地区,河道径流是维持当地生态系统的生命线。对于赖其养育的河谷林、荒漠河岸林的生态耗水已做了交代,但这是以这些林地为目标进行的。这些植被的现状维持,离不开河道来水的滋润。目前,新疆赖河维持的生态系统主要集中于额尔齐斯河流域与塔里木河流域。对于额尔齐斯河而言,因其处于中、上游,加之为国际河流,故生态系统面临的生态压力相对较小,而塔里木河则问题比较严重。故对河道生态耗水的研究也主要考虑塔里木河。

从河道来水的消耗项分析,其包括河道蒸发、河道水引用、河道渗漏等。其中,河道引水量已计算在了农业部门;河道渗漏最终是补给地下水,而赖地下水生存的河岸林、河谷林已在相关研究中计算。要维持河道的一定过水能力,则河道蒸发不可避免。换句话而言,河道蒸发亦是更大尺度上生态系统运转所必需的,亦应该归入生态耗水的范围。虽然河道蒸发未直接参与生物过程,但却是许多生态系统生存的间接依赖。

根据李新等对塔河干流的研究,该河上、中、下游的水面年蒸发能力分别是1 115.6mm、1 189.9mm 和1 264.3mm。按河道面积推求,则上、中、下游各段河道蒸发耗水量分别为 0.84 亿 m³、0.57 亿 m³ 和 0.09 亿 m³。整个干流区河道生态耗水量合计为 1.5 亿 m³。

(四)城市生态耗水

城市生态耗水,是指为了改善城市坏境而人为补允的水量,它是以改善城市坏境为目的的。主要应包括公园湖泊用水、风景观赏河道用水、城市绿化与园林建设用水以及污水稀释用水。由于统计资料上的欠缺,本次计算时只能计算出城市绿化与园林建设用水一项,且以各地级市为对象。

根据园林绿地的统计定义,它是指城市公共绿地、专用绿地、生产绿地、防护绿地、郊区风景名胜的全部面积。就新疆的情况而言,由于各地级市绝大多数尚无郊区风景名胜可言,因此,其统计数据主要指前述各项。从该定义的解释上可以看出,城市的园林绿地基本上覆盖了生态耗水概念一节中的人工绿洲生态耗水的所有范围。由于统计资料获取上的困难,本次计算,不再细分刚性生态耗水和弹性生态耗水。根据谢香方等的资料并结合各类规划资料,确定城市园林绿地生态耗水定额为:北疆 350m³/亩,南疆 400 m³/亩。

(五)供水系统的生态耗水

渠系系统与水库的水分消耗,包括水面蒸发及渠系、水库渗漏损失。随着防渗的普及及技术水平的提高,渗漏一项所占份额将越来越小。同时,渗漏掉的水分对于其所在地的生态系统而言也是非常有益的。如前所述,这一部分亦在相关计算中予以考虑了,因此,这里的供水系统生态耗水,主要是指其水面蒸发。

在本次计算中,水面蒸发值根据研究的尺度要求,分别采用阿克苏上游水库与头屯河哈地坡水文试验站的 E20 数据作为南北疆的计算用值。由于水库与渠系并非一年四季均有水面覆盖,故在具体计算时,尚需做一定调整。对于渠系而言,其过水时间与农时安排有很大关系。一般而言,北疆地区 3 月上、中旬至 10 月份为过水时段,其间的 6、9 月份不过水;南疆地区渠系过水利用时间大约在 2 月下旬、3 月上旬至 11 月份,其中 5、9、10月 3 个月不过水。同时,本次计算中所能拿到的确切渠系面积数据系全疆各地州 1995 年土地利用现状详查数据,其中的渠系面积包括了渠埂等部分在内。根据标准断面分析,其中被水面覆盖着的面积仅占渠系统计面积的 1/3～1/5,平均约 1/4。此外,对于渠系,由于其主要集中于绿洲内部,且新疆有渠、林、路结合的传统,由于林木的小气候效应,其水面蒸发值相应地较空旷地水面蒸发值有所减少。根据林业部门在北疆所做工作结果,渠系水面蒸发减少 50% 左右。上述 3 方面的修正值相乘,方为渠系水面实际蒸发值。

水库的水面蒸发值与渠系情况一样,也存在一个无水时段,一般而言,约在农业用水紧张的 6、7 月份。由于春季生产的需要,此时水库已基本无水,其再次蓄水约从 8 月份大的洪水来临开始,约在来年的 3、4 月份达到最大水面,其间水库水面变化有一个由小到大的逐渐发展过程。由于资料的欠缺,本次计算无法考虑得再细一些,放大到取其统计面积数据。

根据以上特点,渠系的年水面蒸发值,南疆为 427.4mm,北疆为 355.7mm;水库年水面蒸发值,南疆为 828.5mm,北疆为 653.1mm。

第七节 生态耗水总量计算

一、现状年生态耗水量

根据前述模型以及各耗水定额,结合各类林草面积统计数据,计算的现状年耗水量情况见表 3-13。由表 3-13 可知,现状年全疆生态耗水总量为 254 亿 m³。就其地区分布而言,北疆为 45.6 亿 m³,占 17.9%;东疆为 13.3 亿 m³,占 5.2%;南疆最大,达 195.7 亿 m³,占 76.9%。从耗水类型看,天然植被(荒漠河岸林、河谷林、灌木林、低平地草甸)生态耗水 179.3 亿 m³。其中:以低平地草甸耗水最大,达 150.9 亿 m³;湖泊生态耗水 27.4 亿 m³;河道生态耗水 1.5 亿 m³;城市园林耗水 0.7 亿 m³;供水系统生态耗水 16.7 亿 m³。

二、预测年份的生态耗水量计算

(一)预测的主导思想

由于天然植被的生态耗水的极大部分来源于地下水,其生长状况的好坏直接依赖于地下水位的高低。要能够准确地预测未来年份天然植被的生态耗水情况,最为关键的是应当对未来经济活动对地下水位变化的影响进行预测。就目前所掌握的资料信息而言,这一问题应该能够解决。然而,为获取这些资料,尤其是现状年份地下水位的资料所需付出的人力与财力,又远非本专题所能够承担,应另求他径。同时,面临的另一个困难是,对目前现状年份天然植被应该保留多大面积、保留在什么地方才能够既不影响当地经济发展,又不至于因为开发活动而致使当地生态环境与生物资源遭受大的创伤。该问题的解决,首先应依赖于现状条件下天然植被生态合理性的评价结果,而此工作又一直未能展开。若要在本次课题中开展这一工作,则又面临着与前一问题相似的境况。为此,在前面的生态保护原则指导下,未来年份的生态耗水量计算中试作以下变通:

1.天然植被的减少部分应等于或近似等于人工绿洲的扩大部分

天然植被与人工绿洲是一对矛盾的两个方面,存在着彼长此消的关系。因此,在未来不同预测年,天然植被的减少部分应等于或近似等于人工绿洲的扩大部分。在天然植被中,考虑到乔、灌木面积虽小但生态意义远较草本植被为大的情况,故天然植被的减少部分应集中于低地草甸植被上。但当人工绿洲的扩大部分大于当地草甸面积时,则以10%急需率为准则,而对现状年份的天然草甸植被面积的10%予以保留。

2.天然植被面积在各水平年下比例适度

由于天然植被的水分生态适应范围比较宽广,给予充分供水时,它能够大量耗水;而当供水不足时,它又依赖于自身的生态生物学特性而能够在临界胁迫情况下正常生存。根据经济发展的预测结果,新疆经济发展中,扩大灌溉面积主要集中于1995～2000年和2000～2010年,新增面积分别占3个时段总增加面积的32.4%和52%,而2010～2020年这一时段仅占15.6%。由于以往研究工作薄弱,对天然植被生态过程的了解很少,加之未来的不确定性因素很多,因此本阶段的总体考虑是,在2020年时,至少应使那时存活下来的天然植被的30%处于现状年水平。基于此两点原因,预测在未来的中等年份时,除了应考虑人工绿洲扩大而减少的天然植被面积外,同时,在2000年时,应使所存余的天然植被面积的40%处于胁迫条件下;在2010年时,应使相应的天然植被胁迫面积达50%;在2020年时,应增至70%。

3.以地下水埋深为4m作为胁迫条件下的临界水位计算生态耗水量

胁迫条件下,草本植被的生态耗水定额取地下水埋深为3m时的蒸散发值,经前述模型计算,南、北疆此时的生态耗水定额分别为90m³/亩和73m³/亩。乔木中,鉴于河谷林主要集中于北疆额尔齐斯河河谷两岸,该河水量充沛,故其生态耗水定额还是取现状年水平350m³/亩;而荒漠中的胡杨林,因其对地下水的适应范围更为宽广,当潜水埋深大于5m而小于10m时,其仍能正常生长(而此时的地下水潜水蒸发量等于零,仅剩蒸腾作用项),据前面生态耗水定额一节的叙述,此时的生态耗水定额为192m³/亩;对于灌木而言,因其正常生长对地下水埋深的适应范围为2～5m,根据樊自立等人的研究结果,要保持其生物产出量较高、生态作用正常发挥,其适宜的地下水埋深应不小于4m,故以4m作为其胁迫的临界水位,经过计算,此时其生态耗水定额南、北疆分别为33m³/亩和28m³/亩。

4.生态耗水面积的计算

对于经由天然植被或其他地类而转换来的人工绿洲,其刚性生态耗水面积的计算,以1990年《新疆维吾尔自治区关于实施森林法的若干规定》为依据。因新增加的面积大多位于现在的人工绿洲的外围,遭受外围荒漠侵害的机遇较大,故取其农田防护林占耕地面积的比例的10%来计算新增农田防护林面积。同时,根据本专题经济预测结果,用预测年的林木面积减去现状年的农田防护林面积与新增农田防护林面积的结果,作为弹性生态耗水面积。由于经济预测中未分林种预测,故这里的弹性生态耗水也不再细分。由于在现状年生态耗水定额制定中,已参阅了大量的地方林业标准以及一些进一步的试验资料,若树种不变,则其将在很长时间内有效,而树种又是人们长期人工选择的结果,从1995～2020年的25年间,其变化的可能性很小,故人工绿洲内的生态耗水定额仍以现状年的为准。

5.湖泊、河道、城市园林、供水系统的生态耗水

在未来不同年份,仍然保持现状年份的耗水量不变。这主要是由于湖泊、河道目前已处于极度状态下,不再允许缩小、缩短,而进一步扩大、增长的可能性又不大;城市园林绿地因其处于城市地带,而城市中的技术、资金的密集度又高,采用先进的灌溉技术更容易,

而且目前城市化又是一个带有普遍性的问题,在现在工、农业生产、生活用水矛盾加剧的情况下,进一步增加城市绿化用水的可能性也不大,加之目前的用水定额还有一定的潜力可挖,故假设:以采用先进灌溉设备与技术节约的水量,满足城市化进程中园林绿地增加的面积的生态耗水量。供水系统中的渠系目前已基本定型,未来改造的主要任务是防渗建设;而水库因在平原区引起了诸如地下水位上升、次生盐渍化发生等问题,故今后面积不会再扩大,因此近似地认为其耗水量不变。

(二)生态耗水量预测

各水平年生态耗水预测结果,见表3-13。

表3-13 各生态年生态耗水统计及预测 (10⁸m³)

时间(a)	区域	天然生态系统			人工生态系统					总计
		植被	河湖	小计	防护林	人工林	城市	供水系统	小计	
1995	北疆	21.65	13.43	35.08	3.99	2.69	0.49	3.36	10.53	45.61
	东疆	12.00	0.00	12.00	0.52	0.31	0.06	0.38	1.27	13.27
	南疆	145.69	15.51	161.20	7.76	13.62	0.19	12.95	34.52	195.72
	全疆	179.34	28.94	208.28	12.27	16.63	0.74	16.69	46.33	254.61
2000	北疆	11.33	13.43	24.76	5.01	5.13	0.49	3.36	13.99	38.75
	东疆	8.95	0.00	8.95	0.74	1.99	0.06	0.38	3.17	12.12
	南疆	105.54	15.51	121.05	10.34	15.84	0.19	12.95	39.32	160.37
	全疆	125.83	28.94	154.77	16.09	22.96	0.74	16.69	56.48	211.25
2010	北疆	6.90	13.43	20.33	8.12	3.28	0.49	3.36	15.25	35.58
	东疆	8.40	0.00	8.40	0.73	2.85	0.06	0.38	4.02	12.42
	南疆	94.30	15.51	109.81	11.64	17.94	0.19	12.95	42.72	152.53
	全疆	109.61	28.94	138.55	20.49	24.06	0.74	16.69	61.98	200.53
2020	北疆	5.23	13.43	18.66	7.27	7.91	0.49	3.36	19.03	37.69
	东疆	7.35	0.00	7.35	0.72	3.65	0.06	0.38	4.81	12.16
	南疆	79.40	15.51	94.91	11.98	21.58	0.19	12.95	46.70	141.61
	全疆	91.98	28.94	120.92	19.97	33.14	0.74	16.69	70.54	191.46

1. 2000年时的生态耗水量计算

2000年,全疆总的生态耗水量为211亿m³。其中:绿洲内部(除城市、供水系统外)的生态耗水总量为39亿m³,比1995年增加了10亿m³;天然植被生态耗水126亿m³,比1995年减少了54亿m³。其地区分布情况是:北疆38亿m³,东疆12亿m³,南疆160亿m³,其中低地草甸植被依然是生态耗水中的大户,耗水达105亿m³。

2. 2010年的生态耗水情况

2010年,全疆总的生态耗水量为201亿m³,比2000年下降了11亿m³。其中绿洲内部生态耗水增加了5亿m³;天然植被生态耗水比2000年减少16亿m³。在区域上,北疆与南疆地区用水总量均有下降,而东疆地区略有增加。这主要是因为该区域天然植被面积较少,即使处于胁迫条件下,其用水量减少不多,而相应的人工绿洲生态耗水却增加较多。

3.2020年的生态耗水情况

2020年时,全疆生态耗水总量将达到192亿 m³,比2010年和1995年现状有所减少。在总生态环境耗水量中,绿洲内生态耗水量为53亿 m³,天然植被生态耗水总量为92亿 m³。从区域看,北疆为37.7亿 m³,比2010年增加了2.1亿 m³;而东疆和南疆地区则相应分别减少了0.3亿 m³和10.9亿 m³,总量达12.2亿 m³和141.6亿 m³。

从以上各年度的生态耗水情况来看,北疆和东疆较少,而南疆消耗最大。其中,巴州、阿克苏、喀什、和田4地州,无论是天然植被生态耗水,还是人工绿洲生态耗水,均是耗水较多的地区。在以上耗水较多的4地州中,天然植被生态耗水以巴州为最大,人工绿洲生态耗水以喀什地区为最大,而且在任何年份,天然植被中的低地草甸都是生态耗水的最大户。

(三)预测结果分析

(1)在生态耗水类型中,以天然植被的生态耗水量为最大,1995年仅此一项,即占到总生态耗水量的59.3%;而其他类型在保护目标一定的情况下,随着技术水平的提高,其总体变化甚微。随着时间尺度向未来的延伸,其总体变化呈下降趋势,见图3-6。

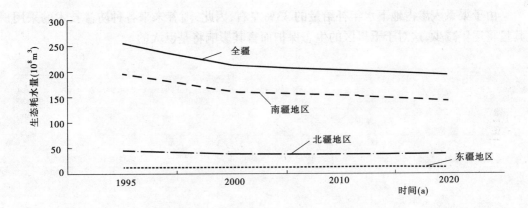

图 3-6 新疆生态耗水量变化趋势

这种下降趋势主要是基于各类植被处于胁迫条件下而得出的。由于干旱区平原地区对绿洲发展和生存意义重大的植被类群大多系隐域性植被,其生态习性大多为中生、旱中生植物,其生态耗水量的变化幅度亦很大,给予充分供水时,其耗水量非常大;但当给予不充分水分供应时,其仍能存活。在干旱区,由于水资源的有限性,工、农业等生产、生活用水量日益扩大,因此不可能给予天然植被以充分的供水,而对于干旱区的环境保护而言,要让植被都长得非常好,既不可能也无必要。因此,天然植被类群在不降低其生态保护意义的前提下,取最小的生态耗水量。这也就是这里所说的胁迫条件。

但就大的生态耗水类型而言,随着时间的推移,绿洲系统的生态耗水量将逐渐增加,而天然系统的生态耗水量将呈现不断下降的趋势。

(2)就生态耗水的地区分布而言,以南疆塔里木盆地为最大。这主要是由于该区域在气候上属极端干旱区,降水对各生态类群的生命维持几乎没有什么实际意义;而北疆地区由于有一定的降水且其有效性亦高,与南疆相比生态耗水总量亦小;东疆地区虽绝对降水量数量较小,但相对于有限的区域面积而言,仍然不算小。这一结论也从另一个侧面说明,对于生态保护而言,在水的合理分配上,南疆和东疆地区的难度要比北疆大得多。

(3)从水资源总量方面来考虑时,由于天然植被的生态耗水大多源于地下水,而地下水又包括了各类转化补给量,故在总量计算时,应扣除重复部分。考虑到渠系入渗、田间入渗、水库入渗的影响,取其入渗量占总地下水量的比例作为系数,对天然植被的生态净耗水量进行计算。根据《新疆地下水资源》中的资料,南疆与东疆地区系数为 0.45,而北疆地区尚有降水入渗,故其值较南、东疆地区为大,系数为 0.486。这样计算的全疆生态用水量,见表 3-14。

表 3-14 　　　　　　　　　　由水资源总量计算的生态耗水 　　　　　　　　　　($10^8 m^3$)

项　目	1995 年	2000 年	2010 年	2020 年
北疆	35.1	33.2	32.2	35.1
东疆	7.9	8.1	8.6	11.0
南疆	130.2	112.9	110.2	105.9
全疆	173.2	154.2	151.0	152.0

由于渠系入渗占地下水年补给量的 33% 左右,因此,随着未来各种防渗技术的采用,其量将逐年减少,这对于干旱区的生态保护而言其影响将是巨大的。

第四章　水资源合理配置及承载能力分析方法

第一节　可持续发展观念下的水资源合理配置及承载能力概念

一、可持续发展观念

自 1992 年世界环境发展大会召开以来,可持续发展思想已成为世界各国制定社会经济发展战略的主要依据,我国政府也已将可持续发展战略作为社会经济发展总体战略,纳入了国家经济与社会发展规划。

按照联合国环境与可持续发展委员会的定义,可持续发展的定义为"既能满足当代人的需要,又不对后代人满足其需要的能力构成危害的发展模式"。可持续发展的涵义是指发展要有后劲,立足当前,着眼于未来;发展要能够延续下去,同时要为以后的发展创造条件和机会,不能"竭泽而渔"。

可持续发展是一个崭新的主题,体现了目前全人类共同面临着人口、资源和环境等问题的挑战。可持续发展观念强调了 3 个主题:代际之间发展的公平性、区域间发展的公平性以及实现社会经济发展与人口、资源、环境的协调和良性循环。

从不同的角度研究可持续发展理论,规划实施可持续发展战略,就形成了可持续发展不同层次的问题。在我国实施可持续发展战略的过程中,形成了国家、地方和部门 3 个层次的问题。从可持续发展的原则来看,低层次的问题,必须考虑高层次的可持续发展要求,在更宏观的可持续发展框架下,规划和实施本层次的可持续发展战略。

可持续发展的基本问题之一是资源分配。这一发展模式要求自然资源应当在时间上、地区上和社会不同阶层的受益者之间合理地进行分配。既要考虑到当代的发展,又要照顾到后代可持续发展的需要;既要照顾到发达地区的发展现实,又要求发达地区的进一步发展不应以继续损害欠发达地区的可持续发展能力为代价;既要追求以提高自然资源总体配置效率为中心的优化配置模式,又要注意效益在全体社会成员之间的公平分配。因此,区域可持续发展模式的发展目标是多元的,从而为其服务的水资源优化配置也是一个多目标决策问题。

衡量可持续发展的首要量度,是区域内经济、环境和社会的协调发展。也就是说,不是单纯地追求经济发展速度,而是追求对环境影响小的经济发展,并相应地从经济积累中拿出适当投资对环境进行治理和保护;不是单纯地追求总效益,还要注重效益在社会人群中的合理分配。为了度量经济、环境与社会协调发展的程度,通常需要在水资源优化配置问题中设置相应的经济目标、环境目标和社会发展目标,以考查其目标之间的竞争性及协调发展程度。

衡量可持续发展的第二个量度,是近期与远期的协调发展。也就是说,不是掠夺性地开采自然资源,严重地威胁子孙后代的可持续发展能力;也不是无所作为,落后于其他国家或地区的平均发展速度。为了考察水资源合理配置方案对区域经济、环境与社会发展在近期和远期的不同影响,要将上述目标分清,以5年或10年为一期,从现状起直到考虑在今后20年或30年中不同水资源开发利用策略对区域发展的综合影响。

衡量可持续发展的第三个量度,是不同区域之间的协调发展。发达地区的发展要在加大环境治理力度和减小能源消耗方面狠下功夫,欠发达地区的发展则不应重复发达地区的老路,改变单纯依赖资源的经济增长方式和高污染低产出的不合理工业结构。这就要求在水资源合理配置目标中考虑地区结构,以揭示发展进程中在经济、环境与社会发展诸目标中的地区间差异。特别是对于水资源合理配置问题,分地区的目标函数有助于揭示不同配置方案对不同地区(上下游、左右岸)的不同影响。

衡量可持续发展的第四个量度,是发展效益或资源利用效益在社会各阶层中的公平分配。这就要求在目标函数中尽可能地采用人均指标,以进行不同时期和不同地区人均指标的对比,并从其变化趋势中对效率与公平之间的权衡进行把握。特别是对于水资源优化配置问题,不同的开发利用策略将直接导致同一地区内城市与农村人均收入指标的不同变化。

二、可持续发展观念下的水资源合理配置

(一)水资源合理配置概念

水是一切生命生存与发展不可替代的物质,水资源是人类生产与生活的重要物质基础。随着社会的不断进步和生产的不断发展,一方面,人们对水的质量和数量的需求,也会越来越高。另一方面,自然界所能提供的可用水资源量是有一定限度的,需求与供给间的矛盾将日趋尖锐。按照可持续发展的观点,当代人开发利用水资源不能不考虑后代人的需要,不能损害后代人的利益,还要考虑地区间的发展平衡问题。但这并不是说不去积极地开发利用水资源以发展经济,改善生态环境,而是在合理的开发利用方式下,尽可能地提高水的利用效率,满足当代人发展的需要。

水资源合理配置是指:在一个特定流域或区域内,以有效、公平和可持续的原则,对有限的、不同形式的水资源,通过工程与非工程措施在各用水户之间进行科学分配。

对于我国,特别是华北和西北地区,实施水资源合理配置具有更大的紧迫性。其主要原因,一是水资源的天然时空分布与生产力布局严重不相适应;二是在地区间和各用水部门间存在着很大的用水竞争性;三是近年来的水资源开发利用方式已经导致许多生态环境问题的产生。这些原因,使实施水资源合理配置显得更加必要。只有在此基础上进行水资源合理配置,才能保证收到较好的经济效益、生态效益、环境效益与社会效益。

水资源的合理配置,是由工程措施和非工程措施组成的综合体系实现的。其基本功能涵盖两个方面:在需求方面,通过调整产业结构,建设节水型经济并调整生产力布局,抑制需水增长势头,以适应较为不利的水资源条件;在供给方面,则要协调各项竞争性用水,

加强管理,并通过工程措施改变水资源的天然时空分布来适应生产力布局。两个方面相辅相成,以促进区域的可持续发展。

(二)水资源合理配置的基本原则

水资源包括河流、湖泊、水库中的地表水、地下水、洪水以及经过高新技术处理后的脱盐水,是经济各行业的基本输入项,如市政、工业、农业、水电、娱乐以及环境等。随着人口增加、生活改善对稀缺水资源的水量与水质需求竞争的日益激烈,对已有水资源的有效利用日显重要,有必要依据社会目标制定有效、公平的经济策略。经济效益是衡量在给定资源条件下创造的财富量的,而社会公正则体现在社会各行业、各单一团体中对总的财富的分配上。水资源的许多分配结构,都试图体现这种有效与公平的结合。

根据稀缺资源分配的经济学原理,水资源合理配置应遵循有效性与公平性的原则;在水资源利用高级阶段,则应同时遵循水资源可持续利用的原则,即有效性、公平性和可持续性,应是水资源合理配置的基本原则。

有效性原则,是基于水资源作为经济社会行为中的商品属性确定的。以纯经济学观点,由于水利工程投资,对水资源在经济各部门的分配应解释为:水是有限的资源或资本,经济部门对其使用并产生回报。经济上有效的资源分配,是资源利用的边际效益在用水各部门中都相等,以获取最大的社会效益。换句话说,在某一部门增加一个单位的资源利用所产生的效益,在任何其他部门也应是相同的。如果不同,社会将分配这部分水给能产生更大效益或回报的部门。由此可见,对水资源的利用应以其利用效益作为经济部门核算成本的重要指标,以其对社会生态环境的保护作用(或效益)作为整个社会健康发展重要指标,使水资源利用达到物尽其用的效益。但是,这种有效性不是单纯追求经济意义上的有效性,而是同时追求对环境的负面影响小的环境效益,以及能够提高社会人均收益的社会效益,是能够保证经济、环境和社会协调发展的综合利用效益。这需要在水资源合理配置问题中设置相应的经济目标、环境目标和社会发展目标,并考察目标之间的竞争性和协调发展程度,满足真正意义上的有效性原则。

公平性原则,是以满足不同区域间和社会各阶层间的各方利益进行资源的合理分配为目标的。它也许遵循有效性原则,也许不遵循有效性原则。它要求不同区域(上下游、左右岸)之间的协调发展,以及发展效益或资源利用效益在同一区域内社会各阶层中的公平分配。例如,家庭生活用水的公平分配是对所有家庭而言的,无论其是否有购水能力,都有使用水的基本权利。对不同的家庭,也可以依据收入水平采用不同的水价结构进行分水。

可持续原则,可以理解为代际间的资源分配公平性原则,它是以研究一定时期内全社会消耗的资源总量与后代能获得的资源量相比的合理性,反映水资源利用在渡过其开发利用阶段、保护管理阶段和管理阶段后,步入可持续利用阶段中最基本的原则。它要求在近期与远期之间、当代与后代之间对水资源利用上,需要有一个协调发展、公平利用的原则,而不是掠夺性地开采和利用,甚至破坏,严重威胁子孙后代的发展。由于水资源的短缺和破坏,使得整个人类面临极大的挑战,即当代人对水资源的利用,不应当使后一代人正常利用水资源的权利受到影响甚至破坏。

(三)水资源合理配置研究内容

水资源合理配置,是针对水资源短缺和用水竞争性而提出的,其主要内容包括:

(1)社会经济发展问题。探索现实可行的社会经济发展规模,适合本地区的社会经济发展方向,合理的工农业生产布局,社会对粮食、油料、钢铁、布匹及棉花等物资的可能需求。

(2)水环境污染问题。评价现状的水环境质量,研究工农业生产所造成的水环境污染程度,制定合理的水环境保护和治理标准,分析各经济部门在生产过程中各类污染物的排放率及排放总量,预测河流水体中各主要污染物的浓度。

(3)水资源需求问题。研究现状条件下的各部门的用水结构、水的利用效率,提高用水效率的主要技术和措施,分析未来各种经济发展模式下的水资源需求。

(4)水价问题。研究水资源短缺地区由于缺水造成的国民经济损失、水的影子价格分析,水利工程经济评价、水价的制定依据,分析水价对社会经济发展的影响、水价对水需求的抑制作用。

(5)水资源开发利用方式、水利工程布局等问题。现状水资源开发利用评价,供水结构分析,水资源可利用量分析,规划工程可行性研究,各种水源的联合调配,各类规划水利工程的合理规模及建设次序。

(6)供水效益问题。分析各种水源开发利用所需的投资及运行费,根据水源的特点分析各种水源的供水效益,包括工业效益、农业灌溉效益、生态环境效益,分析水工程的防洪、发电、供水 3 方面的综合效益。

(7)生态问题。生态环境质量评价、生态保护准则研究、生态耗水机理与生态耗水量研究,分析生态环境保护与水资源开发利用的关系。

(8)供需平衡分析。在不同的水工程开发模式和区域经济发展模式下的水资源供需平衡分析,确定水工程的供水范围和可供水量,以及各用水单位的供水量、供水保证率、供水水源构成、缺水量、缺水过程及缺水破坏深度分布等情况。

(9)技术与方法研究。水资源合理配置分析模型开发研究,如评价模型、模拟模型、优化模型的建模机制及建模方法,决策支持系统、管理信息系统的开发,GIS 高新技术应用。

(四)水资源合理配置特点

从上述内容可以看出,水资源合理配置涉及江河流域规划中的主要基本资料的收集整编、社会经济发展的预测、江河流域总体规划、水资源供需预测与评价、水利工程运用中防洪与兴利的结合、灌溉规划、城乡生活及工业供水规划、水力发电规划、航运规划、水污染防治规划、水资源保护规划、控制性枢纽的主要工程参数及建设次序的选择、环境影响评价、经济评价与综合分析。此外,还涉及水资源管理中的取水许可制度、水费及水资源费制度、水管理模式与机构设置、水权市场、水资源配置系统的优化调度、控制性枢纽的多目标综合利用、水管理信息系统建设(包括防汛、水量与水质监测)等内容。因此,水资源合理配置贯穿了区域水资源规划与管理的主要环节,是一个复杂的决策问题。较之以往的区域水利规划与管理方面的实践,水资源合理配置理论具有以下特点:

(1)将区域宏观经济系统、生态环境系统和水资源系统联合起来考虑问题,需水管理、供水管理与水质管理并重,并定量地把握三者间相互依存、相互制约关系。

（2）以区域经济、环境、社会的协调发展为目标,研究水资源合理配置策略,定量地揭示目标间的相互竞争与制约关系。

（3）提出并采用多层次、多目标群决策的决策方法研究水资源合理配置问题,以便在定量的基础上反映不同的优化配置方案对上下游、左右岸、不同地区和不同部门之间的影响,并将各决策者的意愿有机地融入决策过程。

（4）以区域宏观经济分部门的动态投入产出分析为基础,定量地揭示农业与工业、第三产业的关系,经济发展与江河流域总体规划的关系,分部门发展与灌溉规划、水力发电规划、城市生活与工业供水规划、水资源保护规划等专业规划间的关系。

（5）在合理配置决策中保持水的需求与供给间的平衡,污水的排放与水污染治理间的平衡,以及水投资的来源与分配间的平衡。

（6）将多层次、多目标群决策的优化手段与多水源、多用户的复杂水资源系统模拟技术有机地结合起来,利用优化手段反映各种动态联系,利用模拟手段反映经济发展过程中的不确定性和水文连续丰枯变化对优化配置方案的影响。

（7）利用从动态投入产出模型中导出的供水影子价格和从多目标群决策模型中导出的分水原则,作为水资源合理配置的经济杠杆,并辅之以取水许可制度等行政法律手段,以保证合理配置方案的实施。

（8）在合理配置的理论与方法指导下,建成区域水资源合理配置决策支持系统,作为合理配置的定量计算工具与决策者进行对话。同时,也可作为各地区用于水资源发展规划的水资源管理信息系统。

三、可持续发展观念下的水资源承载能力

（一）水资源承载能力概念

水资源承载能力的概念为:在某一具体的历史发展阶段下,以可预见的技术、经济和社会发展水平为依据,以可持续发展为原则,以维护生态环境良性发展为条件,在水资源得到合理的开发利用下,该地区社会经济发展的最大容量。可以看出,这项研究面对着社会、经济、环境、生态、资源在内的错综复杂的大系统。在这个系统内,既有自然因素的影响,又有社会、经济、文化等因素的影响。为此,开展这项研究工作的学术指导思想,应是建立在社会经济、生态环境、水资源系统的基础上,在资源—资源生态—资源经济科学原理指导下,立足于资源可能性,以系统工程方法为依据进行的综合动态平衡研究。着重从资源可能性出发,回答一个地区的水资源数量、质量,在不同时期的可利用水量、可供水量,用这些可利用的水量能够生产出多少工农业产品,人均占有工农业产品的数量,生活水平可以达到的程度,合理的人口承载量。与此同时,分析水资源的开发利用程度、开发利用效率、投入产出关系、生态环境状况等问题,并提出有关对策。

影响水资源承载能力的主要因素有:

（1）水资源的数量、质量及开发利用程度。由于自然地理条件的不同,水资源在数量上都有其独特的时空分布规律,在质量上也有所差异,如地下水的矿化度、埋深条件,水资源的开发利用程度及方式,也会影响可以用来进行社会生产的可利用水资源的数量。

（2）生产力水平。不同历史时期或同一历史时期的不同地区,都具有不同的生产力水

平。在不同的生产力水平下,利用单方水可生产不同数量及不同质量的工农业产品。因此,在研究某一地区的水资源承载能力时,必须充分估计现状与未来的生产力水平。

(3)社会消费水平与结构。在社会生产能力确定的条件下,社会消费水平及结构将决定水资源承载能力的大小。

(4)科学技术。科学技术也是生产力,现代历史过程已经证明了科学技术是推动生产力进步的重要因素。基因工程、信息工程等高新技术,将对提高工农业生产水平具有不可低估的作用,进而对提高水资源承载能力产生重要影响。

(5)人口与劳动力。社会生产的主体是人,水资源承载能力的对象也是人,因此,人口和劳动力与水资源承载能力,具有互相影响的关系。

(6)其他资源潜力。社会生产不仅需要水资源,而且还需要其他诸如矿藏、森林、土地等资源的支持。

(7)政策、法规、市场、宗教、传统、心理等因素。一方面,政府的政策法规、商品市场的运作规律及人文关系等因素,会影响水资源承载能力的大小;另一方面,水资源承载能力的研究成果,又会对它们产生反作用。

(二)水资源承载能力研究内容

引入现代系统科学的理论与方法,把研究内容分解为下述6个基本层次,每一层次都规定其研究范畴与内容:

(1)水资源与其他资源之间的平衡关系。即在国民经济发展过程中,水资源与国土资源、矿藏资源、森林资源、人口资源、生物资源、能源等之间的平衡匹配关系。

(2)水资源的组成结构与开发利用方式。包括水资源的数量与质量、来源与组成,水资源的开发利用方式及开发利用潜力,水利工程可控制的面积、水量,水利工程的可供水量、供水保证率。

(3)国民经济发展规模及内部结构。国民经济内部结构包括工农业发展比例、农林牧副渔发展比例、轻工重工发展比例、基础产业与服务业的发展比例等。

(4)水资源的开发利用与国民经济发展之间的平衡关系。使有限的水资源在国民经济各部门中达到合理配置,充分发挥水资源的配置效率,使国民经济发展趋于和谐。

(5)人口发展与社会经济发展的平衡关系。通过分析人口的增长变化趋势、消费水平的变化趋势,研究预期人口对工农业产品的需求与未来工农业生产能力之间的平衡关系。

(6)通过上述5个层次内容的研究,寻求进一步开发水资源的潜力、提高水资源承载能力的有效途径和措施,探讨人口适度增长、资源有效利用、生态环境逐步改善、经济协调发展的战略和对策。

(三)水资源承载能力特性

随着科学技术的不断发展,人类适应自然、改造自然的能力逐渐增强,人类生存的环境正在发生重大变化。尤其是近年来,变化的速度渐趋迅速,变化本身也更为复杂。与此同时,人类对于物质生活的各种需求不断增长。可以看出,水资源承载能力在概念上具有动态性、相对极限性、模糊性以及被承载模式的多样性。

1.动态性

动态性是指水资源承载能力与具体的历史发展阶段有直接的关系。不同的发展阶段有不同的承载能力,这体现在两个方面:一是不同的发展阶段人类开发水资源的技术手段不同,如20世纪五六十年代人们只能开采几十米深的浅层地下水,而90年代技术条件允许开采几千米甚至上万米深的地下水;现在认为海水淡化费用太高,但随着技术的进步,海水淡化的成本也会随之降低。二是不同的发展阶段人类利用水资源的技术手段不同,随着节水技术的不断进步,水的重复利用水平不断提高,人们利用单位水量所生产的产品也逐年增加。水资源承载能力的这种动态特性,决定了必须利用动态规划技术进行承载能力研究。

2.相对极限性

相对极限性是指在某一具体历史发展阶段,水资源承载能力具有最大和最高的特性,即可能的最大承载指标。

3.模糊性

模糊性是指由于系统的复杂性和不确定因素的客观存在,以及人类认识的局限性,决定了水资源承载能力在具体的承载指标上存在着一定的模糊性。

4.多样性

被承载模式的多样性,也就是社会发展模式的多样性。人类消费结构不是固定不变的,而是随着生产力的发展而变化的,尤其是在现代社会中,国与国、地区与地区之间的经贸关系,弥补了一个地区生产能力的不足,使得一个地区可以不必完全靠自己的生产能力生产自己的消费产品,它可以大力生产农产品去换取自己必须的工业产品,也可以生产工业产品去换取农业产品,因此社会发展模式不是惟一的。如何利用有限的水资源支持适合自己条件的社会发展模式,则是水资源承载能力研究不可回避的决策问题。

水资源承载能力的动态性,说明了事物总是处于不断发展变化的历史过程中;相对极限性和模糊性,则反映了相对真理和绝对真理的辩证统一关系;而被承载模式的多样性,则决定了水资源承载能力研究是一个复杂的决策问题。

(四)水资源承载能力计算

水资源承载能力的具体的计算方法不是惟一的,可以采用多种科学方法,如运筹学理论、系统动力学理论,甚至也可以利用简单的供需平衡理论进行估算。在本次攻关中,水资源承载能力研究方法的总体构思是:以宏观经济、生态环境、水资源系统为研究对象,水资源合理配置原理为指导思想,利用系统分析理论、宏观经济理论、决策理论及现代计算机技术,进行区域水资源的综合动态规划研究。

水资源承载能力的几个特性,决定了在研究水资源承载能力时,需要一种时间规定性,即应放在一个具体的时间范围内分析研究。需要指出的是,对于水资源规划研究工作来说,短时间尺度属于计划范畴,中时间尺度属于规划范畴,长时间尺度则属于承载能力研究工作的范畴。因此,水资源承载能力具有远期特性,至少具有中远期的特性。为此,本专题在进行"九五"攻关工作时,以2020年和2050年2个水平年作为研究的时间尺度,并提出相应的承载能力指标。

2020年水平年代表中远期。由于时间跨度相对短一些,可用比较成熟的水资源规划理论进行分析研究,即将宏观经济、环境、生态和水资源系统联系起来,形成一个宏观经济、生态环境、水资源巨系统,在对系统约束机制进行详细分析的基础上,综合考虑水与投资对经济、环境、生态的影响,建立水资源的供与需、投资的来源与使用相平衡的约束方程,构成水资源承载能力动态规划分析模型。

2050年则代表远期。2050年的承载能力也可以称为远景承载能力。由于时间跨度长,以现有的经济、技术条件难以预测未来的经济、技术发展水平,以及人类生活的消费水平,故应使用水资源供需平衡分析原理进行承载能力分析,即首先预测未来的可利用水量、工业的综合用水定额、农业的综合灌溉定额、生活用水定额以及重复利用水平,进行综合平衡分析。对于工业结构、农业种植结构的调整等问题不再进行分析,或者参考某些与我国经济发展历程具有一定相似性的发达国家的统计资料,或者直接沿用2020年水平年的结构。这主要是考虑到到2020年经过二三十年调整,结构已经趋于完善。

四、水资源合理配置、承载能力与可持续发展之间的关系

水资源可持续发展观念于1992年在全世界范围内提出,随后在我国逐渐得到普遍接受;水资源合理配置概念是在20世纪90年代初提出,并开始逐步应用于水资源规划与管理之中;而水资源承载能力概念是在20世纪80年代末提出的,虽然在我国北方的部分地区进行了探索性研究,但水资源承载能力概念与理论还只是处于萌芽阶段。严格地说,承载能力概念的提出略早,合理配置略迟,可持续发展最后。这3个概念几乎同时被提出来,不是偶然的,而是人类社会历史发展的必然,是人类通过近1个世纪以来的社会实践总结出来的,也说明人类已经认识到环境资源不仅是有价值的,而且是有限的。

这3个概念本质上是相辅相成的,都是针对当代人类所面临的人口、资源、环境方面的现实问题,都强调发展与人口、资源、环境之间的关系。但是侧重点有所不同,可持续观念强调了发展的公平性、可持续性以及环境资源的价值观;合理配置强调了环境资源的有效利用;承载能力强调了发展的极限性。

可持续发展是一种哲学观,是关于自然界和人类社会发展的哲学观。可持续发展是水资源合理配置与承载能力理论研究的指导思想。

水资源合理配置与承载能力理论研究,是可持续发展理论在水资源管理领域中的具体体现和具体应用。其中,合理配置是可持续发展理论的技术手段,承载能力是可持续发展理论的结论。也就是说,水资源管理策略只有在进行了合理配置和承载能力研究之后才是可持续的;反之,要想使水资源开发达到可持续,必须进行合理配置和承载能力研究。

第二节　基于宏观经济和生态环境的水资源大系统

一、系统分析

人类社会存在于一定的空间,需要一定的资源为其服务。从系统的角度来看,人类社会作为一个大系统,可以划分为相互联系着的子系统,如社会、经济、环境、生态、人口资源、土地资源、水资源、矿藏资源、木材资源等系统。这些子系统的运动发展,构成了人类社会的进步。根据这些子系统的特点,可以将它们分为两类:第一类为社会子系统类,包括社会、经济、环境、生态子系统。社会子系统的发展状况,直接决定了人类社会的发展水

平,随着人类的进步,人们已经认识到社会发展不仅仅体现在经济方面,可以说人类社会进步的最终目的是为了创造更文明的社会、更舒适的生存环境以及更强大的经济,只有保持第一类子系统之间的协调发展,才能真正维持人类社会的协调、健康的发展。第二类为资源子系统类,包括人口资源、土地资源、水资源、矿藏资源、木材资源、能源等。资源子系统是人类社会生存和发展的必要条件,不是人类社会进步的最终目的,因为资源的开发程度不能反映人类社会的发展水平。随着科学技术的进步,人们已经认识到资源是有限的,资源的更新也是有周期的,对资源进行掠夺性的开采会破坏自然平衡,产生严重的后果。因此,在近几年可持续发展的资源开发计划中,已成了一个热门话题。

严格地说,水资源合理配置及承载能力分析,必须从上述大系统着手研究水资源在整个大系统中的作用,研究水资源与其他资源、水资源与社会发展之间的影响关系。但是,在现阶段受人力、物力、财力,尤其是科学技术手段的限制,还难以综合分析研究如此庞大而复杂的系统的运动发展规律。目前,比较切实可行的办法,是将与水资源系统相互影响不强烈的其他资源系统(人口、木材)略掉或简化处理(土地、矿藏资源、能源),突出水资源与社会、经济、生态、环境之间的影响关系。

社会、经济、生态、环境(狭义地指水环境)和水资源系统可以看做是既相互联系、相互依赖,又相互影响、相互制约的子系统,这些子系统组成一个有机整体——基于宏观经济和生态环境的水资源大系统。这个系统包括宏观经济、生态环境和水资源3个子系统。各子系统内部有各自独特的运作规律,外部又有广泛的联系和影响,涉及的问题和因素比较多。

(一)各子系统内部主要约束机制

(1)经济子系统是由投资到固定资产到产出再到投入这样一个复杂的循环过程,主要包含有积累与消费、投入与产出、进口与出口的关系,以及经济内部的发展结构等问题。

(2)环境子系统包含污染物的组成、污水处理的级别,以及污水处理厂的规模和投资等问题。

(3)生态子系统要处理天然生态与人工生态,人工生态与农、林、牧、副、渔之间的关系。

(4)社会子系统涉及的范围更广泛,包括人口、劳动力、法律、政策、道德、传统、商品价格等诸多因素。

(5)水资源子系统则由水源、供水、用水和排水等因素组成,涉及水源的时空分配、水源的质量、供水的组成、供水的保证率、用水的性质及排水的方式等问题。

(二)各子系统外部主要约束机制

(1)经济发展所带来的环境污染与环境治理约束关系。

(2)经济发展所带来的供水发展与需水发展之间的约束关系。

(3)环境恶化所造成的生态破坏、资源浪费等问题。

(4)生态保护和生态破坏的约束关系。

(5)水资源、环境、生态条件的改善对经济发展、社会进步的促进作用。

从这些关系和因素中,可以发现资金和水资源是两个最有活力、影响面最广泛的因素,在各子系统中起着桥梁和纽带的作用,它们在子系统之间的分配比例决定了各子系统的发展程度,即大系统的发展模式。由于子系统之间的联系,各子系统又往往存在对有限资金和资源的占有的竞争,使整个水资源系统朝着有利于自己利益的方向发展。为了长久地保持系统协调、均衡的发展,资金和资源在子系统中的分配比例必须随着系统的发展,作某些合理适当的调整。这也就决定了水资源合理配置及承载能力分析模型,必须抓住资金与资源这两个主要矛盾,利用现代科学理论进行客观地描述,科学地分析基于宏观经济和生态环境的水资源巨系统内部的各种定量关系,最后达到一个切合实际的认识。

二、系统特点

基于宏观经济和生态环境的水资源大系统,具有下述几个特点:

(1)区域宏观经济与水资源有广泛的联系。

(2)区域水资源开发中的多目标问题。

(3)区域水资源合理配置中的不确定性与风险。

(4)区域水资源开发中的利益矛盾。

(5)决策中的半结构化问题。

(6)水资源配置中的价格政策问题。

(7)问题描述的复杂性与决策的有效性之间的权衡。

区域水资源决策问题,涉及到宏观经济与水资源配置的相互作用、相互影响;水资源开发利用策略与区域宏观经济、环境、社会协调发展的关系;经济长期发展中的不确定性及供水风险;各地区、各部门不同决策者之间的利益冲突;决策过程中难以用数学方法表达的半结构化问题;水资源既是国民经济的产业部门,又是一项社会公益事业的两重性。由于上述特点,使得区域水资源开发利用问题的宏观决策过程极为复杂。这种决策的复杂性,使得在决策支持系统设计中不可能无重点地——一加以反映,而是要本质性地把握上述决策特点,追求决策的有效性。决策的有效性也不能脱离对实际系统的必要描述。因为,若决策支持系统对实际决策问题的描述失真,则其决策也必然是无效的,这便是所谓的"垃圾进,垃圾出"的情况。因此,只有在深入分析水资源决策问题特点的基础上,才能在描述的真实性与决策的有效性之间作出适当的符合需要的权衡。

三、系统主要约束机制与平衡关系

基于宏观经济和生态环境的水资源巨系统庞大复杂,而其内部所包含的因素以及因素与因素之间的约束依赖关系,更是多种多样。为了使水资源合理配置及承载能力研究更符合实际,有必要从这些纷乱的关系中找出那些对系统有决定性影响的约束关系,组成合理配置及承载能力分析模型。

(一)扩大再生产机制、积累与消费之间的平衡关系

无论是古典的经济学,还是现代经济学,扩大再生产理论都是它们的重点研究对象。任何一个社会的发展都离不开扩大再生产,都需要扩大投入、扩大生产。因此,扩大再生产机制是水资源合理配置及承载能力分析模型的一个主要约束机制。

按照马克思的政治经济学理论,扩大再生产就是资本—生产—商品—利润—资本的循环生产过程,即把上一个生产过程的一部分利润转化成资本,进行新的扩大再生产过

程。而把利润多少用于转化成资本、多少用于消费,则是积累与消费的关系。积累与消费的比例,是控制扩大再生产规模的主要因素。一般来说,积累越高,消费越低,导致生产能力大于社会购买能力,产品过剩;而消费越高,则积累越低,造成社会购买能力大于生产能力,产品供不应求。这两种趋势都会给新一轮的扩大再生产过程产生负面影响。另外,对于西北内陆地区,由于国家政策的倾斜,可以考虑一部分外来投资,包括中央政府投资和外国投资。考虑水资源的制约条件,如何安排积累与消费的关系,使扩大再生产过程顺利进行,是水资源合理配置及承载能力研究必须面对的问题之一。

有关扩大再生产和积累与消费的关系,可用式(4-1)～式(4-6)描述:

$$X = AK^{\alpha}L^{1-\alpha} \tag{4-1}$$

式中　A——规模参数(scale parameter),$A > 0$;

　　　α——资本的产出弹性,$0 < \alpha < 1$;

　　　$1 - \alpha$——劳动的产出弹性,$0 < 1 - \alpha < 1$;

　　　L——劳务工时;

　　　K——固定资产存量。

在一定时期和一定的技术进步条件下,生产要素 K 与 L 的投入通常成一固定比率,即 $K/L = \beta$,β 为常数。代入式(4-1)使之成为

$$X = A(1/\beta)^{1-\alpha}K = \theta K \tag{4-2}$$

式中的 $\theta = A(1/\beta)^{1-\alpha}$ 称为资本产出率。在考虑动态的扩大再生产过程时,第 t 年的生产函数成为

$$X_t = \theta_t K_t \tag{4-3}$$

式中　X_t——第 t 年的总产出;

　　　K_t——第 t 年的固定资产存量。

式(4-3)表明,总产出 X_t 的大小依当年固定资产存量 K_t 的多少而定。对于 K_t,有以下的固定资产形成方程:

$$K_t = K_{t-1} - \delta K_t + \Delta K_t \tag{4-4}$$

式(4-4)的意义为期末固定资产存量(K_t)等于期初固定资产存量(K_{t-1})减去本年折旧(δK_t)并加上本年新增固定资产(ΔK_t)。其中,δ 为折旧率。

显然,新增固定资产是由投资形成的。由于不同经济部门从投资到形成固定资产的时间和比例均不相同,即使同一部门内由于产品工艺和规模的差异也使得固定资产形成的规律不同。因此,本年度形成的固定资产是当年、上一年、上两年……的投资的累积结果,即

$$\Delta K_t = \beta_t I_t + \beta_{t-1} I_{t-1} + \beta_{t-2} I_{t-2} + \cdots \tag{4-5}$$

式中　β——各年投资形成当年固定资产的比率;

　　　I——各年的投资额。

式(4-5)中,各年的投资来源于 2 个方面,即区域内经济的资金积累和外来投资。区域内经济的积累为最终产出(需求)的一部分,最终产出为总产出的一部分,因而可用一比例系数与总产值 X 相联系;外来投资包括区外、中央政府和国外 3 部分,通常作为外生变

量在模型中给出一范围。据此,有如下投资来源方程:

$$I_t = \sigma_{t-1} X_{t-1} + H_t \qquad (4\text{-}6)$$

式中 σ——积累率;

$\quad$ H——外生决策变量。

综合上述讨论,式(4-3)～式(4-6)构成了动态的扩大再生产过程循环圈。式(4-1)～式(4-3)为生产函数方程,描述当年的总产值由当年的固定资产存量决定;式(4-4)为固定资产状态方程,描述当年固定资产存量由年初固定资产存量扣除折旧后再加上当年新增固定资产得到;式(4-5)为新增固定资产形成方程,描述当年及前若干年的投资决定当年的新增固定资产;式(4-6)为投资来源方程,描述上一年的总产值和当年的外来投资确定当年的总投资。

(二)调入调出关系

前已述及,在现代社会里,一个地区没有必要完全靠自己的能力去生产自己所需要的产品,可以通过商品贸易活动调节地区间生产能力的不足。可以说,现在没有一个国家或地区正在进行孤立的、封闭式的社会生产活动。区域间物资的调入调出,在某种意义上相当于区域间资源的调入调出。解决水资源供求矛盾的途径,除了开辟新水源之外,就只有调整产业结构,发展节水型经济这一措施,而调整产业结构的一个重要含义是调整调入调出结构,对于本地区需要而由于水资源供给不足所限制发展的产业产品,可以通过区域外调入来解决。与此同时,则可大力发展区域内具有资源优势而耗水量小的产业,以平衡调入调出。但是,作为一个发展中国家,一些关系到国计民生、社会安定的基础产品(如粮食等)还必须依靠自己的力量去生产。当然,受市场因素的影响,地区间的调入调出预测,将是水资源合理配置及承载能力研究的难点之一。处理调入调出关系的原则是基本维持调入调出的平衡,因为一个国家或地区长期保持贸易顺差或贸易逆差,都是不正常的。

对研究区域而言,若以 E_{it} 与 M_{it} 分别为部门 i 在某年或某个时期的调出与调入产品的价值,l_{it}、w_{it}、r_{it} 分别为 i 部门单位产出所需要的劳动力、水以及要排放的某种污染物,则由于物流调入调出(进出口)导致的等价劳动力转移为

$$\Delta L_t = \sum_i (E_{it} - M_{it}) \cdot l_{it} \qquad (4\text{-}7)$$

相应地通过调入调出实现的水资源进出口量为

$$\Delta W_t = \sum_i (E_{it} - M_{it}) \cdot w_{it} \qquad (4\text{-}8)$$

同理,通过调入调出实现的某种污染物的进出口量为

$$\Delta R_t = \sum_i (E_{it} - M_{it}) \cdot r_{it} \qquad (4\text{-}9)$$

利用上述关系,就可以考察在既定的进出口政策下由于物流的调出与调入所输出或引进的劳动力、水资源以及排放的污染物的数量。例如,当根据历史情况对未来发展进行预测,在今后一个时期内应保持进出口总价值平衡时,则有

$$\delta_t^- \leqslant \sum_i (E_{it} - M_{it}) \leqslant \delta_t^+ \qquad (4\text{-}10)$$

式中 δ_t^-、δ_t^+——接近零的正负允许范围。

(三)投入产出约束关系

国民经济结构对水资源的开发利用有重要的影响,尤其是在缺水地区,经济结构的调整是提高水资源合理配置及承载能力的有效途径。但是,经济结构的调整不能盲目进行,必须遵循一定的经济规律,即投入产出关系。

利用投入产出关系,可以研究一个地区各经济部门产出及需求之间的平衡关系,描述经济结构和生产条件之间的关系,揭示生产过程中各部门的变化过程以及部门与部门之间的相互依存、相互制约的关系。这种方法,比经验方法更精确、更系统,在水资源规划及合理配置研究领域中的应用更具有指导意义。

为了揭示各经济部门之间的相互联系以及不同部门的不同用水特点,对各个宏观经济分区应进行统一的部门划分。划分产业部门的原则,一是与我国当前的统计口径相适应;二是便于从经济上对产业发展进行分析,重点体现对工业化和结构转变至关重要的部门;三是适当区分部门间的不同用水特点,使得便于进行需水分析。有关新疆的行业分类标准,见表2-28。

对投入与产出的分析,即研究生产和消耗间的关系,多采用表格方式进行。每个生产部门或单位,都需要从其他生产部门或单位购入商品和支付服务性费用,这些就构成通常所称的投入。同时,该部门或单位也生产产品和开展有关的服务性措施,并销售和提供给其他部门使用,这就是产出。把一个国家、地区、企业或水利管理单位的投入和产出情况(以货币或实物的形式)列在一种专门的表格中,并对其进行综合考察和数量分析,这种考虑问题的方法就称之为投入产出分析,其实质是一种平衡法的发展,而这种表称之为投入产出表。按照计量单位的不同,投入产出表分为价值型和实物型。

1. 基本平衡方程式

由投入产出表的结构可看出,投入产出表的水平方向反映了每个部门的总产出。其中,一部分流向系统内其他部门供其使用;另一部分作为最终产品流出系统。表中每一横行产出的总额等于相应横行其他数值之和。这一产销平衡关系可用公式表示为

$$x_i = \sum_{i=1}^{n} x_{ij} + y_i \qquad (j = 1,2,3,\cdots,n) \qquad (4-11)$$

投入产出表的垂直方向反映了各部门投入某产品价值的构成情况,投入总额可用公式表示为

$$x_j = \sum_{j=1}^{n} x_{ij} + y_j \qquad (i = 1,2,3,\cdots,n) \qquad (4-12)$$

式(4-11)、式(4-12)分别从产品分配、价值形成两个方面,表达投入产出表中各部门间投入和产出的数量平衡关系,也是建立数学模型的基本方程。对于实物型投入产出表,因各种实物计量单位不同,所以不存在如式(4-12)垂直方向的平衡关系。

2. 直接消耗系数和完全消耗系数

各生产部门每种产品的产出量与各部门投入物资的量之间,存在着一种相对稳定,并可计量的比例。这一比例可用 a_{ij} 表示,并定名为直接消耗系数,其计算公式为

$$a_{ij} = \frac{x_{ij}}{x_j} \qquad (4-13)$$

a_{ij}也标明j部门生产单位产品,所需消耗i部门产品的数量。在价值型模型中,它必定满足$0 \leqslant a_{ij} \leqslant 1$的关系;在实物型投入产出模型中,它满足$a_{ij} \geqslant 0$的关系。直接消耗系数的大小,是由技术和管理水平决定的。因此,也有人称a_{ij}为技术系数,它清楚地揭示了部门间的技术经济联系。表示各种产品直接消耗系数a_{ij}的表格,称之为直接消耗系数表。其阵列称为直接消耗系数矩阵,并用A表示:

$$A = \begin{bmatrix} a_{11} & a_{12} & \cdots & a_{1n} \\ a_{21} & a_{22} & \cdots & a_{2n} \\ \vdots & \vdots & & \vdots \\ a_{n1} & a_{n2} & \cdots & a_{nn} \end{bmatrix} \tag{4-14}$$

矩阵A反映了各部门之间的直接消耗关系,是计算完全消耗系数和建立数学模型的基础。

同理,间接消耗系数是反映各部门之间的间接消耗系数关系的。例如,水利工程施工中消耗的电力是属于水利部门的直接消耗。水利建设中所需要的水泥和钢筋等建筑材料,则通过有关部门生产出来的,这些部门也要消耗电力,这就用水利部门对电力部门的间接消耗系数表示。完全消耗系数等于直接消耗系数和间接消耗系数之和,即

$$b_{ij} = a_{ij} + \sum_{k=1}^{n} b_{ik} \cdot a_{ki} \tag{4-15}$$

式中 b_{ij}——完全消耗系数,表示生产第j种产品对第i种产品的完全消耗量。

利用式(4-15)推求完全消耗系数很麻烦,通常可用直接消耗系数矩阵A和单位矩阵计算完全消耗系数矩阵B。

由式(4-15)得下述矩阵方程式:

$$B = A + BA \tag{4-16}$$

移项并化简得

$$B = (1 - A)^{-1}A \tag{4-17}$$

完全消耗系数矩阵B,是由各个完全消耗系数按一定次序排列而成的。即

$$B = \begin{bmatrix} b_{11} & b_{12} & \cdots & b_{1n} \\ b_{21} & b_{22} & \cdots & b_{2n} \\ \vdots & \vdots & & \vdots \\ b_{n1} & b_{n2} & \cdots & b_{nn} \end{bmatrix} \tag{4-18}$$

直接消耗系数和完全消耗系数,从不同角度定量地表达了各部门之间的关系,它是编制、修改和调整投入产出表的重要参数。

3.投入产出数学模型

根据基本平衡方程和两种消耗系数,就可建立模拟各部门活动规律的数学模型。由式(4-11)和式(4-13)可得:

$$y_i = x_i - \sum_{j=1}^{n} a_{ij} \cdot x_j \qquad (i = 1, 2, 3, \cdots, n) \tag{4-19}$$

为分析方便,式(4-19)改写为矩阵形式:

$$Y = X - AX \tag{4-20}$$

式中 $\boldsymbol{Y}$——最终产品向量，$\boldsymbol{Y} = [y_1, y_2, y_3, \cdots, y_n]^T$；

$\boldsymbol{X}$——投入总额列向量，$\boldsymbol{X} = [x_1, x_2, x_3, \cdots, x_n]^T$。

对式(4-20)进行数学转换，即得：

$$\boldsymbol{Y} = (1 - \boldsymbol{A})\boldsymbol{X} \quad \text{或} \quad \boldsymbol{X} = (1 - \boldsymbol{A})^{-1}\boldsymbol{Y} \tag{4-21}$$

式中 $(1 - \boldsymbol{A})$——系数矩阵(也称列昂节夫矩阵)；

$(1 - \boldsymbol{A})^{-1}$——系数矩阵的逆矩阵，1 为 n 阶单位矩阵。

完全消耗系数矩阵 $\boldsymbol{B}$ 与系数逆矩阵 $(1 - \boldsymbol{A})^{-1}$ 的区别在于：$\boldsymbol{B}$ 只代表生产单位产品总消耗量，不包括单位最终产品本身，仅表示最终产品与总消耗量的关系。而 $(1 - \boldsymbol{A})^{-1}$ 还包括单位最终产品本身，它仅表示最终产品与总产量之间的关系。

式(4-21)是投入产出的关键数学方程，也是具有实用价值的投入产出数学模型。它比较详细地反映了最终产品(或最终产值)与投入总额之间的数量关系。当最终产品需求发生变动时，利用它可以计算对各个部门投入总额的影响。

(四)水污染与治理的关系

宏观经济水资源系统内的环境污染问题都是特指水环境，有关大气污染、噪音污染、固体污染等，由于与水资源问题关系不密切而略去。

经济要发展，就不可避免的有污水排放，工业规模越大，污水排放量越大。工业废污水不经治理，直接排入河道，不仅造成环境污染问题，而且还导致新鲜水源不能被利用，加剧水资源危机。为了控制这种恶性循环，就要将工业废污水在排入河道之前进行治理。治理的好处是不仅控制了污染问题，还可以为工业和农业提供水源，提高水的重复利用效率，既有环境效益，又有经济效益。当然，这就需要治理投资，而投资的惟一来源是国民经济收入，因此它对于扩大再生产来说是一项限制因素。在进行水资源合理配置及承载能力研究时，必须分析污水治理的投入与效益之间的关系，确定合理的治理水平。

污染物排放量 P 与生产规模 X 成正比，与生产技术条件 T 成反比，即

$$P = F_1(X, PT) \tag{4-22}$$

污水经过集中处理后再排入河道，则污染物的去除量为

$$P' = F_2(I, TT) \tag{4-23}$$

式中 P'——污染物的去除量；

I——投资；

TT——处理技术水平。

排入河道的污染物 ΔP 和污水排放达标量 W 的关系为

$$\Delta P = P - P' \tag{4-24}$$

$$W = F_3(I, TT) \tag{4-25}$$

由式(4-22)~式(4-24)可以看出，在生产技术和处理技术一定的情况下，生产规模和投资是影响 ΔP 的主要因素。要保持高生产规模，就必然需要加大污水治理投资，在产生环境效益的同时，也增加了可再利用水源，但这反过来会影响生产规模。这种环境保护与经济效益之间的权衡，可以按照国家环境保护要求给系统的 ΔP 设置一个上限，也可以通过决策者的偏好调整系统的环境目标，使 ΔP 保持在一定范围内。

(五)农业生产结构的合理调整

农业是第一用水大户。农业生产结构的合理调整,对于提高用水效率,维护良好的生态环境,进而提高水资源合理配置及承载能力,具有决定性作用。农业生产结构包括两个层次:第一层为农、林、牧、副、渔的结构;第二层为种植业内部各种作物的种植结构,包括粮食、油料、蔬菜、瓜果以及棉花等作物的种植比例。一般来说,前一层次的结构调整属于经济行业范畴,由投入产出关系和投资进行约束,这里不再详述。作物的种植结构与自然地理条件,诸如土地、光照和水资源条件有密切关系,在土地条件和光照条件许可的情况下,应合理布置作物布局,提高作物的复种指数,加大节水性作物的种植比例。作物的种植结构调整必须在系统目标的诱导下,在供水条件的约束下,进行优化调整,同时,在现状基础上进行逐步调整。

(六)生态保护

水是维持干旱区生态系统最重要的基本元素。生态系统耗水机制,是生态保护的主要研究对象。生物体耗水特别是植物体耗水,是生物体新陈代谢活动的载体。植物通过根系吸收水分和养分,再通过蒸腾作用和光合作用与外界产生能量与物质(水)的交换,从而维持植物体的新陈代谢过程。

绿洲生态是西北内陆地区人类社会赖以生存与发展的基础,而保护绿洲生态就离不开水。因此,绿洲生态需水,是总需水不可或缺的组成部分之一。天然生态系统,是人工绿洲生态系统与荒漠区之间的过渡带,是人工生态系统的外围屏障。因此,天然生态系统的耗水必须纳入水资源合理配置与承载能力研究的范畴之内。有关生态系统分类,参见表3-8。

由表3-8可知,生态耗水可以分为两部分,第一部分为人工生态需水,包括农、林、牧、渔业的灌溉用水及城市绿化用水等,人工生态用水已经计算在农业灌溉用水项和市政用水项内,故在计算总需水量时,不再计算,以免重复,但在计算绿洲生态面积时,人工生态面积还需包括在内,这部分生态用水需要水利工程直接或间接为其补水;第二部分为天然生态耗水,包括维持河道长度用水、保持湖泊水面面积用水、天然林草用水等,这一部分生态用水与国民经济用水不重复,水利工程也不为其供水,它们主要消耗天然河道、天然湖泊的水以及地下水。

在计算生态耗水时,依据资料的详尽程度,可有两种办法:即直接推求法和间接推求法。在直接推求中,以某一区域某一类型植被的面积乘以其生态耗水定额即可。该法仅适于基础工作较好的地区与植被类型。针对新疆的情况,它主要用于人工绿洲内部生态耗水的计算。由于该法直观且易于理解,故在这儿不再多述。但天然植被的生态需水以及河湖需水,因具体情况不同,加之参数的可获取性以及前段工作积累程度均对其有重要影响,用直接求算比较困难,故可用间接推求法。

间接推求法的计算为:某一植被类型在某一潜水位的面积乘以该潜水位下的潜水蒸发量与植被系数。用公式表示为

$$WST_i = A_i \cdot Wg_i \cdot K \tag{4-26}$$

式中　WST_i——植被类型 i 的生态耗水量;

　　　A_i——植被类型 i 的面积;

Wg_i——植被类型 i 在地下水位某一埋深时的潜水蒸发量;

K——植被系数,其为有植被地段的潜水蒸发量除以无植被地段的潜水蒸发量,常由试验确定。

由于干旱区平原植被生存依赖的水源主要是地下水,故该式很适合于本次计算。

在该式中,除 K 外,Wg_i 亦是一个很重要的变量。中科院新疆地理研究所在阿克苏水平衡站求得的计算关系式为

$$Wg_i = E20(1 - h_i/h_0)^n, \quad n = 2.51 \pm 0.025 \tag{4-27}$$

式中 $E20$——20 m² 蒸发池水面蒸发量;

h_i——地下水位 i 的埋深;

h_0——潜水蒸发极限埋深。

(七)水利工程规划

为了满足社会经济发展对需水要求的增加,需要在有条件的地方修建各种水利工程,包括地表水工程、地下水工程、跨流域调水工程,污水处理工程以及节水工程。修建新的水源工程,增加系统的供水能力,是提高水资源合理配置及承载能力最直接的途径。每种工程所需要的投资和运行费是不一样的,供水能力、供水的质量及供水的保证率也不一样的,即供水的投资与效益之比不一样。一般的,节水工程对于整个系统来说是最经济的,应当大力提倡,虽然它不增加供水量,但无论是对于工业,还是对于农业,都可以提高单方水的承载能力;当地地表水工程的投资和运行费也都不高,供水的水质一般来说也比较好,是理想的供水方式之一,但受地理地质条件的约束,必须有合适的坝址;而修建地下水工程也是比较有效的手段之一,现状地下水就是城市和农村供水水源的主要组成部分,但供水能力较分散,难以形成集中供水,且受可开采量的限制,如果过量开采或者开采深层地下水,就会给生态产生负面影响;跨流域调水工程是解决区域水资源危机的根本途径,但是其工程量比较大,投资和运行费比较高,在某种程度上可以说是不得已之手段;污水处理工程对于增加供水量一般来说都是不经济的,尤其是运行费都比较高,但是其环境效益无以伦比,是控制水污染的根本途径,增加供水量只是它的"副作用",一般来说经处理的污水大部分用于农业灌溉,少部分回用工业,因此还需给以足够重视。在进行水资源合理配置及承载能力研究时,必须对各种水源进行权衡,在需求的诱导下进行水源结构的优化调整。

(八)水平衡约束

工业、农业要发展,动物、植物要生存,人类还要维持日常生活,这都需要水。生活用水涉及到千家万户,工业用水则是国民经济发展的基石,因而它们对供水水质和保证率的要求比较高;农业用水一般都是灌溉用水,对水质和保证率的要求相对较弱。如何处理好供水与需水之间的矛盾,是提高水资源承载能力的关键。处理的原则是,在统一管理供水与需水的基础上,按照供与需的性质进行统一协调分配,做到一水多用,提高水的重复利用率。

水资源合理配置及承载能力的供需平衡分析,和以往的供需平衡有所不同,需要进行二次平衡分析。第一次平衡用供水量和除河道内生态环境用水之外的总需水量进行平衡

分析;第二次平衡用水资源量(或地表水资源量)减去当地地表、地下的可供水量(或当地地表水的可供水量),加上第一次平衡后的余水量之后,再和河道内生态环境用水进行平衡分析。二次平衡分析方法是由西北地区生态环境问题所决定的,与传统的水平衡分析理论原则上没有实质性的区别。

设总供水量为 WS,则

$$WS = WS_s + WS_g + WS_p + WS_d \tag{4-28}$$

式中　WS_s——地表水工程供水量;

WS_g——地下水工程供水量;

WS_d——污水处理回用水。

设总需水量为 WD,则

$$WD = Wd_i + Wd_a + WD_d + WD_e \tag{4-29}$$

式中　Wd_i——工业需水量;

Wd_a——农业需水量;

WD_d——生活需水量;

WD_e——生态需水量。

水平衡方程为

$$WS \geqslant WD \tag{4-30}$$

(九)其他平衡约束

在进行水资源合理配置分析和计算承载能力时,除去水量平衡约束之外,还需考虑草场的载畜能力平衡、工农业产品的产出与需求、调入与调出平衡,甚至还包括劳动力平衡等。

草场的载畜量受控于草场的产草量,产草量除与草场的种类、质量有关之外,还与灌溉因素有直接关系。在西北地区,灌与不灌、灌溉多少,在很大程度上直接决定了草场的产草量,进而决定载畜量。另外,草场的灌溉水量又受供水条件和水资源的优化配置方案的影响,因此草场的载畜量与供水方案有密切关系。牲畜饲养量又与社会消费水平和社会消费结构有关,二者互为因果关系。因此,草场的载畜能力平衡作为水平衡的一个辅助约束条件,将对水资源合理配置分析及承载能力分析产生重要影响。

根据马克思的政治经济学理论,社会生产的目的就是满足社会需求。在西北地区,水是限制工农业生产的主要因素之一,供水量的多少在某种程度上决定了工农业生产的规模、结构和产品的数量,而产品需求则是由生产力水平、国民收入水平及社会消费习惯、传统等诸多因素综合决定的,因此产品的产出与需求之间必然有一平衡关系。此关系不仅能反映供水的满足程度,又能反映社会生产的潜力。

任一地区都有其独特的社会经济条件和自然地理条件。在现代开放型社会中,一个地区不可能也没有必要完全依靠自己的生产能力去生产自己的必需品,可以利用自己的优势条件多生产优势产品,从其他地区换取其他的必需品,以弥补自己的生产不足。但是,产品的调入与调出需保持价值上的平衡,一个地区不可能长期保持净调入,也不可能长期保持净调出。产品的调入调出平衡关系,也是水资源合理配置及承载能力分析的一个辅助平衡关系。

除上述主要约束关系之外,还可以增加政策、市场、传统等方面的约束,如地区政府的粮食政策、当地生活的消费特性、污水处理水不能作为生活用水等。在模型中,这些方面的约束方程都可以通过上下限来实现。

将上述主要约束关系作为模型块或积木块,根据需要建立逻辑关系,组成合理配置和承载能力计算模型的主要框架。

四、系统的数据结构描述

为了使所约束关系的描述尽可能接近实际,模型中的描述当然是愈详尽愈好,但这样会使计算复杂性大为增加。同时,过多的细节会使决策者将注意力过多地放在细节上而忽略了长期发展过程中的各种战略性关系。因此,模型对系统的基本描述采用了层次结构,A级最粗,B级较细,C级最细。对于综合宏观经济发展与水资源开发策略的多目标分析模型DAMOS,采用了集成度高一些的描述(参数与变量都采用A级),而对宏观经济及水资源模拟模型,则进行更细致的描述,以便在多目标优化方案计算出来后,用宏观经济模型模拟详细经济发展进程,用水资源模型模拟逐月的供需平衡状况。这种对优化模型与模拟模型进行不同层次集成度的描述,既可保持解的真实性,又保持了决策过程的有效性。系统时间描述的层次结构,如表4-1所示。

表4-1 时间层次结构

描述层次	时 段	定 义
A	10年或5年	1995年,2000年,2005年,2010年,2015年,2020年,2050年
B	1年	1995年,1996年,1997年,……,2020年
		1956年,1957年,1958年,……,1995年
C	月时段	1月,2月,3月,……,12月

系统空间结构分为两层,上层为宏观经济分区,每个宏观经济分区还可以再分。宏观经济分区的划分主要以行政分区为基础,这主要是为了社会经济资料的完整性,并且系统的结果可以直接作为行政主管部门制定方针政策的基础。下层为水资源利用分区,它的划分主要以河流水系内的水利联系为基础,并辅之行政边界。这样划分的目的,是为了能够进行供水与需水的模拟平衡计算,同时也能汇总到宏观经济分区。具体新疆地区的空间结构,详见表4-2。

表4-2 地域层次结构

宏观经济区		水资源利用分区(C级)
一级(A级)	二级(B级)	
新疆	北疆	额尔齐斯河、额敏河、白杨河、吉木乃、乌仑古、博尔塔拉、精河、奎屯、玛纳斯、呼图壁、乌鲁木齐、天北东、伊犁河干流、喀什河、特克斯河、巩乃斯河
	南疆	开都河、渭干河、迪那孔雀河、喀什噶尔、阿克苏河、塔上、塔中、塔下、叶尔羌河、皮山、和田河、克里雅河、车尔臣河
	东疆	巴伊、吐鲁番、哈密

宏观经济门类的描述共分3个层次,分类的方法既与国家统计年鉴接口,又突出行业用水特点及BOD或COD排放特点。同时,为了决策者方便,门类的划分是按初级产业、加工业、基础设施与服务业的顺序进行的。详见表2-28。

由于农业是用水大户,因此在农业中又进一步可分成种植业与林、牧、副、渔5个二级结构。种植业中又分成8种主要作物,以满足实际工作的需要(表4-3)。

表4-3 农业层次结构

A级	B级	C级
农业	种植业	水稻、小麦、玉米、棉花、甜菜、蔬菜以及油料或其他作物
	林业	果林、其他林
	牧业	牛、马、驴、骡、骆驼、猪、羊
	渔业	渔业

水资源系统的描述分两部分,即水源及用水单位。这两部分均分为三级,A级最粗,C级最细,详见表4-4。

表4-4 水资源层次结构

水资源系统的描述	C级	B级	A级
水源	城市地下水	地下水	地下水
	农村地下水		
	城市当地地表水	当地地表水	地表水
	农村当地地表水		
	城市外调水	外调水	
	工业节水	工业节水	
	污水处理回用为工业	污水处理回用	污水回用
	污水处理回用为农业		
用水单元	农村人口用水	农村用水	农村用水
	灌溉用水		
	林、牧、副、渔用水		
	城市人口用水	城市用水	城市用水
	工业用水	工业用水	
	服务业用水	服务业用水	

水环境的描述分两级,参见表4-5。

表4-5 决策支持系统水环境的描述

描述层次	环境指标
A	生化需氧量
B	化学需氧量、氨氮总量

第三节 水资源合理配置及承载能力分析模型

根据上述对基于宏观经济和生态环境的水资源巨系统的详细分析,水资源合理配置和承载能力计算是一个复杂的决策问题。为了更有效地进行决策求解,需建立多目标分析模型(DAMOS)、宏观经济分析模型(MESAM)、水模拟模型(WASYS)等模型进行联合决策分析,对经济发展规模、经济结构调整方向、生态环境保护原则、水资源开发利用方式以及它们之间的不同组合方式,进行不同层次的优化与模拟分析,最后提出一套适合于新疆独特自然地理条件和社会经济条件的水资源合理配置方案,进而提出中远景承载能力指标,以供政府决策部门作为决策依据。

一、模型

(一)多目标分析模型(DAMOS)

DAMOS 是将社会、经济、环境、水资源等子系统内部及它们之间的约束机制进行高度概括而得到的一个数学模型。它是描述资金与资源在各子系统中的分配关系及其这种关系是怎样决定社会发展模式的,是一个宏观层次上的模型,是解决区域水资源规划和水资源合理配置的核心模型。它通过多目标之间的权衡来确定社会发展模式及其在这种模式下的投资组成(固定资产投资、水投资、环境投资等)和供水组成(节水、污水回用、开发当地水、外流域调水等),确定经济结构、农业种植结构等。

多目标分析模型是一个优化模型,其约束方程包含上一节所述的所有约束关系,目标为国内生产总值 GDP、生物耗氧量 BOD、粮食产量 FOOD 以及绿洲面积。为了缩小模型的规模,数据结构都采用 A 级。

(二)宏观经济模型(MESAM)

MESAM 是描述宏观经济内部运转机制的模型。它主要根据积累与消费关系、投入产出关系、进出口关系和扩大再生产机制来模拟经济系统的运转,确定经济系统内部最优发展模式,如确定经济规模、经济结构等。为了对经济系统有更详尽的描述,获得数据的时间和经济行业结构采用 B 级。

(三)水模拟模型(WASYS)

水模拟模型主要以上节所述的水平衡约束关系作为基本模型框架建立模型,将DAMOS 提供的发展模式,MESAM 提供的经济发展状态作为输入条件,由 WASYS 对各水平年以实测的水文资料系列进行逐月逐地区的实时供水模拟,从而得出在不同来水条件下供水破坏的程度、缺水程度及水平衡分析。需水项和供水项的数据结构都采用 C级,即地区采用水资源利用分区,来水系列采用逐年逐月。

(四)生态环境模拟模型(WEEM)

WEEM 是以上节所述的生态保护与环境保护约束关系作为模型框架建立的模型。它是根据 DAMOS 模型的全局优化结果,着重从绿洲面积指标(如林地、草场、湖泊水面、农田灌溉面积)及水环境指标(BOD、COD 和氨氮总量)上描述新疆的生态环境发展状况,供专家决策时参考。

(五)水资源承载能力平衡关系分析模型

此模型是上述几个模型的概括和总结。它在继承传统的供需平衡分析原理的基础上,重点突出水资源的供与需、草场的载畜与养畜、工农业产品的产与需和调入与调出等之间的平衡关系,而简单处理宏观经济水资源系统内的其他约束关系,如积累与消费关系、投入产出关系、水的污染与治理关系、农业种植结构问题、生态保护问题等。另外，在考虑生态用水的原则下，提出了水资源的二次平衡概念。

一般来说，在计算时间跨度比较长的承载能力时，由于科技进步因素的影响，无法准确预测衡量水的开发措施和利用水平的指标，这时宜使用简单直观的方法，略去宏观经济水资源系统的繁枝细节，在更高层次上进行概化估算。

二、模型间的逻辑关系

上述模型的组合不是简单的连接，而是在一定的逻辑关系下连接起来的。根据系统分析理论，区域社会发展不能只用经济衡量，而应该用人类生存空间的改善程度，包括社会条件和物质条件两方面来衡量。社会条件包括社会福利、社会保障、个人收入等方面，这由社会消费水平所决定；物质条件包括经济、环境、生态等要素，这由社会积累水平所决定。社会消费和社会积累由社会总产品所控制，而社会总产品对一个地区来说是有限的，因此提高消费水平一方面会造成短时性的社会生活水平提高，但同时会导致积累水平的降低，从而限制社会生活水平的持续发展；反之提高积累水平可以提高社会生产水平，增加物质财富，但同时又会降低消费水平，打击劳动积极性，对社会发展产生负作用。因此，决定社会发展的一个首要因素就是积累与消费的平衡关系，其实质就是投资规模。决定社会发展的另一个主要因素是资源，资源是社会发展的物质基础，它包括人口、土地、矿产、生物、水、能源等。其中，水资源对于西北地区来说尤为重要，这种重要性表现在：①水资源不仅是工业、农业生产的物质基础，也是人民生活必不可少的主要要素之一；②水资源是循环再生的，循环周期少则1年，多则上百年，且是有条件的，一旦条件遭到破坏，则难以挽回；③水资源是维持环境与生态平衡的一个重要因素；④水不仅有量的一面，也有质的一面，一部分水的水质遭到污染会造成大量的水不能被利用，给治理造成非常大的负担，产生几十年甚至上百年的影响。

总之，区域社会发展是由资金与资源（水资源）来决定的，而水资源承载能力研究必须从资金与资源的分配入手。首先，由 MESAM 根据现状基础资料和专家的知识与经验，利用经济发展规律确定一个地区经济发展的极端上限和下限，为 DAMOS 提供经济积累的优化空间。其次，由 DAMOS 根据决策者的知识和偏好，利用系统的约束机制在上述优化空间中确定最合理、最理想的社会发展模式和在这种规模下的经济积累规模后，将积累规模返回给 MESAM，再由 MESAM 详细地规划经济系统运转过程和经济发展规模，将 DAMOS 输出的供水结构和大型水利工程的运行时间输送给 WASYS，由 WASYS 模拟在这种经济规模下和在这种供水条件下的供水保证程度和供水破坏程度。最后，将 DAMOS 输出的环境投资传送给 WEEM，由 WEEM 规划在有限的投资下处理污水的最有效方式。

三、合理配置及承载能力的求解方法

(一)决策模式

根据基于宏观经济和生态环境的水资源巨系统的系统分析，水资源合理配置和承载能力研究，是一个半结构化的、多层次、多决策者、多目标的决策问题。综合处理这样复杂的决策问题的理论方法目前还不多见，比较有效而且现实可行的处理方法是"八五"期间的国家攻关项目"华北地区宏观经济水资源规划与管理研究"所提出的 IHGMOA 决策模式。

众所周知，任何一门科学都是把复杂的问题逐级化简，然后用处理简单问题的方法复合起来就可以形成解决复杂问题的有效方法。水资源合理配置及承载能力的决策方法研究，也应该是从化简决策问题入手。首先，半结构化问题中一般包含有结构化问题和半结构化问题。半结构化问题是无法用数学方法来描述和处理的，只能由决策者根据自己所掌握的科学知识和经验、偏好来处理；结构化问题又可以分为单层次问题和多层次问题。多层次问题可以分解为单层次问题，用单层次问题的处理技术来处理；单层次决策问题包含有单决策者问题和多决策者问题，对于多决策者问题，将决策者的意见进行合理的综合归纳，并达成统一，这样就把多决策者问题归结为单决策者问题。单决策者问题分为多目标决策问题和单目标决策问题，多目标问题的求解方法虽然比较多，但大部分都是将多目标综合为单目标；单目标决策问题的决策方法一般用优化加模拟的技术方法来处理，而这方面的理论方法都已经成熟。这样，就把一个复杂的决策问题逐步化简为简单的决策问题，可以使用现有的理论方法。

以上分析，如果从反面入手也可以得出一致的结论：最简单的决策问题是单决策者单目标优化问题。当决策涉及到不确定性及风险时，还要辅之以模拟技术，形成单目标分析技术。当衡量决策优劣的目标不止 1 个时，就要采用多目标分析技术。多目标问题的求解，通常是引入某种量度函数将多目标问题转化为单目标问题求解。当决策过程涉及不止 1 个决策者时，就形成了群决策模式下的多目标问题。若各个决策者所代表的利益集团处于不同层次时，又形成了多层次、多目标的群决策问题。若决策过程中有很多半结构化问题，单纯用数学模型难于描述时，就形成了最一般的半结构化的多层次、多决策者模式下的多目标决策问题。

(二)决策方法

有了上述区域水资源合理配置的决策模式，便可以进行决策方法的设计；有了下述决策方法，便可以建立以计算机为工具的交互式的多层次、多决策者的、Tchebycheff 多目标决策支持系统，从而解决水资源合理配置和承载能力研究问题。

1.多目标优化问题转化为单目标优化问题求解

将多目标优化问题转化为单目标优化问题求解，应用 Tchebycheff 算法。该算法的核心是引入某个总体方案的各个目标与理想点的各目标值之间在目标空间的某种量度——切比雪夫距离(Tchebycheff Norm)。切比雪夫距离是理想点各目标值与某个方案点各目标值之差中的最大距离，理想点是矢量，方案点也是矢量，因而两点之间距离还是矢量。但距离矢量中的最大一维元素是标量。因此，在引入切比雪夫距离后，多目标问题的表达在形式上就成为单目标问题了。

切比雪夫距离的另一个好处，是该函数是线性的初等函数，可以自然地适应线性规划的模型格式，因而适用求解大规模问题。引入切比雪夫距离的最大好处，还在于可自然地区分多目标意义下的劣解与非劣解。可以证明，在切比雪夫距离最小的意义下得到的优化解，都是理论上有保证的非劣解。

由于切比雪夫距离仅是理想点与方案点之间距离矢量各维元素中的最大值,易带来计算过程的病态结构,因而又引入了广义切比雪夫距离。广义切比雪夫距离是在切比雪夫距离基础上又加上平均距离的"光滑"项而得到的。光滑项比主项至少小两个数量级,仅在出现病态数值结构时起作用。出于同样考虑,又在理想点基础上再增加各维一个正的小量,形成"超理想点",而广义切比雪夫距离是超理想点与方案点之差。

事实上,在引入广义切比雪夫距离后相应的多目标优化方案只有 1 个,即具有最小广义切比雪夫距离的那个方案。为了生成不同的方案供决策者挑选,又引入了各维目标距离权重 λ,各维权重之和为 1。改变一组权重,在给定权重下可得到一个最优方案。通过系统地生成权重 λ 及反复筛选,可保证提供给决策者的方案是均匀分布在目标空间的、非劣的,具有最大相互差异性的方案,并且还可保证每一轮生成的方案是逐步收敛的。

当在广义切比雪夫距离中引入权重后,即成为广义加权的切比雪夫距离。多目标问题转化为单目标优化问题,便是通过广义加权切比雪夫距离进行的。

2. 多决策者决策转化为单决策者决策

利用广义加权 Tchebycheff 距离,可以将多目标优化问题转换为单目标优化问题,是一种单决策者模式。在双决策者情形下,若甲决策者在第一轮对话时坚持选方案 2,而乙决策者坚持选方案 5,则没有一个共同接受的方案,从而 DSS 也不能生成下一轮的 6 个方案。为了保证决策过程进行下去,管理系统引入了利益理想点(不满意度)的概念,以协调各个决策者的利益冲突。在 N 个决策者、M 个总体方案(每次生成 6 个方案)、L 个目标(考虑三个目标)的情形下,每个决策者通过综合判定每个方案的指标,会从 M 个方案中选出自己最偏爱的方案,作为该决策者的理想方案。因为在群决策模式下各决策者间的利益冲突使该决策者不一定能得到其理想方案。对应于理想方案的目标值,即是该决策者局部的利益理想点。

显然,其余各个方案的目标值与该决策者利益理想点的某种距离,即是该决策者对其余各个方案的不满意度。大多数情形下,被选中方案的目标值总是优于未被选中方案的相应目标值,因此总可计算出正值的不满意度。若某个未被选中的方案的若干目标值优于被选中方案的相应目标值,根据心理学上的分析,认为超出的部分并不增加该决策者的满意度,故这时将超过部分处理为零。

在每个决策者对全部总体方案经评判得到不满意度后,对每个总体方案而言,再综合各个决策者的不满意度,得到每个总体方案的综合不满意度。显然,具有最小综合不满意度的方案,应是各决策者能够共同接受的方案。由于经过协调达成了协议,因而多决策者问题就转化成单决策者问题。

关于各决策者的权重,可根据各地区 GDP 占总 GDP 的百分比或投资百分比确定。这一群决策模式的主要优点是,决策者所要做的选择非常简单,他只是根据自己的经验及偏好选择 1 个方案即可,其余处理均由计算机完成。然而,提供给决策者的信息量却极大,不仅有目标空间信息,还有决策空间的信息,而且还有模拟后的风险信息。由于所有这些信息均是客观的,完全是基于规划实际计算出来的,因此消除了主观因素带来的误差。

3.多层次转化为单层次

以上讨论的群决策问题,仅限于同一层次的决策者之间,而不同层次的决策者之间不能用简单的利益关系,而是要通过上层决策者的政策导向,使下层决策者达成一致。在上层决策者看来,尽管所推荐的6个方案经过下层决策者的讨价还价已经都有了综合不满意度,但这些方案的不满意度次序与距上级政策偏离度的次序并不一定一致,还有必要进行上下层决策者之间的对话。上、下层决策者之间对话,是在下层决策者之间的对话结束、各方案的不满意度已经计算出来之后。所谓政策偏离度,即政策点与各个方案在一系列对应指标上的某种广义距离。例如,上层决策者通过综合平衡,认为人均 GDP 每年6 000 元,人均 BOD 排放量每年 40kg,人均粮食产量每年 450kg,那么体现有关各项政策的政策点即为 6 000 元、40kg、450kg。有了理想点与方案点,两点之间的某种广义距离便可立即计算出来。通过政策偏离度的计算,每个总体方案既有政策偏离度的值,又有不满意度的值。上层决策者通过计算各个方案的政策偏离度,来评价及选择方案;下层决策者通过各个方案的不满意度来共同选择方案。二者的结合,则是通过方案的综合优先度完成的。

为了计算方案的综合优先度,要先确定上下层决策者的层权重。层权重可以按中央与地方在投资并开发水资源的出资比例确定,也可再考虑其他因素以适当提高上层决策者的权重。一旦层权重确定后,方案的综合优先度立即可通过上层的政策偏离度与下层的方案不满意度加权得到。显然,在不同的宏观政策导向下,会有不同的各个方案的政策偏离度序列,因而也会影响到方案的综合优先度。通过这种方法,可以研究政策变化对水资源开发规划方案的影响。

在方案综合优先度计算出来之后,事实上多层决策模式已经归结为单层决策模式。具有综合优先度最小值的那个方案,显然是上下层决策者共同推荐的方案。因为,从上层决策者的角度看,其偏离既定政策的程度小;从下层决策者角度看,其总不满意度也较小。这时可推荐这一方案,进行多目标分析过程。

4.单目标分析技术

单目标分析技术是区域水资源优化配置的基础,它包括优化和模拟两种技术。优化技术是使用数学规划理论建立规划模型,用约束条件和目标函数来描述;模拟技术则是用系统的物理机制建立数学模型,来处理系统的不确定性问题。这两种技术手段结合起来,方可作为多目标决策的基础。

(三)决策模式的收敛特性

交互式多层次多目标群决策过程(IHGMOA)所提供给决策者的方案,是以各经济区的划分为基本结构的,总体方案是各经济区独立子方案的综合集成。总体方案是由上层决策者(中央)和下层决策者(各个经济区)共同对话确定的。总体方案中对应某一经济区的子方案,是由代表该经济区的下层决策者评判的。由于下层决策者只关心本地区的局部利益,因此其对总体方案的评判,实际上只基于总体方案中对应本地区的相应指标。

在决策过程的开始,IHGMOA 方法可以自动地生成 M 个总体方案供决策者们挑选(上层与下层决策者)。该方法可从理论上保证这 M 个总体方案都是客观的(即事先没有掺杂任何决策者的偏好)。这些方案同时具有下列特征:

（1）全部 M 个方案在多目标优化意义下都是非劣的；

（2）它们基本上"均匀地"分布在非劣解空间里；

（3）M 个方案相互间具有最大的"差异性"。

这 M 个方案实际上代表了可行的、各具特色的、反映不同侧重点的实际规划方向。经过决策者之间的对话，选中某个规划方向（即某个总体方案），则 IHGMOA 可在选中方案（决策空间中的一个点）的某个半径内（半径大小影响收敛速度，可事先设定）再生成第二轮 M 个总体方案供决策者们挑选。这 M 个方案仍然是客观的、多目标意义下非劣的、均匀分布而又具有最大相互差异性的 M 个子规划方案。

第二轮 M 个方案由于都是在上一轮选中方案"周围"形成的，因此其主要特点与上轮选中方案相同，但细节又不相同。按这种方式，对话过程可一轮一轮进行下去，直到找到一个共同接受的方案为止。

若对话中途决策者们不满意该方案，即不愿意继续沿该规划方向走下去，则可停止并重新开始另一新的决策过程。由于总体方案的生成是借助于随机方法的，故可保证各个生成方案的非相似性。

这一决策过程可看做是不同决策者之间"求大同、存小异"的协商对话过程。首先就大方向和方针政策达成一致，再逐步就细节达成协议。此种方式与实际决策过程极为相近，故易于被决策者接受。IHGMOA 决策过程的另一优点是各个总体方案的生成完全取决于实际规划数据，不受决策者偏好的束缚。在方案生成后供决策者挑选时，决策者可以将很多数学模型不易描述的半结构化问题及主观偏好在挑选过程中加进去。因此，上述对话过程是一个计算机辅助决策，决策者诱导方向的交互式决策过程。

四、合理配置及承载能力的求解步骤

为了使用上述模型进行水资源承载能力研究工作，必须设计其决策流程。

首先，将数据库中的经济统计资料传送给宏观经济模型，制定出无水约束条件下的经济积累规模的优化空间、经济发展规模中方案、投入产出关系等经济信息，利用经济发展规模及工农业基础信息资料进行工农业需水预测，用人口模型（或其他生活需水预测方法）预测生活需水量。

其次，将这些需水信息和基础水文信息、水利工程经济信息送给水模拟模型和水环境模型，由水模拟模型进行长系列供水模拟分析，由水环境模型根据环境统计资料进行环境模拟分析。

再其次，综合上述各模型有关的输出信息，如水模拟模型的可供水量、水环境模型的城市污水排放信息以及工农业用水指标信息、水利工程可供水量及投资信息等，将它们传送给多目标分析模型，由 Tchebycheff 多目标决策方法诱导多目标模型在宏观层次上进行目标权衡、投资平衡、供需水平衡分析，确定 M 套某种社会发展模式下的合理的投资使用方式和水资源优化配置方案，将各套投资和水资源的分配方案反馈给宏观经济模型、水模拟模型、水环境模型，进行模拟反馈迭代。

最后，综合各模型的输出信息，在决策支持系统的辅助决策下，决策者根据各自的偏好，对 6 套方案进行决策分析，用群决策处理方法对决策者的决策进行处理，使他们的决策达到一致。同时，检验 Tchebycheff 的收敛条件是否满足，如果满足则输出决策结果，决策过程结束；否则，根据决策者偏好的调整，将本次决策的结果作为起点，进行新的一轮决策过程，直到决策满意为止。

第五章 新疆水资源合理配置方案研究

第一节 总体思路

一、水资源合理配置与供需平衡的关系

新疆水资源合理配置,是建立在新疆社会经济以及生态环境可持续发展的前提之下,根据新疆各地区社会经济发展现状、特色及潜力、资源和环境状况,通过工程和非工程措施,合理调配水资源,使得新疆十分有限的可利用水资源在国民经济发展中充分发挥作用的方案。在本次国家"九五"攻关项目中,各有关研究专题和子专题在新疆的人口、社会、宏观经济、资源和环境等方面作了大量的深入研究,为研究和制定新疆社会经济以及生态环境的可持续发展战略打下了坚实的基础。在其研究过程中以及所提出的新疆可持续发展战略,都离不开水资源合理开发利用策略和具体开发利用措施的支持,即水资源合理配置方案的支持。研究新疆水资源合理配置,离不开从供和需两方面进行动态研究,即水资源供需平衡分析研究。这里的供需平衡,主要指运用现代系统分析原理建立的水资源供需平衡方法、模型和结果。采用现代水资源供需平衡方法,对于具有多水平年、多地区、多种水源、多种水利工程及多种用水对象特性的动态水资源系统中的各种复杂关系,都能够进行比较客观的反映和比较充分的利用,从而提高水资源开发利用的效率。所以,水资源合理配置是供需平衡分析的目的,水资源供需平衡分析是实现合理配置的必要手段。

二、水资源供需平衡的目的

本次攻关项目的主要目的是从全疆的角度出发,比较宏观地研究整个新疆水资源系统的水资源的时空分布情况,及其与社会经济和生态环境发展的矛盾与协调关系,为正确进行全疆水资源合理配置提供保障,并为正确作出全疆水资源承载能力的评价打下基础。所以,本次供需平衡分析不是十分细致地就各个流域的每一细小支流、每一工程、每一小片用水单元逐一加以描述和分析,而是对全疆各大流域、各大片的水资源供需平衡情况及其相互关系进行研究,重点研究控制性工程和长距离引水工程对不同地区的影响,重点分析大型规划水利工程对各单元水资源紧缺程度的影响。

第二节 水资源供需平衡的基本任务和要求

一、基本任务

水资源模拟模型,是研究和解决水资源问题的一个重要模型。它的主要任务是进行

水资源系统的供需平衡计算。该模型的作用主要有以下几项内容：①客观地描述和反映所研究的水资源系统；②合理地进行长系列水资源供需平衡调度模拟操作；③从时间的角度和空间的角度，给出水资源系统供需平衡的总体结果和详细结果；④如果是与其他模型联合运行，本模型还要与其他有关子模型进行较充分的信息交换与反馈，共同解决某些更高层次的问题。

上述第一点是对水资源模拟模型的最基本的要求，也是最重要的，即首先需要从时间和空间的角度对水系统作出正确的划分。在时间方面，要结合新疆社会经济发展需要，将整个规划研究时期划分为若干个水平年，对每一水平年又要划分若干计算时段；在空间方面，先要按行政区进行划分，还要按流域特性和用水特点进一步划分更细的供水区，即计算单元。计算单元的划分要基本保证在同一计算单元内水资源的供需特性（包括用户、水源、水量、水质、水量损失、地表及地下水库的特征参数及供水范围等）比较均匀。合理地进行长系列水资源供需平衡调度模拟操作，给出水资源系统供需平衡结果，是模拟模型的主要计算工作量。

根据本次攻关的目的和要求，新疆水资源供需平衡分析的基本任务是：

（1）分析研究新疆水资源的动态需缺变化情况。在各水资源配置方案下，依据不同时期的城市、农村及生态环境的需水要求，按照预测可能达到的节水水平，水利供水工程（包括水库、塘、闸、渠道、扬水站及抽水井等）的供水能力，污水处理及回用能力，系统地进行地表水和地下水的联合调度和分配，并进行各种需水的供需平衡。在综合分析和总结各方案的余缺结果的基础上，得出全疆水资源的供水量和缺水量，并分析其变化趋势。

（2）弄清全疆各水资源配置方案的供需平衡情况。

（3）研究各水资源配置方案下开源节流、污水处理及回用等措施的最佳组合。

（4）系统地分析引水工程对不同地区的水资源状况、结构、布局的影响，并选择和提出各设计水平年的实施方案。

（5）系统地分析拟建重点水利工程对当地水资源状况、结构、布局的影响和不同水平年的实施方案和工程排序。

二、总体要求

水资源供需平衡模拟分析的总体要求是：

（1）正确地描述水资源系统。要用数学语言从时间、空间、水源类型、用水类型4大方面，对实际水资源系统进行正确的描述，抽象成数学模型。该模型既不能遗漏水资源系统的各种重要因素和约束条件，扭曲各种重要因素间的演变、转化及运动规律和关系，也不可样样俱全，以致无法求解。

（2）分析方法的系统性和完整性。既不能仅仅局限于一个工程一个工程地分析、一个地区一个地区地分析，也不能静止地局限于对某一时段、某一孤立典型年或固定水平年的分析，而是从整个水资源系统的观点出发，以系统分析理论为指导，采用运筹学方法及现代计算手段进行分析。要突出各个工程和措施之间、各种水源之间、各种用水及地区之间的相互影响和相互作用；更要展现时段与时段之间、水文年与水文年之间的动态联系。

（3）分析结果的定量性。要能定量地给出水资源供需平衡模拟分析的结果。

三、供需平衡的基本原则

(一)单元划分原则

计算单元划分的原则主要有两点:一是服从水资源合理配置的目的和需要;二是依据新疆水资源系统的实际特点。

本次供需平衡的主要目的是从全疆的角度出发,比较宏观地研究整个新疆水资源系统的水资源时空分布情况及其与全疆社会经济和环境的发展的矛盾与协调关系,为正确作出全疆水资源承载能力的评价打下基础。因此,我们根据新疆河流众多,但分布较散的特点,将水资源供需两方面都相对集中的一个流域或区域划分成一个计算单元。对于既无水资源,又荒无人烟、没有水资源需求的地区,忽略不计。这样划分的计算单元,一部分与水资源三级分区相同,一部分单元与水资源四级分区相同。全疆共分 33 个计算单元,它们与全疆 87 个县(市)的关系,见表 5-1。

表 5-1　　　　　　　　　新疆水资源合理配置计算单元

地区(市)名称	县(县级市)名称	单元编码/名称	地区(市)名称	县(县级市)名称	单元编码/名称
伊犁地区	昭苏县 特克斯县 巩留县 新源县*	00102010 特克斯河	巴州	若羌县 且末县	00301010 车尔臣河
	新源县*	巩乃斯河	和田地区	策勒县 于田县 民丰县	00301020 克里雅河
	尼勒克县	喀什河		皮山县	皮山河
	霍城县 察布察尔县 伊宁市 伊宁县	00102040 伊犁河干流		轮台县*	迪那河
			巴州	和静县 和硕县 焉耆县 博湖县	开都河
塔城地区	塔城市 裕民县 额敏县 托里县	00107010 额敏河		库尔勒市	孔雀河
阿勒泰地区 [1/2]	富蕴县 阿勒泰市 哈巴河县 布尔津县	00101010 额尔齐斯河	阿克苏地区 [1]	拜城县 库车县 沙雅县 新和县	00302040 渭干河
	吉木乃县	吉木乃小河区		温宿县 乌什县 阿克苏市 阿瓦提县 柯坪县	00302050 阿克苏河
	青河县 福海县	00101030 乌伦古河	克州	阿合奇县	

续表 5-1

地区(市)名称	县(县级市)名称	单元编码/名称	地区(市)名称	县(县级市)名称	单元编码/名称
博尔塔拉蒙古自治州	温泉县 博乐市	博尔塔拉河	和田地区[1]	和田市 和田县 墨玉县 洛普县	和田河 00302060
	精河县	精河	阿克苏地区	沙雅县*	塔里木河干流 上游区
克拉玛依市	克拉玛依市	白杨河			
塔城地区	和布克县		巴州	轮台县*	00302080 中游区
伊犁州	奎屯市	奎屯河		尉犁县	下游区
塔城地区	乌苏县		喀什地区	莎车县 泽普县 叶城县 麦盖提县 巴楚县 塔什库尔干县	00302120 叶尔羌河
克拉玛依市		玛纳斯河			
塔城地区	沙湾县				
昌吉州	玛纳斯县				
石河子市	石河子市			喀什市 疏附县 疏勒县 岳普湖县 伽师县 英吉沙县	喀什噶尔河
昌吉州	呼图壁县	呼图壁河			
	昌吉市 阜康市 米泉市	乌鲁木齐河			
乌鲁木齐市	乌鲁木齐市 乌鲁木齐县		克州	阿图什市 阿克陶县 乌恰县	
昌吉州[2/3]	吉木萨尔县 奇台县 木垒县	天山北麓东段诸小河			
哈密地区	巴里坤县 伊吾县	巴—伊盆地诸小河			
	哈密市	哈密市诸小河			
吐鲁番地区	吐鲁番市 托克逊县鄯善县	00202010 吐鲁番诸小河			

注: * 表示分区的一部分属于此单元。

(二)供水分类原则

按城市供水、农村供水、生态环境供水进行划分。城市供水包括城市工业供水、城市生活供水及城市生态环境供水。城市生态环境供水量不大,而且与城市其他供水混合在一起供给。农村供水包括农业供水、农村人畜生活用水及田间生态或灌溉草场等生态供水。农村生态环境供水与农村其他供水也是混合在一起供给的,也计入农村供水。在模型中,生态环境供水包括独立于城市供水和农村供水之外的,且可以人为控制的生态环境用水。在新疆还有相当大的面积和相当大的数量是天然供给的,人类无法控制,故这部分水在模型中不考虑。

(三)供水排序原则

依据供水的重要性和单位供水量的效益大小拟定的供水原则是:首先是保证率程度高的城市供水,其次是农村供水、生态环境供水等。农村供水中的农村人畜生活用水等同于城市供水考虑。

(四)社会经济需水与生态环境需水兼顾的原则

增加社会经济需水是在考虑生态环境需水的基础上进行的。

第三节 新疆水资源系统的特点及构成

一、新疆水资源系统的特点

从水供需平衡的角度看,新疆水资源系统有以下 6 大特色:

(1)系统巨大。包括两个方面,一是系统规模十分广大,全疆面积约 166 万 km²,模型包括的 33 个单元的总面积也多达 107 万 km²;二是各种水资源量、供水量和需水量也非常大。

(2)结构分散。不仅南、北、东疆的水资源几乎没有天然联系,而且各大片内乃至各计算单元内也是分散的河流。绝大多数河流都是内陆河。有一部分河流末端是内陆湖泊,更多的河流是下游断流干枯。

(3)融雪径流比重大。多数流域和计算单元,非汛期的径流量主要是从高山上下来的融雪径流。即使在汛期,融雪径流也占相当比重。平原用水区的当地降水量往往不及蒸发量。这就使得新疆的年径流量变化非常小。

(4)农村用水比重很大。新疆耕地面积非常大,工业不十分发达,人口比较稀少,因此现状用水中农业用水量很大,占 96 %。今后相当一段时间内,农业用水仍将占绝大部分。

(5)生态环境问题突出。新疆沙漠和荒漠面积很大,年蒸发量是年降水量的几倍。有水才有绿洲,才有生命,有人类和社会。水源和绿洲一旦遭到破坏,就很难恢复,也就必然要危及到社会经济的发展和人类的生存条件。

(6)跨界河流。新疆既有入境水量,也有出境水量。跨界河流水资源开发利用的影响因素更为复杂,要在公平合理、睦邻友好和可持续发展的前提下合理配置水资源。

二、新疆水资源系统的构成

(一)新疆水资源系统概况

新疆的自然地理条件及社会经济状况前已述及,在此不再赘述。下面仅就水资源供需平衡模型所考虑的新疆水资源系统概况作扼要介绍。

概化后的新疆水资源系统包括 33 个计算单元,其总面积为 107 万 km²,占全疆国土面积的 65 %;总人口、总 GDP 值和总供水量等于全疆的总值;各种水利工程项目数也等于全疆的总值;多年平均总径流量为 844.54 亿 m³,占全疆多年平均总径流量 882.3 亿 m³ 的 95.7 %。1995 年已有水库 477 座,总调节库容 65 亿 m³。33 个计算单元的总体情况,见表 5-2。从这些数据看,这 33 个计算单元所构成的水资源系统基本上能够代表全疆的情况。

表 5-2 　　　　　　　　　　　　　**新疆水资源系统总体情况**

项目	单位	数量
国土面积	$10^4 km^2$	107
人口	10^4 人	(1995 年)1 637
河川径流量	$10^8 m^3$	844.54
地下水	$10^8 m^3$	252(天然补给量为 63 亿 m^3)
现有水库总调节能力	$10^8 m^3$	(1995 年)65,其中:模型中分别考虑的 30 亿 m^3, 按单元总体考虑的 35 亿 m^3
规划水库总调节能力	$10^8 m^3$	253
总供水量	$10^8 m^3$	(1995 年)448.2 其中:地方 351.6 亿 m^3;兵团 96.6 亿 m^3

1. 河流及水库工程

全疆有大小河流 570 余条。其中比较大的河流主要有:额尔齐斯河、乌伦古河、额敏河、特克斯河、喀什河、巩乃斯河、伊犁河干流、喀什噶尔河、叶尔羌河、和田河、阿克苏河、渭干河、库车河、塔里木河、博尔塔拉河、精河、奎屯河、乌鲁木齐河、开孔河、克里雅河等 20 多条河。

蓄水工程主要考虑水库工程。凡是 1995 年能够正常供水的水库,都归类于已有水库;尚未正常供水的水库(包括在建水库),都归类于规划水库。工程特征参数主要以本次攻关项目《新疆水资源利用现状评价》、UNDP 项目《新疆北部水资源开发总体规划》(1995 年 9 月)以及以往所做的额尔齐斯河、伊犁河、喀什噶尔河、叶尔羌河、和田河、阿克苏河、塔里木河、博尔塔拉河、精河、克里雅河等河流的前期工作为依据,并参考了有关重点工程的规划设计报告。有一定基础资料的水库有 130 多座,本次供需平衡都作了定量考虑。我们根据水库的大小、调节能力、在流域或跨流域引水中的位置、上下游关系,以及它们在水资源系统中的重要性等特点,通过综合分析,对部分水库进行了概化。经概化后,需逐个进行水量平衡和优化分配的水库为 59 座,其中已有水库 20 座,规划水库 39 座。它们基本上都分布在前述主要河流上。这 59 座水库的总库容为 283 亿 m^3,其中已有水库为 30 亿 m^3、规划水库为 253 亿 m^3。对于这些水库,每一个都要逐年逐月建立水量平衡方程。

除了我们能够收集到资料的 130 多座水库外,还有大量无资料的中小型水库。据1995 年的水利统计资料分析,这些水库约 340 多座,其总调节库容约 35 亿 m^3。

根据新疆 1995 年的《水利统计资料汇编》,把截至到 1995 年底的大、中、小型水库的总库容,划分为 33 个计算单元。同时,把各单元已有总调节库容与系统图中该单元内已建水库的调节库容的总和之差,作为该单元的河网调蓄能力。这样确保了各单元模型中的总调节能力与实际调节能力相等。各计算单元的现有调节能力,见表 5-3。

表 5-3　　　　　　　　　　新疆各单元的现有水库调蓄库容　　　　　　　　(10^4m^3)

计算单元	地方库容	兵团库容	单元总库容	模型现有水库	河网调蓄能力
额尔齐斯河	35 902	6 251	42 153	0	42 153
吉木乃	4 841	0	4 841	0	4 841
额敏河	6 050	2 198	8 248	3 300	4 948
白杨河	12 766	4 397	17 163	11 011	6 152
乌伦古河	25 780	6 251	32 031	10 455	21 576
博尔塔拉	3 078	795	3 873	3 873	0
精河	0	2 650	2 650	0	2 650
奎屯河	1 130	23 850	24 980	20 585	4 395
玛纳斯河	5 520	40 056	45 576	45 319	257
呼图壁河	4 797	10 014	14 811	3 000	11 811
乌鲁木齐	16 774	16 623	33 397	17 069	16 328
天北东	6 174	4 803	10 977	1 250	9 727
巴里坤	2 714	0	2 714	0	2 714
伊犁河干流	1 780	4 792	6 572	0	6 572
喀什河	0	0	0	0	0
开都河	1 600	5 068	6 668	5 000	1 668
吐鲁番	6 835	0	6 835	700	6 135
哈密	5 511	300	5 811	3 000	2 811
特克斯河	0	0	0	0	0
巩乃斯河	0	0	0	0	0
渭干河	81 010	0	81 010	62 000	19 010
迪那河	2 070	0	2 070	0	2 070
孔雀河	1 100	1 690	2 790	0	2 790
阿克苏河	4 800	39 015	43 815	31 567	12 248
塔上	2 340	0	2 340	0	2 340
塔中	230	3 379	3 609	2 275	1 334
塔下	6 243	23 653	29 896	27 200	2 696
喀什噶尔	42 812	7 826	50 638	14 610	36 028
叶尔羌河	53 770	69 148	122 918	38 150	84 768
皮山	4 250	7 826	12 076	1 200	10 876
和田河	23 514	350	23 864	0	23 864
克里雅河	5 522	0	5 522	0	5 522
车尔臣河	40	0	40	0	40
各单元之和	368 953	280 935	649 888	301 564	348 324

2. 河渠道供水有效系数

在需水预测模型中,由于已经考虑了各地区的综合渠系利用系数,因此,在供需平衡模型中,凡是向单元内供水的渠道的供水有效系数一律取1。对长距离引水或向外单元供水的河渠道,以及退水、弃水河渠道还需考虑有效系数。不同的渠河道因长度不同、防渗衬砌不同、过水量不同以及不同地方蒸发损失不同,其有效利用系数有较大差别。考虑原则是:①输水距离长的,有效利用系数降低;输水距离短的,有效利用系数较高。②山区河道水量较大,且蒸发损失较小,有效利用系数较高。③平原河渠道距离较长的,有效利用系数降低。③引水隧道衬砌防渗性能好,且隧道蒸发损失小,有效利用系数提高。

3. 水资源量

在供需平衡中同时考虑了地表和地下水可利用量、灌溉回归水及污水处理回用。各计算单元的地表水资源量采用1956~1995年40年河川年径流量系列计算。各计算单元的地下水资源量依据各县的地下水资源量计算而得,其中要扣除与地表水重复的部分,并且不包括深层地下水。地下水分布,见表5-4。

新疆的现状供水结构,见有关章节。

表5-4 单元地下水可开采量 ($10^6 m^3$)

单元名	可开采量	单元名	可开采量
阿克苏河	2 764.31	克里雅河	1 542.05
巴里坤	501.00	孔雀河	265.96
白杨河	188.00	奎屯河	288.00
博尔塔拉河	375.00	玛纳斯河	962.26
车尔臣河	797.11	皮山	309.81
迪那河	216.61	塔上	0.00
额尔齐斯河	986.00	塔下	0.00
额敏河	683.12	塔中	0.00
巩乃斯河	218.00	特克斯河	1 074.00
哈密	369.00	天北东	1 008.00
和田河	1 108.31	吐鲁番	837.00
呼图壁	220.00	渭干河	1 667.75
吉木乃	25.00	乌鲁木齐	783.00
精河	415.00	乌伦古河	384.00
喀什噶尔	2 114.59	叶尔羌河	2 560.25
喀什河	165.00	伊犁河干流	1 299.00
开都河	1 098.33		

4. 重点生态保护对象的生态需水量及其考虑情况

本次模型分析计算重点考虑的生态保护对象主要有:乌伦古湖、博斯腾湖、艾比湖和塔里木河干流。

对于上述3个重要湖泊,主要是根据规划要求维持的湖泊水面面积,考虑湖泊水面蒸发、湖周相应植物的蒸散发水量以及天然降水等因素,分析各湖泊所需要的多年平均补水量。在整个水资源系统的供需平衡中,将各湖生态耗水需要补充的水量作为定量约束条件,要求各年每一湖泊上游的河道和渠道的净入湖水量之和不小于该值,但是对一年中各个时段入湖水量的多少不作具体规定,从而对上游各个计算单元的社会经济用水只产生总量约束,用水过程依然可以根据社会经济需水过程特点而定。这样既可以保证合理的生态规划目标的需水要求,又使社会经济为此付出的代价尽量小。从对水资源系统的影响和作用的角度看,博斯腾湖与乌伦古湖和艾比湖还不一样。乌伦古湖和艾比湖没有供水对象,入湖水量全部用于维持或提高生态环境质量。博斯腾湖入湖水量除了用于维持或提高该湖生态环境质量外,还担负着向孔雀河及塔下两计算单元供水的任务。这些在模型中都作了分别对待。

塔里木河干流分为塔里木河上游、中游、下游 3 段。它们的生态耗水量(主要是河面蒸发水量,已扣除了当地降水)依次为 0.84 亿 m^3、0.57 亿 m^3、0.09 亿 m^3,总计 1.5 亿 m^3。另外,塔里木河干流不仅存在沿河生态问题,而且还有塔上、塔中、塔下 3 个计算单元的各行各业及城乡人民生活需水问题。而当地降水量又非常小,需水几乎全靠上游来水解决。虽然可以给塔里木河干流补水的河流有和田河、叶尔羌河、喀什噶尔河、阿克苏河、渭干河、开孔河等,但是,实际上喀什噶尔河和渭干河已无水补给塔里木河干流,和田河及叶尔羌河只有发生大洪水时才有少量余水流入塔里木河上游,开孔河的部分水量可以经库塔干渠向塔里木河下游补水,但数量也不大。因此,阿克苏河成为塔里木河干流的主要水源。根据规划要求,2000 年、2010 年、2020 年阿克苏河向塔里木河下泄的水量不小于 43.3 亿 m^3、33.8 亿 m^3、33.3 亿 m^3。并且,为了满足塔里木河干流各单元的用水需要,对阿克苏河的下泄流量过程也有要求。另外,塔里木河下游大西海子的弃水量,也是显示对塔里木河下游尾端生态环境供水情况的比较重要的指标之一。故供需平衡模型中选阿克苏河入塔里木河干流处和大西海子水库以下,分别代表塔里木河上端和下端,并考虑了其过水过程及年过水量。

(二)模型要素及规模

考虑了上述方面后,概化后的新疆水资源系统是一个巨型复杂系统(如图 5-1 所示)。该系统影响水资源供需平衡模型规模大小和模型求解难度的各种要素数目,见表 5-5。

表 5-5　　　　　　　　　　　　　新疆水资源系统要素

要素名称	单位	数目	要素名称	单位	数目
计算单元	个	33	河流或渠道交汇节点	个	3
汇总大区	个	3	长距离引水工程(或方案)	个	8
水库*	座	59	水汇点	个	4
河流和渠道**	条	170	地下水库	个	33
入流节点	个	10	水平年	年	4
湖泊	个	3	水文系列年	年	40
沙漠或荒漠	片	2	每一水文年中的计算时段	个	12
河流出境口	处	3	河网调蓄库	个	33

注:*包括已建水库20座,规划水库39座;**包括流域间供水渠道7条。

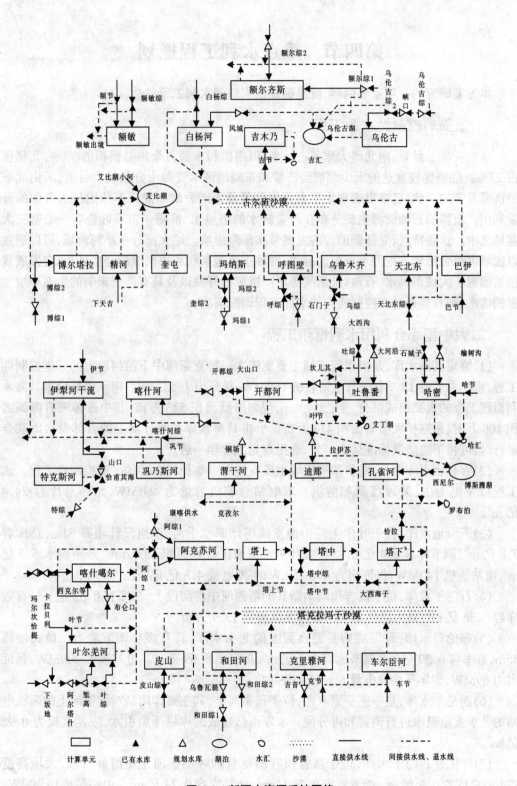

图 5-1　新疆水资源系统网络

第四节　重点水利工程规划

本方案研究的一项重要内容,就是确定未来新疆水利工程的总体布局。

一、重要的控制性水源工程

从水资源总量看,南北疆大致各占一半,但南疆和东疆占全疆总面积的 73%,北疆仅占 27%。经济比较发达的天山北坡经济带和东疆地区水资源十分紧缺。目前,天山北坡经济开发带的现状,已突出表现为工农业的发展及生产力的布局无不依附于水资源的开发利用。新疆的石油资源主要分布在严重缺水的塔里木、准噶尔以及吐鲁番—哈密三大盆地之中。这些特点,对新疆的经济发展带来深刻影响。绝大部分中小河流域,可以通过以流域内综合治理来挖掘水资源的潜力,发展小流域条状或块状绿洲经济(以水定发展规模),而对于大城市供水、石油、天然气等矿产资源的开发以及具有广泛影响的生态环境工程的需水,则只能通过有控制能力的水源工程调配解决。

二、大中型综合利用水利枢纽工程

(1)恰甫其海水库,是伊犁河流域主要支流之一特克斯河中下游河段上的一座控制性工程,水库总库容 13.7 亿 m³,电站装机 160MW,保证出力 53MW。南干渠是恰甫其海水利枢纽工程的重要组成部分,全长 173km,规划灌溉面积 523 万亩,其中改善现有灌溉面积 106 万亩、最终扩大灌溉面积 417 万亩。恰甫其海水库与喀什河上的吉林台水库联合运行时,可将下游防洪标准从 30 年一遇提高到 100 年一遇。

(2)吉林台水库电站,是伊犁河流域主要支流之一喀什河中游的一座控制性工程。该工程以发电为主,兼顾灌溉和防洪。水电站总装机容量为 460MW,水库总库容 24.4 亿 m³。

(3)下坂地水库,位于叶尔羌河中游支流塔什库尔干河,枢纽设计坝高 81m,总库容 7.8 亿 m³,调节库容 6.4 亿 m³。扩灌叶尔羌河灌区规划面积 123 万亩,春旱供水 5.3 亿 m³,电站装机 140MW,保证出力 4.6 万 kW,年发电量 4.8 亿 kW·h。

(4)石门子水库,位于昌吉州玛纳斯县的塔西河中游河段上,总库容 0.52 亿 m³,有效库容 0.38 亿 m³,最大坝高 110m,新增灌溉面积 13.7 万亩。

(5)布伦口水库,是阿克陶县盖孜河上的龙头水库,具有多年调节能力。最大坝高 35m,总库容 6.39 亿 m³,调节库容 3.3 亿 m³,扩灌面积 69 万亩。电站装机 200MW,保证出力 69MW,多年平均发电量 6.6 亿 kW·h。

(6)西尼尔水库,是一座平原水库,位于孔雀河上,其主要作用是对孔雀河上的两级电站的冬季发电退水进行调蓄和再分配。水库由已建成的库塔干渠引水,一期规模为 0.98 亿 m³。

(7)呼图壁石门子水库,位于昌吉州呼图壁县的呼图壁河上中游峡谷段,大坝高度 124m,总库容 0.8 亿 m³,调节库容 0.76 亿 m³,防洪库容 0.24 亿 m³。电站装机16.8MW,发电量 0.76 万 kW·h。

(8)铜场水库,为库车河上的最末一级,最大坝高为 50m,坝顶长 250m,总库容 0.66 亿 m³,调节库容 0.58 亿 m³,电站装机 1.9MW,保证出力 1.8MW,年发电量 0.16 亿 kW·h。

(9)坎儿其水库,位于鄯善县坎儿其河,总库容 0.1 亿 m³。

(10)乌鲁瓦提水利枢纽工程,位于和田河西支流喀拉喀什河中游,是和田河一期开发工程,具有灌溉、发电、改善生态、防洪等综合效益。最大坝高 135m,总库容 3.5 亿 m³,正常库容 3.23 亿 m³。电站装机 60MW,保证出力 16.5MW,改善灌溉面积 113 万亩,扩大灌溉面积 69 万亩。

(11)大石峡水库,是昆马力克河的龙头水库,总库容 11.6 亿 m³,电站装机 360MW,保证出力 68MW。

(12)阿尔塔什水库枢纽,位于叶尔羌河干流上,其中坝方案总库容 16.3 亿 m³。电站装机 250 万 MW,保证出力 104MW,年发电量 11 亿 kW·h。

上述各主要工程特性,见表 5-6。

表 5-6   新疆主要大中型规划供水工程项目统计

工程名称	水源名称	供水对象	工程规模	设计供水量 (10^4 m³)
恰甫其海	特克斯河	农业	库容 12.6 亿 m³、扩灌溉面积 417 万亩	
下坂地	叶尔羌河	农业	库容 7.8 亿 m³、扩灌溉面积 123 万亩	42 000
乌鲁瓦提	喀拉喀什河	农业	库容 3.47 亿 m³、装机 6 万 kW	25 000
坎尔其	坎尔其河	工业、农业	库容 1 160 万 m³	1 000
榆树沟	榆树沟河	工业、农业	库容 2 200 万 m³	2 200
西尼尔	孔雀河	农业	库容 9 000 万 m³	12 000
石门子	塔西河	城镇、农业	库容 3 000 万 m³	4 500
阿克库木须	阿克苏河	农业	库容 0.64 亿 m³	6 400
下天吉	精河	农业	坝高 30.5m、库容 2 300 万 m³	2 000
布仑口	盖孜河	农业	库容 6.39 亿 m³、装机 20 万 kW	7 200
大河沿	大河沿河	城镇、工业	库容 2 500 万 m³	2 000
石门子	呼图壁河	城镇、农业	库容 8 000 万 m³	4 500
大石峡	库马力克河	城镇、农业	库容 12.3 亿 m³	123 000

第五节　新疆社会经济发展与需水预测的合理性分析

一、社会经济发展的合理性

(一)人口增长与经济发展

在国家对少数民族生育政策无重大改变之前,新疆人口的自然增长仍将保持较快速度。随着国家建设重心的西移,流动人口和迁入人口也会有较大增长。据此分析,预计 2000 年、2010 年和 2020 年各时段人口年均增长率分别为 19.6‰、18.5‰和 14.9‰。随着社会与经济发展,人口向城市(镇)迁移是一种普遍规律,预计 2000 年、2010 年和 2020 年全疆城镇化比例分别为 38.5%、44.5% 和 49%。"九五"期间新疆的国内生产总值发展速度为年均增长 10.5%,后 10 年(2001～2010 年)期间年均增长 9%,2020 年在 2010 年的基础上再翻一番,年均增长 7.3% 左右。在经济发展过程中经济结构也要调整变化,预计第一产业稳定下降,第二产业和第三产业则持续上升。同时,新疆工业区域结构也将发生变化。1995 年北疆、南疆和东疆工业总产出比例为 69:24:7,到 2020 年为 60:30:10。北疆所占比重稳步下降,南疆和东疆比重持续上升。

(二)农牧业发展

农牧业在新疆经济中占有重要地位。目前,新疆是我国重要的农牧业发展地区,国家正在新疆建设棉花生产基地,粮食和其他经济作物的生产也具有巨大发展潜力。据预测,在"九五"期间,全疆新增灌溉面积近 500 万亩,2000 年达到 6 500 万亩左右;2010 年继续增长,预计新增灌溉面积 1 100 万亩,2020 年再新增近 400 万亩,到 2020 年全疆总灌溉面积预计将达到 8 000 万亩,比 1995 年现状累计增加 2 000 万亩。新发展的灌溉面积,主要在北疆的伊犁和阿勒泰地区,其他地区,特别是南疆和东疆因人口增长和农牧民脱贫致富等需求,也有适度增长。

在发展灌溉面积时,农田、林地和草场均有较大发展,使农林牧保持一定的适度比例。田、林和草灌溉面积的比例为:1995 年为 72.8:14.8:12.4,到 2020 年调整为 70.8:13.6:15.6。

二、需水预测的合理性

未来 25 年中,将通过大力开展节水和调整工农业结构,建立节水型社会等措施来减缓需水增长幅度和发展经济。从需水结构看,新疆现状农业用水占国民经济总用水的比重较高,全疆为 96.1%,南疆高达 98.1%,而工业和生活用水所占比例则较低。新疆农业用水所占比重高,一方面反映了新疆以农牧业为主的经济特征,另一方面也说明新疆农业用水较为粗放。同时也表明新疆的节水重点在农业,农业具有较大的节水潜力。

各单元需水预测结果,见表 5-7～表 5-9。根据预测,全疆人均需水量呈减少趋势,1995 年为 2 622m³,2000 年、2010 年和 2020 年分别比 1995 年净减少 107m³、298m³ 和 553m³。减少的主要原因,一是总人口的增长较大,二是受水资源的制约,三是为开展节水、提高用水效率的结果。从三大区域看,南疆和东疆人均需水量减小幅度较大,而北疆在 2010 年以前则呈增长趋势。南疆因农业用水占比例大而使现状人均需水量达 3 200 多 m³,随着农业节水及工业和生活用水的提高,人均需水水平有所下降,到 2020 年下降到目前北疆的水平,25 年内下降 1 000 多 m³。东疆现状人均需水量为 1 969m³,随着人口增长而节水的深入,人均需水量到 2020 年为 1 430m³ 左右,较现状下降约 1/4。北疆因伊犁和阿勒泰农业的灌溉面积扩大,农业需水增幅较大,加上乌鲁木齐、克拉玛依、奎屯等市区工业用水和生活用水的迅猛增长,使 2000 年、2010 年人均需水量较现状增加而非减少,2010 年北疆地区人均需水量比现状增加 143m³,但随后,因加强节水,人均需水又呈减少趋势。

表 5-7 33 个水资源分区各水平年城镇需水预测 ($10^6 m^3$)

流域	现状年	高方案			中方案			低方案		
	1995	2000	2010	2020	2000	2010	2020	2000	2010	2020
全疆合计	1 327	1 947	3 290	4 983	1 791	2 898	4 087	1 649	2 526	3 399
特克斯河	12.9	19.0	32.0	48.2	17.5	28.2	39.7	16.1	24.7	33.1
巩乃斯河	6.5	9.6	16.0	24.3	8.8	14.2	20.0	8.1	12.4	16.7
喀什河	2.2	3.2	5.3	7.8	3.0	4.7	6.6	2.8	4.2	5.7
伊犁河干流	55.9	82.3	139.6	211.6	75.5	122.5	172.5	69.3	106.2	142.4
额敏河	30.6	44.6	74.8	113.0	41.2	66.2	93.4	38.1	58.1	78.4
额尔齐斯河	29.9	44.8	77.1	117.6	40.7	66.9	94.1	37.0	57.1	76.1
吉木乃小河区	1.9	2.8	4.9	7.4	2.5	4.2	5.9	2.3	3.6	4.8
乌伦古河	7.8	11.7	20.2	30.9	10.6	17.4	24.6	9.6	14.8	19.7
博尔塔拉河	11.4	16.3	27.2	40.9	15.2	24.3	34.3	14.1	21.6	29.3
精河	2.6	3.8	6.4	9.6	3.5	5.7	7.9	3.2	5.0	6.6
白杨河	125.7	186.9	319.7	486.0	170.6	278.7	392.2	155.7	239.7	320.1
奎屯河	91.4	134.5	227.7	345.3	123.6	200.3	282.5	113.6	174.2	234.2
玛纳斯河	141.6	208.9	354.8	538.0	191.5	311.2	438.1	175.6	269.7	361.3
呼图壁河	12.5	18.7	31.8	48.4	17.0	27.8	39.1	15.6	23.9	32.0
乌鲁木齐河	365.9	527.0	875.9	1 320.3	489.9	782.8	1 107.0	456.0	694.3	943.3
天北东段诸小河	10.8	15.7	26.2	39.7	14.6	23.3	33.0	13.5	20.5	27.9
巴伊盆地诸小河	4.0	6.0	10.3	15.6	5.5	8.9	12.5	5.0	7.7	10.2
哈密市诸小河	32.8	48.5	82.5	125.2	44.4	72.3	101.7	40.6	62.5	83.7
吐鲁番诸小河	92.8	139.6	241.6	368.6	126.6	208.7	293.5	114.6	177.5	235.7
车尔臣河	5.5	7.9	13.5	20.4	7.3	11.9	16.8	6.7	10.4	14.0
克里雅河	1.3	1.9	3.2	4.7	1.8	2.9	4.1	1.7	2.6	3.6
皮山河	1.0	1.6	2.9	4.3	1.4	2.5	3.4	1.3	2.1	2.7
迪那河	3.0	4.3	7.1	10.8	4.0	6.3	9.0	3.7	5.6	7.6
开都河	25.3	37.3	63.2	95.7	34.2	55.5	78.2	31.5	48.2	64.7
孔雀河	100.8	150.0	256.6	390.3	136.8	223.6	314.8	124.8	192.3	256.8
渭干河	16.5	23.6	39.0	58.6	22.1	35.0	49.5	20.6	31.2	42.5
阿克苏河	51.1	74.7	125.9	190.4	68.8	111.2	156.7	63.5	97.1	130.7
和田河	10.9	16.0	27.1	40.9	14.7	23.9	33.6	13.6	20.8	27.9
塔河干流上游区	5.4	7.8	13.1	19.9	7.2	11.6	16.4	6.6	10.2	13.7
塔河干流中游区	1.0	1.5	2.5	3.9	1.4	2.1	3.1	1.2	1.8	2.6
塔河干流下游区	3.3	4.9	8.6	13.2	4.5	7.4	10.4	4.0	6.3	8.3
叶尔羌河	20.9	30.2	50.2	75.7	28.0	44.8	63.3	26.1	39.6	53.8
喀什噶尔河	42.1	61.4	103.0	155.8	56.7	91.3	129.0	52.4	80.2	108.4

表 5-8　　　　　　　　　　　33 个水资源分区各水平年农村需水预测　　　　　　　　　　（10⁶m³）

流　域	现状年 1995 年	高方案			中方案			低方案		
		2000 年	2010 年	2020 年	2000 年	2010 年	2020 年	2000 年	2010 年	2020 年
全疆合计	41 744	45 839	52 187	54 778	44 007	48 246	48 125	43 907	46 825	46 682
特克斯河	1 213	1 343	1 571	1 663	1 291	1 308	1 329	1 291	1 425	1 444
巩乃斯河	328	360	424	440	347	443	444	347	372	383
喀什河	184	200	230	243	191	185	188	191	209	211
伊犁河干流	1 974	2 091	2 365	2 490	1 997	2 118	2 135	1 997	2 155	2 171
额敏河	1 437	1 591	1 844	1 943	1 520	1 668	1 677	1 520	1 668	1 677
额尔齐斯河	1 377	1 529	1 856	1 971	1 480	1 504	1 534	1 480	1 671	1 698
吉木乃小河区	128	142	163	171	135	127	128	135	147	147
乌伦古河	546	605	716	757	581	601	609	581	646	652
博尔塔拉河	747	823	927	955	782	928	907	782	826	827
精河	299	328	368	379	312	368	359	312	329	323
白杨河	142	157	179	189	251	162	160	151	162	160
奎屯河	1 295	1 421	1 573	1 650	1 353	1 633	1 593	1 353	1 428	1 428
玛纳斯河	2 596	2 862	3 213	3 361	2 709	2 811	2 759	2 709	2 913	2 903
呼图壁河	607	669	753	789	635	752	735	635	684	683
乌鲁木齐河	1 630	1 798	2 017	2 124	1 716	1 649	1 671	1 716	1 846	1 862
天北东段诸小河	1 240	1 296	1 462	1 507	1 227	1 743	1 688	1 227	1 305	1 285
巴伊盆地诸小河	408	453	548	581	438	483	490	438	493	490
哈密市诸小河	446	489	555	584	466	501	494	466	501	494
吐鲁番诸小河	859	921	1 067	1 133	885	978	974	885	961	957
车尔臣河	259	286	341	362	277	314	319	277	308	314
克里雅河	999	1 100	1 268	1 315	1 057	1 174	1 185	1 057	1 153	1 165
皮山河	558	614	701	738	584	621	623	584	632	623
迪那河	195	214	245	259	205	226	228	205	222	225
开都河	1 018	1 121	1 273	1 345	1 074	1 164	1 179	1 074	1 164	1 179
孔雀河	755	847	981	1 048	820	914	940	820	900	926
渭干河	3 217	3 523	3 984	4 091	3 364	3 678	3 592	3 364	3 442	3 376
阿克苏河	4 625	5 175	5 789	6 130	4 996	5 437	5 428	4 996	5 235	5 240
和田河	1 807	2 008	2 258	2 375	1 927	2 268	2 268	1 927	2 054	2 064
塔河干流上游区	420	472	532	551	453	487	492	453	487	492
塔河干流中游区	44	48	57	60	46	52	53	46	51	52
塔河干流下游区	111	125	151	161	121	136	140	121	136	140
叶尔羌河	5 373	5 890	6 691	7 023	5 632	6 320	6 305	5 632	5 921	5 809
喀什噶尔河	4 907	5 340	6 083	6 391	5 135	5 496	5 499	5 135	5 381	5 283

表 5-9　　　　　　　　　　　　　　33 个水资源分区各水平年总需水预测　　　　　　　　　　　　$(10^6 m^3)$

流　域	现状年	高方案			中方案			低方案		
	1995 年	2000 年	2010 年	2020 年	2000 年	2010 年	2020 年	2000 年	2010 年	2020 年
全疆合计	43 072	47 786	55 477	59 761	45 798	51 144	52 212	45 556	49 351	50 080
特克斯河	1 226	1 362	1 603	1 711	1 309	1 336	1 369	1 307	1 450	1 477
巩乃斯河	334	369	440	464	356	457	464	355	385	400
喀什河	187	203	235	251	194	190	194	194	213	216
伊犁河干流	2 030	2 173	2 505	2 702	2 073	2 240	2 307	2 066	2 261	2 313
额敏河	1 468	1 635	1 919	2 056	1 561	1 734	1 770	1 558	1 726	1 755
额尔齐斯河	1 407	1 574	1 933	2 089	1 520	1 571	1 628	1 517	1 729	1 774
吉木乃小河区	130	145	168	178	138	131	134	137	151	152
乌伦古河	554	617	736	788	592	619	634	591	661	672
博尔塔拉河	759	840	954	996	798	952	941	797	848	857
精河	302	331	374	388	316	374	367	316	334	330
白杨河	267	343	499	675	421	440	552	306	401	480
奎屯河	1 386	1 556	1 801	1 995	1 477	1 833	1 876	1 467	1 602	1 662
玛纳斯河	2 738	3 071	3 568	3 899	2 901	3 123	3 197	2 885	3 182	3 264
呼图壁河	620	688	785	838	652	780	774	651	708	715
乌鲁木齐河	1 996	2 325	2 893	3 445	2 206	2 432	2 778	2 172	2 540	2 806
天北东段诸小河	1 251	1 312	1 488	1 547	1 241	1 766	1 721	1 240	1 325	1 313
巴伊盆地诸小河	412	459	558	597	443	492	503	443	500	500
哈密市诸小河	479	537	637	709	510	573	595	506	563	577
吐鲁番诸小河	952	1 061	1 309	1 502	1 012	1 187	1 267	1 000	1 138	1 193
车尔臣河	265	294	354	383	284	325	336	284	319	328
克里雅河	1 000	1 102	1 271	1 320	1 059	1 177	1 189	1 058	1 155	1 168
皮山河	559	615	704	742	586	623	626	585	635	626
迪那河	198	219	252	270	209	232	237	209	227	232
开都河	1 043	1 158	1 336	1 441	1 108	1 219	1 257	1 105	1 212	1 244
孔雀河	855	997	1 238	1 438	956	1 138	1 254	944	1 092	1 182
渭干河	3 234	3 546	4 023	4 150	3 386	3 713	3 641	3 385	3 473	3 419
阿克苏河	4 676	5 250	5 915	6 320	5 064	5 548	5 585	5 059	5 332	5 370
和田河	1 818	2 024	2 285	2 416	1 942	2 292	2 302	1 941	2 075	2 092
塔河干流上游区	426	480	545	571	460	498	508	460	497	506
塔河干流中游区	45	49	59	64	48	54	56	47	53	55
塔河干流下游区	114	130	160	174	126	144	150	125	143	148
叶尔羌河	5 394	5 920	6 741	7 098	5 660	6 364	6 369	5 658	5 961	5 863
喀什噶尔河	4 949	5 401	6 186	6 546	5 192	5 588	5 628	5 188	5 461	5 391

三、水的利用效益分析

根据分析,与全国相比,新疆的用水方式较为粗放(见表5-10),节水潜力巨大。相信经过25年发展,随着节水技术的推广和公民节水意识的增强,水利用效率将会有很大提高,将逐渐接近于全国平均水平。

表 5-10   1995 年单位用水效率

地、市、州	人均供水量 (m³)	亩均灌溉水量 (m³)	单方水 GDP 生产量 (元/m³)	单方水生产粮食量 (kg/m³)
乌鲁木齐市	484	477	25.6	0.63
克拉玛依市	835	751	33.3	0.46
石河子市	1 312	526	4.4	0.62
吐鲁番地区	1 822	785	4.1	0.45
哈密地区	2 174	712	2.1	0.43
昌吉州	2 292	443	2.3	0.68
博尔塔拉州	2 512	487	1.8	0.72
巴音郭楞州	2 925	667	2.4	0.45
阿克苏地区	4 395	898	0.9	0.29
克孜勒苏州	2 190	836	0.6	0.36
喀什地区	3 255	859	0.7	0.42
和田地区	2 447	925	0.7	0.45
奎屯市	933	504	8.9	0.56
伊犁地区	2 357	669	1.2	0.56
塔城地区	3 168	495	1.3	0.61
阿勒泰地区	5 133	692	0.7	0.34
北疆	2 220	548	2.9	0.59
南疆	3 275	854	0.9	0.38
东疆	1 984	745	3.1	0.44
全疆综合	2 708	704	1.8	0.46

第六节 新疆水资源合理配置方案设置

一、水资源配置方案设置的原则

主要遵循三个原则:

(1)需水代表性;

(2)供水代表性;

(3)工程布局代表性。

二、新疆水资源配置方案的设置

根据上述原则对众多水资源配置方案进行了筛选,排除了较差的方案,选定8个水配置方案详细研究。配置方案名称中的第一个字母代表需水方案。A、B、C分别表示需水中、高、低方案。我们采用宏观经济模型、需水预测模型等技术,从新疆社会经济发展的现实性及合理性、需水预测的合理性以及水的利用效益等方面,进行了深入分析和论证(见有关章节),选取了这3套需水方案。配置方案名称中的第二个字母代表水利工程组合方案。A、B、C分别表示不同的工程组合。这些工程都是经过了流域或工程规划设计的反复论证和比较才提出来的,前期工作的基础比较好,而且条件比较好。对于前述两套需水方案,我们各设置了3套水利工程方案,构成了6套水资源配置方案。对于低需水方案,我们各设置了两套水利工程方案,构成了两套水资源配置方案。总共8套水资源配置方案。它们是 AA、AB、AC、BA、BB、BC、CA、CB方案,见表5-11。

表 5-11　　　　　　　　　　　　　各配置方案的水利工程基本设置

规划水利工程	AA、BA方案			AB方案			AC方案			BB方案		
水平年(a)	2000	2010	2020	2000	2010	2020	2000	2010	2020	2000	2010	2020
额尔综1	√	√	√	√	√	√	√	√	√	√	√	√
额尔综2												
风城	√	√	√	√	√	√	√	√	√	√	√	√
乌伦古综1												
峡口		√	√		√	√		√	√		√	√
博综1						√			√		√	√
下天吉		√	√		√	√		√	√		√	√
奎综2			√			√			√			
玛综1		√	√		√	√		√	√		√	√
石门子		√	√		√	√		√	√		√	√
大西沟												
喀什河综								√				√
特综												
恰甫其海		√	√		√	√					√	√
山口								√	√			
铜场		√	√		√	√		√	√		√	√
开都综												
拉伊苏												
大河沿		√	√		√	√		√	√		√	√
坎儿其	√	√	√	√	√	√	√	√	√	√	√	√
榆树沟	√	√	√	√	√	√	√	√	√	√	√	√
玛尔坎恰提			√			√						√
卡拉贝利												
布仑口		√	√		√	√		√	√		√	√
阿综1												
西尼尔	√	√	√	√	√	√	√	√	√	√	√	√
下坂地			√			√		√	√			
阿尔塔什			√			√						√
堲高									√			
和田综1												
乌鲁瓦提	√	√	√	√	√	√	√	√	√	√	√	√
和田综2												
吉音												
"635"*	√	√	√	√	√	√	√	√	√	√	√	√

续表 5-11

规划水利工程	BC方案			CA方案			CB方案					
水平年(a)	2000	2010	2020	2000	2010	2020	2000	2010	2020	2000	2010	2020
吉林台二级1								√	√			√
吉林台二级2								√	√			√
额尔综1	√	√	√	√	√	√	√	√	√			
额尔综2												
风城	√	√	√	√	√	√	√	√	√			
乌伦古综1												
峡口		√	√		√	√						
博综1		√	√									
下天吉		√	√		√	√						
奎综2						√						
玛综1		√	√		√	√						
石门子		√	√		√	√						
大西沟												
喀什河综			√									
特综												
恰甫其海		√	√		√	√						
山口												
铜场		√	√		√	√						
开都综												
拉伊苏												
大河沿		√	√		√	√						
坎儿其	√	√	√	√	√	√	√	√	√			
榆树沟	√	√	√	√	√	√						
玛尔坎恰提		√	√			√						
卡拉贝利												
布仑口		√	√		√	√						
阿综1			√									
西尼尔	√	√	√	√	√	√						
下坂地		√	√		√	√						
阿尔塔什			√			√						
堜高												
和田综1												
乌鲁瓦提	√	√	√	√	√	√	√	√	√			
和田综2			√									
吉音												
"635"	√	√	√	√	√	√	√	√	√			
吉林台二级1			√									
吉林台二级2			√									

注:标 * 处表示"635"工程在 AC、CB 方案中的建设进度与其他方案中有所不同。

每一套配置方案都有 4 个规划水平年,故有 32 个供需平衡方案。各规划水平年选择这些水利工程时,综合考虑了工程的前期工作程度(即投入运行的现实性)、工程的供水规模,与某单元或某些单元在不同时期需水规模的协调性、整个水资源系统中工程和供水能力分布的合理性和代表性,以及区域性或跨地区大型水利工程论证的需要性。其中,AA反映的是在中等需水方案下,综合各种因素后构成的一个代表方案;AB、AC 主要是为了增加缺水比较严重单元的供水能力和满足某些重点工程论证需要而设置的;BA 考虑的是在高需水方案下的水利工程组合方案,即工程动态组合同 AA;BB、BC 同样是为了增加缺水比较严重单元的供水能力和满足某些重点工程论证需要而设置的,但因为需水增加了,BB、BC 的工程组合不同于 AB 和 AC;CA 考虑的是在低需水方案下的一种工程组合方案,其动态组合同 AA;CB 考虑的是在低需水方案下的第二种工程组合方案,其地下水开采能力维持现状,各水平年不再增加,水库及引水工程除目前已开工建设将于 2000 水平年投入运行之外,不再新增工程,主要靠节水(已反映在预测的需水过程中)和随着时间推移需水量的增加,多利用一定的弃水量,来减轻缺水程度。

第七节　水资源合理配置方案的供需平衡结果分析

一、供需平衡分析主要结果

采用水资源供需平衡分析模型,对所有水资源配置方案的每一水平年都进行了系统的长系列供需平衡分析。各方案满足社会经济需要的总供水量、需水平均满足程度、重点保护湖泊的补水量、重点河流断面的过水量的动态变化情况,分别列于表 5-12～表 5-13。对各方案所作的各大区供水风险分析成果,见表 5-14。用本模型对现状水平年各计算单元供需平衡情况的模拟结果,见表 5-15。对 2020 水平年水利工程组合 A 方案在中、高、低需水情景下的各计算单元供需平衡情况的模拟结果,分别见表 5-15～表 5-18。

关于所有方案的每一计算单元,我们对所有水平年的供需平衡结果都进行了统计分析和风险分析,对水利工程也作了供水统计分析和风险分析,还作了弃水统计分析。这些分析的详细结果及简明图表,在供需平衡分析模型的人机界面上,都能够十分方便地查阅到。

二、水资源现状供需平衡分析

长系列供需平衡结果表明:

(1)全疆多年平均的总供水量能够达到 387.5 亿 m^3,其中城市供水 13.3 亿 m^3、农村供水 374.2 亿 m^3。总供水量中,有 30.57 亿 m^3 是地下水供水。全疆多年平均需水满足程度为 89.96%,即平均破坏深度为 10.04%,多年平均缺水量为 43.23 亿 m^3,全部为农村缺水,城市需水可以满足。

(2)各地区的缺水程度是不相同的。东疆的缺水程度最高,为 13.8%;南疆和北疆均约 10%。全疆总缺水量 43.23 亿 m^3,其中南疆 22.82 亿 m^3,东疆 2.54 亿 m^3,北疆 17.87 亿 m^3。各计算单元的缺水程度差别是相当大的,缺水程度超过或接近 15% 的单元

表 5-12 各配置方案的供水量及其需水满足程度

方案	地区	总供水量($10^8 m^3$)				多年平均供水满足程度(%)			
		1995 年	2000 年	2010 年	2020 年	1995 年	2000 年	2010 年	2020 年
AA	北疆	148.67	157.90	177.87	192.08	89.27	88.93	89.04	92.76
	东疆	15.88	17.63	20.44	21.69	86.20	89.72	90.78	91.69
	南疆	222.93	233.29	261.00	272.72	90.71	89.45	90.26	93.59
	全疆	387.48	408.81	459.31	486.48	89.96	89.26	89.81	93.17
AB	北疆	148.67	157.90	177.87	192.44	89.27	88.93	89.04	92.93
	东疆	15.88	17.63	20.44	21.69	86.20	89.72	90.78	91.68
	南疆	222.93	233.29	261.00	273.94	90.71	89.45	90.26	94.01
	全疆	387.48	408.81	459.31	488.08	89.96	89.26	89.81	93.48
AC	北疆	148.67	157.90	175.07	190.63	89.27	88.93	87.63	92.06
	东疆	15.88	17.63	20.44	21.69	86.20	89.72	90.77	91.69
	南疆	222.93	233.29	261.03	272.60	90.71	89.45	90.27	93.55
	全疆	387.48	408.81	456.54	484.93	89.96	89.26	89.26	92.87
BA	北疆	148.67	161.53	189.56	209.35	89.27	87.10	86.54	87.16
	东疆	15.88	18.27	21.97	24.82	86.20	88.80	87.74	88.38
	南疆	222.93	238.41	269.81	287.41	90.71	87.70	86.84	87.27
	全疆	387.48	418.21	481.34	521.58	89.96	87.52	86.76	87.28
BB	北疆	148.67	161.53	189.93	208.73	89.27	87.10	86.71	86.90
	东疆	15.88	18.27	21.97	24.81	86.20	88.80	87.73	88.76
	南疆	222.93	238.41	270.72	287.42	90.71	87.70	87.73	87.27
	全疆	387.48	418.21	482.62	520.96	89.96	87.52	86.99	87.17
BC	北疆	148.67	161.53	189.93	208.73	89.27	87.10	86.71	86.90
	东疆	15.88	18.27	21.97	24.80	86.20	88.80	87.73	88.31
	南疆	222.93	238.41	270.72	297.21	90.71	87.70	87.73	90.25
	全疆	387.48	418.21	482.62	530.75	89.96	87.52	86.99	88.81
CA	北疆	148.67	156.21	177.15	188.65	89.27	88.96	90.77	93.46
	东疆	15.88	17.48	19.80	20.67	86.20	89.65	89.92	91.06
	南疆	222.93	232.88	256.45	263.15	90.71	89.41	92.80	95.26
	全疆	387.48	406.57	453.40	472.47	89.96	89.75	91.87	94.34
CB	北疆	148.67	153.63	163.83	166.69	89.27	87.49	83.94	82.58
	东疆	15.88	16.67	18.13	18.76	86.20	85.52	82.31	82.63
	南疆	222.93	229.28	238.20	239.18	90.71	88.03	86.19	86.58
	全疆	387.48	399.58	420.16	424.63	89.96	87.71	85.13	84.79

表 5-13 **各配置方案重点湖泊补水量及塔河重点断面过水量** (10⁸m³)

方案	河湖	1995 年	2000 年	2010 年	2020 年	方案	河湖	1995 年	2000 年	2010 年	2020 年
AA	艾比湖	5.58	5.69	5.60	5.57	BB	艾比湖	5.58	5.64	5.33	5.37
	博斯腾湖	15.96	6.30	15.81	15.62		博斯腾湖	15.96	15.77	15.31	14.70
	乌伦古湖	8.70	9.40	9.47	9.43		乌伦古湖	8.70	9.29	9.18	9.17
	三湖合计	30.24	21.39	30.88	30.62		三湖合计	30.24	30.70	29.82	29.24
	塔河上游	35.31	34.63	32.93	32.82		塔河上游	35.31	34.07	31.62	30.90
	塔尾	0.90	0.66	0.46	0.45		塔尾	0.90	0.55	0.40	0.37
AB	艾比湖	5.58	5.69	5.60	5.38	BC	艾比湖	5.58	5.64	5.33	5.37
	博斯腾湖	15.96	6.30	15.81	15.58		博斯腾湖	15.96	15.77	15.31	14.69
	乌伦古湖	8.70	9.40	9.47	9.45		乌伦古湖	8.70	9.29	9.18	9.18
	三湖合计	30.24	21.39	30.88	30.41		三湖合计	30.24	30.70	29.82	29.24
	塔河上游	35.31	34.63	32.93	32.78		塔河上游	35.31	34.07	31.62	23.97
	塔尾	0.90	0.66	0.46	0.86		塔尾	0.90	0.55	0.40	0.26
AC	艾比湖	5.58	5.69	5.71	5.46	CA	艾比湖	5.58	5.70	5.65	5.63
	博斯腾湖	15.96	6.30	15.79	15.61		博斯腾湖	15.96	16.33	15.97	15.90
	乌伦古湖	8.70	9.40	9.47	9.45		乌伦古湖	8.70	9.33	9.37	9.41
	三湖合计	30.24	21.39	30.97	30.52		三湖合计	30.24	31.36	30.99	30.95
	塔河上游	35.31	34.63	32.93	32.69		塔河上游	35.31	34.72	33.31	33.30
	塔尾	0.90	0.66	0.46	1.26		塔尾	0.90	0.67	0.49	0.48
BA	艾比湖	5.58	5.64	5.52	5.43	CB	艾比湖	5.58	5.70	5.52	5.49
	博斯腾湖	15.96	15.77	15.31	14.73		博斯腾湖	15.96	16.33	15.22	14.76
	乌伦古湖	8.70	9.29	9.20	9.17		乌伦古湖	8.70	9.33	9.17	9.02
	三湖合计	30.24	30.70	30.03	29.33		三湖合计	30.24	31.36	29.91	29.27
	塔河上游	35.31	34.07	30.23	30.90		塔河上游	35.31	34.72	33.33	33.24
	塔尾	0.90	0.55	0.40	0.37		塔尾	0.90	0.67	0.44	0.43

表 5-14 各配置方案供水风险分析

方案	地区	多年平均缺水程度(%)				最大年缺水程度(%)			
		1995 年	2000 年	2010 年	2020 年	1995 年	2000 年	2010 年	2020 年
AA	北疆	10.73	11.06	10.96	7.24	15.30	15.10	14.40	10.50
	东疆	13.81	10.28	9.22	8.31	20.90	15.10	13.10	9.90
	南疆	9.29	10.55	9.74	6.41	13.40	14.10	13.80	10.30
	全疆	10.04	10.74	10.19	6.83	14.46	14.53	14.00	10.36
AB	北疆	10.73	11.06	10.96	7.07	15.30	15.10	14.40	10.40
	东疆	13.81	10.28	9.22	8.31	20.90	15.10	13.10	9.90
	南疆	9.29	10.55	9.74	5.99	13.40	14.10	13.80	9.80
	全疆	10.04	10.74	10.19	6.52	14.46	14.53	14.00	10.04
AC	北疆	10.73	11.06	12.37	7.94	15.30	15.10	15.70	11.00
	东疆	13.81	10.28	9.23	8.31	20.90	15.10	13.20	9.90
	南疆	9.29	10.55	9.73	6.45	13.40	14.10	13.80	10.40
	全疆	10.04	10.74	10.74	7.13	14.46	14.53	14.52	10.62
BA	北疆	10.73	12.90	13.46	12.84	15.30	17.10	18.40	17.50
	东疆	13.81	11.20	12.26	11.62	20.90	16.30	17.20	15.60
	南疆	9.29	12.30	13.16	12.73	13.40	15.80	17.70	19.30
	全疆	10.04	12.48	13.24	12.72	14.46	16.33	17.95	18.40
BB	北疆	10.73	12.90	13.29	13.10	15.30	17.10	18.30	17.50
	东疆	13.81	11.20	12.27	11.64	20.90	16.30	17.20	15.70
	南疆	9.29	12.30	12.87	12.73	13.40	15.80	17.50	19.30
	全疆	10.04	12.48	13.01	12.83	14.46	16.33	17.80	18.41
BC	北疆	10.73	12.90	13.29	13.10	15.30	17.10	18.30	17.50
	东疆	13.81	11.20	12.27	11.69	20.90	16.30	17.20	15.80
	南疆	9.29	12.30	12.87	9.75	13.40	15.80	17.50	16.40
	全疆	10.04	12.48	13.01	11.19	14.46	16.33	17.80	16.81
CA	北疆	10.73	11.04	9.23	6.54	15.30	15.20	14.00	11.40
	东疆	13.81	10.35	10.08	8.94	20.90	15.20	14.30	10.80
	南疆	9.29	10.59	7.2	4.74	13.40	14.20	11.20	7.70
	全疆	10.04	10.75	8.13	5.66	14.46	14.63	12.45	9.33
CB	北疆	10.73	12.51	16.06	17.42	15.30	16.80	20.60	22.10
	东疆	13.81	14.48	17.69	17.37	20.90	21.10	24.40	23.80
	南疆	9.29	11.97	13.81	13.42	13.40	15.60	17.80	17.40
	全疆	10.04	12.29	14.87	15.21	14.46	16.30	19.20	19.58

表 5-15　　　　　　　　方案 AA1995 年计算单元水平衡汇总　　　　　$(10^6 \mathrm{m}^3)$

计算单元	城市供水					农村供水					总供水	缺水		
	地表	地下	污水回用	补水	合计	地表	地下	污水回用	补水	合计		城市	农村	合计
额尔齐斯	23	7	0	0	30	1 374	3	0	0	1 377	1 407	0	0	0
额敏	19	12	0	0	31	845	267	0	0	1 112	1 142	0	326	326
白杨河	92	31	3	0	126	126	11	4	0	141	267	0	0	0
吉木乃	1	1	0	0	2	93	1	0	0	94	95	0	35	35
乌伦古	5	3	0	0	8	514	1	0	0	515	523	0	31	31
博尔塔拉	11	1	0	0	11	423	10	0	0	433	444	0	315	315
精河	1	1	0	0	3	255	18	0	0	273	276	0	26	26
奎屯	61	30	0	0	91	1 000	91	0	0	1 091	1 183	0	204	204
玛纳斯	117	25	0	0	142	1 785	496	0	0	2 281	2 423	0	315	315
呼图壁	8	4	0	0	12	406	134	0	0	540	552	0	67	67
乌鲁木齐	320	42	4	0	366	669	502	10	0	1 181	1 546	0	449	449
天北东	11	0	0	0	11	892	348	0	0	1 240	1 251	0	0	0
伊犁河干流	39	16	0	0	55	1 934	33	0	0	1 967	2 023	0	7	7
喀什河	2	0	0	0	2	177	0	0	0	177	179	0	7	7
特克斯河	9	4	0	0	13	1 208	0	0	0	1 208	1 221	0	5	5
巩乃斯河	6	1	0	0	7	326	2	0	0	328	335	0	0	0
巴伊	1	3	0	0	4	248	30	0	0	278	282	0	130	130
吐鲁番	75	17	0	0	92	381	402	0	0	783	876	0	76	76
哈密	23	9	0	0	32	161	236	0	0	397	430	0	49	49
开都河	19	7	0	0	26	957	61	0	0	1 018	1 043	0	0	0
渭干河	8	9	0	0	17	2 955	12	0	0	2 967	2 984	0	250	250
迪那	1	2	0	0	3	186	9	0	0	195	198	0	0	0
孔雀河	57	44	0	0	101	754	1	0	0	755	855	0	0	0
喀什噶尔	34	9	0	0	42	4 312	54	0	0	4 366	4 408	0	541	541
阿克苏河	47	5	0	0	52	4 249	5	0	0	4 254	4 305	0	371	371
塔上	4	1	0	0	5	420	0	0	0	420	426	0	0	0
塔中	0	1	0	0	1	42	1	0	0	42	43	0	1	1
塔下	3	0	0	0	3	111	0	0	0	111	114	0	0	0
叶尔羌河	10	11	0	0	21	4 485	8	0	0	4 493	4 515	0	879	879
皮山	1	0	0	0	1	514	0	0	0	514	515	0	44	44
和田河	11	0	0	0	11	1 657	0	0	0	1 657	1 668	0	150	150
克里雅河	0	1	0	0	1	932	22	0	0	954	955	0	45	45
车尔臣河	5	0	0	0	5	256	4	0	0	260	265	0	0	0
合　计	1 024	298	7	0	1 327	34 647	2 759	14	0	37 420	38 748	0	4 324	4 324

表 5-16 方案 AA2020 年计算单元水平衡汇总 $(10^6 m^3)$

计算单元	城市供水					农村供水					总供水	缺水		
	地表	地下	污水回用	补水	合计	地表	地下	污水回用	补水	合计		城市	农村	合计
额尔齐斯	37	51	6	0	94	1 500	33	0	0	1 534	1 628	0	0	0
额敏	49	38	6	0	93	799	495	3	0	1 297	1 391	0	379	379
白杨河	154	33	34	172	393	121	9	23	8	161	552	0	0	0
吉木乃	2	4	0	0	6	83	6	0	0	89	95	0	39	39
乌伦古	10	13	2	0	25	503	73	1	0	577	601	0	32	32
博尔塔拉	28	4	2	0	34	417	67	2	0	486	521	0	420	420
精河	3	4	1	0	8	306	44	0	0	349	357	0	10	10
奎屯	162	97	24	0	283	1 325	90	36	0	1 451	1 734	0	142	142
玛纳斯	296	109	33	0	438	1 979	670	62	0	2 712	3 150	0	48	48
呼图壁	25	11	3	0	39	494	154	4	0	652	691	0	83	83
乌鲁木齐	380	491	102	134	1 107	816	64	165	580	1 624	2 731	0	47	47
天北东	25	5	3	0	33	1 083	413	3	0	1 499	1 532	0	189	189
伊犁河干流	101	60	12	0	173	2 084	48	1	0	2 133	2 305	0	2	2
喀什河	6	0	0	0	7	188	0	0	0	188	194	0	0	0
特克斯河	27	11	2	0	40	1 267	0	0	0	1 267	1 307	0	63	63
巩乃斯河	17	3	1	0	20	398	0	0	0	399	419	0	45	45
巴伊	3	9	1	0	13	270	31	1	0	302	314	0	188	188
吐鲁番	159	113	22	0	294	435	529	9	0	974	1 267	0	0	0
哈密	61	31	9	0	102	207	274	5	0	486	587	0	8	8
开都河	55	18	5	0	78	894	282	2	0	1 179	1 257	0	0	0
渭干河	20	26	4	0	49	3 202	121	2	0	3 325	3 375	0	266	266
迪那	5	4	1	0	9	11	64	1	0	76	85	0	152	152
孔雀河	112	179	24	0	315	833	66	27	0	926	1 241	0	13	13
喀什噶尔	89	31	9	0	129	4 850	389	0	0	5 239	5 368	0	260	260
阿克苏河	127	19	11	0	157	4 450	8	0	0	4 458	4 615	0	971	971
塔上	7	8	1	0	16	484	6	0	0	490	506	0	2	2
塔中	2	1	0	0	3	41	0	0	0	41	44	0	12	12
塔下	9	0	1	0	10	130	0	0	0	130	141	0	9	9
叶尔羌河	25	33	5	0	63	6 167	109	2	0	6 278	6 341	0	28	28
皮山	3	0	0	0	3	555	0	0	0	555	559	0	68	68
和田河	14	17	3	0	34	1 799	469	0	0	2 268	2 302	0	0	0
克里雅河	2	2	0	0	4	1 073	25	0	0	1 098	1 102	0	87	87
车尔臣河	15	0	1	0	17	315	4	0	0	319	336	0	0	0
合 计	2 030	1 424	327	306	4 087	39 079	4 544	348	588	44 561	48 648	0	3 565	3 565

表 5-17 　　　　　　　　　　方案 BA2020 年计算单元水平衡汇总 　　　　　　　　 $(10^6 m^3)$

计算单元	城市供水					农村供水					总供水	缺水		
	地表	地下	污水回用	补水	合计	地表	地下	污水回用	补水	合计		城市	农村	合计
额尔齐斯	46	64	8	0	118	1 951	21	0	0	1 971	2 089	0	0	0
额敏	63	42	8	0	113	847	491	5	0	1 343	1 456	0	600	600
白杨河	222	39	42	183	486	141	2	35	11	189	675	0	0	0
吉木乃	4	3	0	0	7	100	7	0	0	107	115	0	64	64
乌伦古	16	13	2	0	31	555	73	2	0	630	661	0	127	127
博尔塔拉	35	3	3	0	41	439	68	3	0	509	550	0	445	445
精河	4	5	1	0	10	312	43	0	0	355	365	0	24	24
奎屯	195	121	29	0	345	1 397	65	48	0	1 511	1 856	0	139	139
玛纳斯	291	206	41	0	538	2 052	571	76	0	2 699	3 237	0	662	662
呼图壁	23	22	4	0	48	509	143	5	0	658	706	0	131	131
乌鲁木齐	601	449	122	147	1 319	669	106	163	567	1 505	2 824	1	620	621
天北东	29	8	3	0	40	1 093	410	4	0	1 507	1 547	0	0	0
伊犁河干流	102	95	14	0	212	2 455	13	2	0	2 470	2 682	0	20	20
喀什河	7	0	0	0	8	212	0	0	0	212	220	0	31	31
特克斯河	35	11	2	0	48	1 441	0	0	0	1 441	1 490	0	222	222
巩乃斯河	22	1	1	0	24	437	2	1	0	440	464	0	0	0
巴伊	10	5	1	0	16	279	35	1	0	316	331	0	265	265
吐鲁番	186	155	28	0	369	580	505	29	0	1 114	1 483	0	19	19
哈密	75	39	11	0	125	261	274	8	0	543	668	0	41	41
开都河	82	7	6	0	96	1 044	293	8	0	1 345	1 441	0	0	0
渭干河	31	23	4	0	59	3 231	124	3	0	3 357	3 416	0	734	734
迪那	8	2	1	0	11	8	66	1	0	75	86	0	184	184
孔雀河	188	173	30	0	390	875	83	53	0	1 010	1 401	0	37	37
喀什噶尔	110	36	10	0	156	4 891	385	0	0	5 276	5 431	0	1 115	1 115
阿克苏河	161	17	13	0	191	4 622	10	0	0	4 632	4 823	0	1 498	1 498
塔上	9	10	2	0	20	542	5	0	0	547	567	0	4	4
塔中	3	1	0	0	4	38	0	0	0	39	42	0	22	22
塔下	12	0	1	0	13	121	0	0	0	121	134	0	40	40
叶尔羌河	31	39	6	0	76	6 595	104	3	0	6 701	6 777	0	321	321
皮山	4	0	0	0	4	640	0	0	0	640	644	0	98	98
和田河	21	17	3	0	41	1 905	470	0	0	2 375	2 416	0	0	0
克里雅河	2	3	0	0	5	1 153	24	0	0	1 177	1 182	0	138	138
车尔臣河	15	4	2	0	20	361	1	0	0	361	382	0	1	1
合　计	2 643	1 613	399	330	4 982	41 755	4 394	449	578	47 176	52 158	1	7 602	7 603

表 5-18　　　　　　　　　　　方案 CA2020 年计算单元水平衡汇总　　　　　　　　　　(10^6m^3)

计算单元	城市供水					农村供水					总供水	缺水		
	地表	地下	污水回用	补水	合计	地表	地下	污水回用	补水	合计		城市	农村	合计
额尔齐斯	29	41	5	0	76	1 654	43	1	0	1 698	1 774	0	0	0
额敏	40	33	5	0	78	775	500	2	0	1 278	1 356	0	399	399
白杨河	90	28	27	175	320	128	14	12	6	160	479	0	0	0
吉木乃	2	2	0	0	4	97	8	0	0	105	110	0	42	42
乌伦古	9	9	1	0	19	519	76	1	0	596	615	0	56	56
博尔塔拉	26	2	2	0	30	411	69	2	0	482	512	0	346	346
精河	3	4	1	0	8	271	44	0	0	315	322	0	8	8
奎屯	158	56	20	0	234	1 262	130	25	0	1 417	1 651	0	12	12
玛纳斯	234	100	27	0	361	2 035	687	53	0	2 775	3 136	0	128	128
呼图壁	19	10	2	0	31	492	156	3	0	650	682	0	33	33
乌鲁木齐	440	337	87	80	944	722	219	141	634	1 716	2 659	0	146	146
天北东	24	1	2	0	27	867	416	2	0	1 285	1 313	0	0	0
伊犁河干流	63	70	10	0	143	2 120	38	2	0	2 160	2 303	0	11	11
喀什河	6	0	0	0	6	190	0	0	0	190	196	0	21	21
特克斯河	21	11	2	0	34	1 325	0	0	0	1 325	1 359	0	119	119
巩乃斯河	13	3	1	0	17	382	1	0	0	383	400	0	0	0
巴伊	5	4	1	0	10	261	36	1	0	298	307	0	192	192
吐鲁番	129	89	18	0	236	399	551	7	0	957	1 193	0	0	0
哈密	47	29	7	0	83	204	276	4	0	484	566	0	10	10
开都河	39	22	4	0	65	899	279	1	0	1 179	1 243	0	0	0
渭干河	20	20	3	0	43	3 168	126	2	0	3 297	3 340	0	79	79
迪那	5	1	1	0	7	10	67	1	0	77	85	0	147	147
孔雀河	69	168	19	0	256	817	74	17	0	908	1 165	0	17	17
喀什噶尔	82	19	7	0	108	4 785	401	0	0	5 186	5 294	0	97	97
阿克苏河	108	14	9	0	131	4 414	12	0	0	4 426	4 557	0	813	813
塔上	5	7	1	0	13	484	7	0	0	492	505	0	0	0
塔中	1	1	0	0	2	42	0	0	0	43	45	0	10	10
塔下	8	0	1	0	9	136	0	0	0	136	144	0	4	4
叶尔羌河	19	31	4	0	54	5 697	111	1	0	5 809	5 863	0	0	0
皮山	2	0	0	0	2	561	0	0	0	561	563	0	62	62
和田河	9	18	2	0	29	1 595	469	0	0	2 064	2 092	0	0	0
克里雅河	2	2	0	0	4	1 061	25	0	0	1 087	1 090	0	78	78
车尔臣河	9	4	1	0	14	314	0	0	0	314	328	0	0	0
合　计	1 736	1 136	270	255	3 397	38 097	4 835	278	640	43 850	47 247	0	2 830	2 830

有:额敏、吉木乃、博尔塔拉、乌鲁木齐、巴伊、叶尔羌河、奎屯。其中吉木乃、博尔塔拉、巴伊最严重,缺水程度超过了25%。缺水量超过 4 亿 m³ 的单元有:乌鲁木齐、喀什噶尔河、叶尔羌河。基本上不缺水的或缺水程度小于4%的单元有:额河、白杨河、天北东、伊犁河 4 单元、塔里木河干流 3 单元、开都河、迪那河和孔雀河、车尔臣河。

(3)3 个重点湖泊艾比湖、博斯腾湖和乌伦古湖的多年平均补水量分别为 5.58 亿 m³、15.96 亿 m³、8.70 亿 m³,总补水量为 30.24 亿 m³。3 湖补水都能够满足生态耗水的基本要求,可以维持给定水面面积目标,即艾比湖 500 km²、博斯腾湖 1 002.4 km² 和乌伦古湖 996 km²。塔河上端多年平均过水量为 35 亿 m³,塔河下端多年平均过水量接近 1 亿 m³。

(4)年际间的供水破坏程度变化相对较小,供需两方面年际变化都较小,是决定因素。在 40 年系列中,北疆、东疆、南疆的最大供水破坏程度依次为 15.3%、20.9% 和 13.4%,比其多年平均值仅增加 4%~7%。

(5)年内缺水量集中的时期主要在农作物灌溉高峰季节,个别计算单元在 3 月、4 月也出现了缺水现象,但缺水量较小。尽管 5 月、6 月、7 月的来水量比较大,但还是有些单元发生缺水,而且缺水量主要集中在这几个月。这主要是由于近几年对农业种植结构进行了调整,春季灌溉有所推迟,部分与夏季灌溉连起来了,这样 4~7 月的灌溉需水就相当大,缺水量也就较大。以前的"卡脖子"春旱减轻了。

(6)城市供水保证率各单元都可达到 100%,农村供水月保证率多数单元在 60%~85%之间,喀什噶尔单元的农村月供水保证率最低,为 53.13%,有少部分单元农村供水保证率也可达到 100%。

三、水资源动态供需平衡分析

(一)需水中方案下的动态供需平衡分析

1.AA 方案的结果分析

(1)1995~2000 年期间,需水量的增加略大于供水量的增加,2000 水平年全疆的需水满足程度略有下降。2000~2020 年,需水量的增加小于供水量的增加,2020 水平年全疆的需水满足程度提高到 93.17%。在 25 年规划期中,全疆需水满足程度提高 3.21%,这说明水的供需矛盾得到了明显缓解。

(2)2000 水平年,东疆的需水满足程度提高到了全疆的水平。这主要是因为坎尔其和榆树沟水库发挥供水作用的结果。但由于东疆水资源缺乏,无后续大型供水工程,到 2020 水平年,还是东疆的缺水程度最大。北疆、南疆的缺水程度仍然差不多。

(3)在空间方面,现状供水破坏深度相对较大的单元,大部分将来仍然相对较大,流域间的水资源配置只能改善个别单元的供水状况。2000 年额河引水工程投入运行,使得该单元的水源得到了根本性的改善,供水保证率将会明显提高。2010 年规划的喀腊塑克(一期)综合利用工程投入运行,使相关单元的需水满足程度较现状水平年提高 12%,达到 89.88%。2020 年规划的喀腊塑克(二期)综合利用工程投入运行,使相关单元的需水满足程度进一步提高到 98.31%,也就是说,基本上不缺水。

(4)地下水的开采能力逐渐提高,南疆提高的幅度大于北疆和东疆。2020 水平年全疆地下水开采量将达到 60 亿 m^3。

(5)社会经济发展用水量增加,将会减少重点湖泊的补水量,但是仍然能满足其生态耗水量的基本需要。重点河流断面塔河上游和塔河尾闾的过水量将逐渐减少。

2.AB、AC 方案的结果分析

AB 方案与 AA 方案不同之处在于,在 2020 年增加了博综 1 水利工程以减轻博尔塔拉单元的缺水程度。供需平衡分析表明,博综 1 可增加供水量 0.21 亿 m^3,使博尔塔拉 2020 年的需水满足程度提高 4%,但是艾比湖的多年平均补水量将减少 0.19 亿 m^3。AB 方案其他结果基本与 AA 方案相同。

AC 方案与 AA 方案不同之处主要在于:①喀腊塑克(一期)综合利用工程推迟到 2020 年运行,在规划期内其二期工程不上;②增加了喀什河综及吉林台二级综合利用枢纽工程;③山口与恰甫其海,卡拉贝利与玛尔坎恰提对换。供需平衡分析表明:①乌鲁木齐单元的缺水很严重,2010 年缺水 27.61%,比 AA 方案高 17.5%;2020 年缺水 12.84%,比 AA 方案高 11%。②吉林台二级 1 向社会经济部门的供水量仅 0.54 亿 m^3,吉林台二级 2 向社会经济部门的供水量为 4.45 亿 m^3。这主要是由于精河缺水程度轻,奎屯缺水程度严重,以及还要受到需水时吉林台二级枢纽工程的调控能力的限制。③伊犁河上山口水库同样能够满足伊犁河干流的需水要求,因此,相对而言恰甫其海水库就显得供水规模偏大,但是恰甫其海水库是一个综合利用水库,除了供水外,还有防洪和发电作用,这些效益比山口水库大得多。另外,恰甫其海水库的修坝地形条件比山口水库优越,工程投资增加不是很大,而长期效益却增加很多。综合各种因素,从近、中期长远发展考虑,恰甫其海工程都是一项较好的工程。④卡拉贝利增加的供水量比玛尔坎恰提略大。

(二)需水高方案下的动态供需平衡分析

1.BA 方案的结果分析

(1)在与 AA 相同的水利工程组合方案下,2000 水平年、2010 水平年、2020 水平年,新疆水资源系统总供水量依次增加了 9 亿 m^3、22 亿 m^3、35 亿 m^3,然而供水满足程度将下降约 6%。

(2)重点湖泊的多年平均补水量略有减小,但差别不大;重点河流断面的过水量将减少。

(3)不同缺水程度的单元分布情况,基本上同 AA 方案。

2.BB、BC 方案的结果分析

(1)BB 方案与 BA 方案在工程方案配置上有所不同,结果分析表明:

1)增加博综 1 的效果类似 AB 方案,增加喀什河综及吉林台二级枢纽工程的效果类似 AC 方案。

2)提前投入玛尔坎恰提工程,在 2010 年可以使喀什噶尔单元的缺水程度比 BA 方案降低 1.4%。

3)其余结果基本同 BA 方案。

(2)BC 方案与 BA 方案在工程方案配置上也有所不同,结果分析表明:

1)增加博综 1 的效果类似 AB 方案,增加喀什河综及吉林台二级枢纽工程的效果类似 AC 方案,提前投入玛尔坎恰提工程的效果同 BB 方案。

2)增加了阿综1使阿克苏河单元的需水满足程度明显提高,下泄给塔里木河的水量明显减少。

3)增加这些水利工程的综合结果,使全疆需水满足程度比BA方案提高了1.5%。

(三)需水低方案下的动态供需平衡分析

1.CA方案的结果分析

(1)在与AA方案相同的水利工程组合方案下,2000水平年、2010水平年、2020水平年新疆水资源系统总供水量依次减少了9.2亿 m^3、39.2亿 m^3、81.9亿 m^3,主要是汛期需水降低,少利用了弃水量的结果。这三个水平年的需水满足程度依次为89.25%、91.87%、94.34%。

(2)重点湖泊的多年平均补水量及重点河流断面过水量的变化不大。

(3)不同缺水程度的单元分布情况,基本上同AA方案。

2.CB方案的结果分析

(1)CB方案与CA方案相比,2000水平年、2010水平年、2020水平年全疆的供水量依次为339.6亿 m^3、420.2亿 m^3、424.6亿 m^3,需水满足程度依次降低了1.54%、6.74%、9.55%。这说明,如果不新建供水工程,新疆的缺水将越来越严重。

(2)地下水开采量基本上维持现状,没增加则不利于减轻有些地区的土地盐渍化。

(3)CB方案与CA方案相比,重点湖泊的多年平均补水量及重点河流断面过水量的变化不大。

(四)水利工程配置A方案的风险分析

1. 经济发展不确定性所产生的风险

在经济发展高、中、低3种前景下,如果都采用水利工程组合A方案,则全疆的多年平均缺水程度分别在10%～13%、6.4%～10%、5.7%～10%的范围内,并且缺的都是农业用水。可见,其供水风险是可以承受的。

2. 水文不确定性产生的风险

在各种经济发展前景下,所有缺水都是农业需水。在高前景下,BA方案中1995年、2000年、2010年、2020年的最大缺水程度依次为14.46%、16.33%、17.95%、18.40%。在中前景下,AA方案中1995年、2000年、2010年、2020年的最大缺水程度依次为14.56%、14.53%、14.0%、10.4%。在低前景下,CA方案中1995年、2000年、2010年、2020年的最大缺水程度依次为14.46%、14.63%、12.45%、9.33%。可见,由水文不确定性产生的供水风险也是可以承受的。

3. 供水保证率

城市供水保证率在各方案中都是100%。而农村供水的保证率,在不同配置方案中,对于不同计算单元是大不相同的。就农村供水月保证率而言,最高的为100%,如额尔齐斯、白杨河、天北东等计算单元;最低的为20%左右,如迪那等单元(即经常性缺水),大部分计算单元的农村供水月保证率为60%～85%。

风险分析表明,从全疆的角度看,供水风险是可以承受的,但是有些计算单元的缺水程度还是相当严重的,应该引起重视。

四、重大水利工程增加的供水量

新疆目前多数河流引用水量都较多,建库后水库供水量增加了,但是下游的引用水量必然会有所减少。因此,本研究不是简单地将水利工程的供水量算作其增供水量,而是通过工程有无对比分析,得出的重大水利工程对系统或计算单元增加的供水量。部分重大水利工程增加的多年平均供水量为:额尔综 1 为 12.1 亿 m^3,乌鲁瓦提为 2.17 亿 m^3,下坂地为 10.25 亿 m^3,阿尔塔什为 6.72 亿 m^3,下天吉为 0.52 亿 m^3,布伦口为 5.51 亿 m^3,玛尔坎恰提为 1.1 亿 m^3,铜场为 1.26 亿 m^3,西尼尔为 1.36 亿 m^3,风城为 2.11 亿 m^3。

第八节　方案综合分析

一、新疆水资源合理配置方案综合分析

水资源合理配置方案综合评价的原则是:

(1)社会经济发展与水资源开发利用的可持续性。

(2)与合理的社会经济发展速度相符合、协调,水的利用要高效率和高效益。

(3)与新疆的宏观经济和产业结构优化调整保持一致,使资源优势和产业优势尽量发挥,并尽快转变为经济优势。

(4)各地区的需水破坏深度差别尽可能小,既可减小缺水损失,又兼顾到社会公平原则。

(5)兼顾社会经济需水和生态环境需水。

我们通过宏观经济模型提出了规划期新疆的具有可持续性的高、中、低 3 个情景,并作了产业结构优化和情景分析,使新疆的资源优势和产业优势得以较充分的发挥。综合分析认为,新疆达到中方案的发展速度的可能性最大,因而需水中方案最合理。但是高低需水方案也不是完全没有可能的,其结果从风险分析的角度依然具有参考价值。

在水资源开发利用可持续性方面,我们着重控制所有方案都不要出现用水量大于可利用量;坚持适当的污水处理与回用,避免水环境污染和资源浪费;坚持地下水不超采。因此,所有水资源配置方案都具有可持续性。

在新疆水资源开发利用结构方面,我们根据南、北、东疆的地下水开发利用程度东疆较高、北疆居中、南疆最低,总体开发程度低并导致不少地区土地盐渍化严重,潜水蒸发过多的特点以及地下水开采单方水成本比较低的经济特性,制定了总体上加大地下水开发的方针(方案 CB 除外)。加大开发的程度是南疆最大,北疆次之,东疆最小。

水资源配置 AA 方案和 AB 方案的水利工程设置,基本上都兼顾了各地区社会经济发展的需水要求。在不利的水资源条件下,尽量使各单元的供水与需水相协调,能够使各单元的供水破坏深度动态地缩小差别。它们都能使全疆保持较合理的需水满足程度和缺水程度,且都满足重点生态需水的基本要求。两方案比较,AA 方案减小了博尔塔拉单元的缺水量,这是优点,但是是局部的。经综合判断,AA 方案比 AB 方案更合理。

AC 方案与 AA 方案相比,喀腊塑克综合利用工程实施晚了 10 年,将会造成相关单元

严重缺水。其中,2010年缺27.61%,2020年缺12.84%。在新疆政治、经济技术、文化中心的区域,规划如此严重的缺水是不太合理的,况且,乌鲁木齐市目前的地下水已严重超采,水质污染也是新疆最严重的地区之一。综合判断AA方案比AC方案更合理。

在高需水前提下,BB方案与BA方案相比,增加喀什河综及吉林台二级枢纽工程以及提前投入玛尔坎恰提工程的供水能力的利用效率都不高。其余结果基本同BA方案。故综合比较BA方案优于BB方案。BC方案与BA方案相比,明显加大了水资源的开发力度,同时增加了喀什河综、吉林台二级枢纽等工程,并增加了和田综2及阿综1,全疆需水满足程度提高了1.5%,这是优点。但是,BA方案的全疆需水满足程度已经达到了87.28%,缺的都是农业需水,所以增加这部分供水量的单位效益不会高。不仅BC方案增加的这些工程的供水能力利用率不太高,投资效果不佳,而且阿克苏下泄水量减少太多,势必会使塔里木河中下游的生态环境面临更加严峻的形势。因此,BA方案明显优于BC方案。

在低需水前提下,CB方案的缺水程度将越来越严重,国民经济的发展势必将受到较大制约,即使是在低经济增长的前提下也是不可取的。同时,也不利于减轻有些地区的土地盐渍化。CB方案明显不如CA方案。在经济发展高、中前景下,更不应该采用这种水利工程配置方案。

另外,我们还从经济合理性、环境合理性、生态合理性、水资源开发合理性、水投资合理性等5大方面,建立了对水资源配置方案进行更为宏观的综合评价指标体系。通过水资源综合DSS系统的综合评价,其结果也是AA方案合理。

综上分析,AA方案是新疆水资源系统中比较合理的配置方案。

二、新疆水资源合理配置方案研究小结

(1)水利工程设置A方案,可作为未来新疆水资源合理开发利用的基本方案。它符合社会经济发展和资源开发利用的可持续性原则,兼顾了各地区的供水破坏深度尽可能均匀,既对中需水方案合理,也能适应高、低需水方案。重大工程布局符合新疆重点地区、重点发展方向的要求,水利工程设施的供水能力,既能较好地发挥作用,也能满足重点生态环境需水。其增加地下水开采的策略,是符合新疆的地下水可开采量和开采现状的分布特点的,也有利于减轻土地盐渍化。

(2)新疆城市需水量在总需水中的比例很小,较容易满足,缺的主要是灌溉需水。供水破坏程度年际变化较小,但各计算单元间的差别很大。年内缺水量主要集中在灌溉高峰季节,部分单元有春旱现象。在推荐的水资源合理配置AA方案下,1995~2000年期间,全疆需水量的增加略大于供水量的增加,2000水平年全疆的需水满足程度略有下降。2000~2020水平年,需水量的增加小于供水量的增加,2020水平年全疆的需水满足程度提高到93.17%。在25年规划期中,全疆需水满足程度提高3.21%。水文长系列分析结果表明,1995年、2000年、2010年、2020年的最大缺水程度,依次为14.56%、14.53%、14.0%、10.4%。社会经济发展用水量增加,将会减少重点湖泊的补水量,但是仍然能满足它们的生态耗水量基本需要。重点河流断面塔河上游和塔河尾闾的过水量,将逐渐减少。

（3）新疆水资源开发利用潜力较大，个别水利工程的兴建与否，只对解决相关单元的需水起作用；改善全疆水供需平衡需要多个水利工程、多种措施共起作用。水资源开发利用，需要坚持开源与节流并重的方针，地表水开发和地下水开发协调进行，特别需要加大南疆地下水的开采能力和城市污水处理回用。要加强水资源管理，特别需要继续加强农业节水或发展高效节水型农业，提高用水效率和效益。

（4）额河引水工程即将建成发挥作用，可向白杨河单元增加 4 亿 m^3 供水。而一般情况下需水的增长是逐渐的，故须加快配套设施建设，使其尽快发挥最大效益。

（5）乌鲁木齐单元缺水程度严重，缺水量大，由于乌鲁木齐市是新疆的政治、经济、文化中心，具备较好的发展条件。建议加快有关工程的论证和前期工作。

（6）对一些引水工程，由于投资太大，并涉及新的水利工程总体布局和排序、生态环境保护对象、范围、地位和作用等，建议拓展规划思路，将它们放到生态大系统中的水资源配置中作进一步研究，全面规划，慎重考虑。

第六章 水资源承载能力研究

随着生产科学技术的进步,新疆水资源开发利用水平在不断提高,资源的人口承载能力也在提高。但是,按照可持续发展观念,水资源承载能力不能无限度地提高,否则,将导致水资源的过度开发,影响后代人发展。那么,按照现在的技术条件,在水资源可持续开发和生态环境得到良性循环的条件下,新疆的社会经济能发展到一个怎样的程度,人口的承载量是多少,其生活水平又如何,本章将进行充分地论述。

第一节 生活水平的期望值分析

衡量水资源的承载能力大小的主要依据,归根结底是承载的人口数量和人口的生活水平。一般来说,承载的人口越多,其生活水平必然就低;承载的人口越少,其生活水平也必然就高。人民群众的生活水平,主要决定于人民群众对工农业产品的占有量。占有量越高,生活水平也越高;占有量越低,其生活水平也越低。因此,未来人口对工农业产品的占有量,则必然影响水资源的承载能力的计算。

为了更客观地分析新疆水资源的承载能力,有必要对全国乃至全世界的消费水平的变化趋势进行详细分析。农业产品可以分为粮食、棉花、蔬菜、油料、肉、蛋、奶等消费品,相对来说,简单而一致;工业消费品则相对复杂,因为工业产品种类繁多,且与历史年代有关,为了简单起见,用人均 GDP 描述工业产品的消费水平。

一、主要农产品生产状况

(一)粮食生产状况

我国是一个农业大国,粮食生产一直是国家的头等大事。从总体上说,我国的粮食基本供求平衡,但一直处于紧张运行状态。1978 年我国粮食总产量30 477万 t,人均生产量316.6kg。从 1990~1996 年,人均年粮食占有量在 370kg 以上,可以满足基本需求,但与世界人均水平420kg 相比,还差 20~50kg。1990~1996 年 7 年间,有 4 年净进口,3 年净出口,年均净进口 368 万 t。从进出口的品种来看,进口的主要是小麦,出口的有大米、玉米、大豆等。目前,粮食的进出口主要起着品种调剂和丰歉调剂作用,粮食的供求平衡并未对国际市场形成依赖关系,而主要通过发展国内解决[1](参见表 6-1)。

(二)棉花生产状况

我国(或者全世界)棉花生产虽然在不同时期有所波动,但从总体趋势看,仍是一个发展的趋势。1978 年我国棉花总产量216.7万 t,人均生产量 2.25kg。1980~1989 年的 10年间我国棉花平均年产量为 400.4 万 t,1990~1996 年的 7 年间棉花平均年产量为453.4

---

[1]农业部规划设计研究院.新疆维吾尔自治区克拉玛依 50 万亩生态农业开发项目可行性研究报告.1997 年 11 月

万 t(参见表 6-2)。全世界棉花平均年产量的变动情况是:1934~1938 年为 580 万 t,1948~1952 年为 670 万 t,1955~1956 年为 765 万 t,1985~1989 年为 1 702万 t,1992~1996 年为1 861万 t(参见表 6-3)。

表 6-1　　　　　　　　　我国粮食生产及进出口情况

年份(a)	生产量(10^4t)	进口量(10^4t)	出口量(10^4t)	全国人均占有量(kg)
1990	44 624	1 372	583	390
1991	43 529	1 345	1 086	376
1992	44 266	1 175	1 364	378
1993	45 649	752	1 535	385
1994	44 510	920	1 346	371
1995	46 662	2 081	214	385
1996	50 454	1 200	144	409

表 6-2　　　　　　1980~1996 年我国棉花生产及进出口情况

年份(a)	生产量(10^4t)	进口量(10^4t)	出口量(10^4t)	全国人均占有量(kg)
1980	270.7	88.5	0.9	2.8
1981	296.8	80.1	0.1	3.0
1982	359.8	47.3	0.4	3.5
1983	463.7	23.0	5.8	4.5
1984	625.8	4.0	18.9	6.0
1985	414.7	0	34.7	3.9
1986	354.0	0	5.8	3.3
1987	424.5	0.6	75.5	3.9
1988	414.9	3.5	46.8	3.7
1989	378.8	51.9	27.2	3.4
1990	450.8	42.0	16.7	3.9
1991	567.5	37.0	20.0	4.9
1992	450.8	28.0	14.5	3.8
1993	373.9	1.0	15.0	3.2
1994	434.0	52.6	11.1	3.6
1995	476.8	74.0	2.2	3.9
1996	420.0	6.5	0.4	3.4

表 6-3　　　　　　　　1992~1996 年世界棉花生产情况　　　　　　　　　　(10^4t)

地区	1992 年	1993 年	1994 年	1995 年	1996 年
世界总量	1 798	1 687	1 871	2 018	1 930
中国	451	374	434	477	420
美国	353	351	429	390	414
印度	237	207	235	274	277
巴基斯坦	155	137	148	189	159
乌兹别克斯坦	131	135	124	122	107
土耳其	57	61	63	85	78
其他	414	422	438	481	475

(三)畜产品生产

自 1985~1996 年 12 年间,我国肉类生产量增长了 3 倍多,年平均递增 10.7%。其中,猪肉生产量增长 2.4 倍,年均递增 8.4%;牛肉生产量递增 10.5 倍,年均递增 23.9%;羊肉生产量增长 4 倍,年均递增 13.6%。1996 年人均畜产品占有量达到 48.3kg,其中:猪肉 33kg,牛肉 4kg,羊肉 2kg(参见表 6-4)。

表 6-4　　　　　　　　　　1985~1996 年我国主要畜产品生产情况　　　　　　　　　(10⁴t)

年份(a)	肉类产量	猪牛羊肉	猪肉	牛肉	羊肉	禽肉	奶类
1985	1 927	1 761	1 655	47	59	160	
1986	2 112	1 917	1 796	59	62	188	
1987	2 216	1 986	1 835	79	72	219	
1988	2 480	2 194	2 018	96	80	274	
1989	2 629	2 326	2 123	107	96	282	
1990	2 857	2 514	2 281	126	107	323	
1991	3 144	2 724	2 452	154	118	395	
1992	3 431	2 941	2 635	180	125	454	
1993	3 842	3 225	2 854	234	137	274	
1994	4 499	3 693	3 205	327	101	755	608.9
1995	5 260	4 265	3 648	415	201	935	672.8
1996	5 915	4 773	4 038	495	240	1 075	735.8

从 1985~1996 年我国肉类生产情况可以看出,猪肉产量在肉类的总产量中所占比重逐年下降,由 1985 年的 86% 降至 1996 年的 68.3%;牛羊肉产量在肉类总量中所占比值逐年上升,由 1985 年的 5.5% 升至 1996 年 12.3%。另据有关资料介绍,1990 年世界发达国家肉类人均消费量已达 76.7kg。其中:牛肉 26.8kg,占 34.9%;羊肉 2.8kg,占 3.6%;猪肉 29.8kg,占 38.8%;禽肉 17.3kg,占 22.6%。从上述分析可以预见,在我国未来的肉类消费中,牛羊肉所占比例将会明显增大。

1970~1990 年 21 年间,世界牛、羊、猪肉的总产量增加了 47.1%,年递增率为 1.9%。其中:牛肉增长了 30%,年均递增 1.3%;羊肉增长了 31%,年均递增 1.4%;在 1980~1990 年间,实际肉类的消费量增长了 16%,年均递增 1.5%。其中:牛肉增长了 12%,年均递增了 1.1%;羊肉消费量增长了 22%,年均递增 2%。1970~1990 年世界牛羊猪肉生产情况,见表 6-5。

从 1987~1992 年,世界牛肉消费量总是呈逐年增加的趋势,但各国之间是不平衡的。发达国家如美国人均消费量大,且年际变化小,而发展中国家人均消费量低(仅为发达国家的 15%),但逐年增长趋势明显。

畜产品消费量一般是由人口、收入、价格及消费习惯等因素共同决定的。畜产品消费量与人口和收入的增长呈正相关,与价格上升的幅度呈负相关,但畜产品价格上升对畜产品消费的增长起的抑制作用不大。在近期,我国畜产品消费量的增长,主要由人口和收入因素来确定。

表 6-5　　　　　　　　　　　　　世界牛羊猪肉生产情况　　　　　　　　　　　　(10^4 t)

肉种类	地区	肉类生产年度				增长率(%)	
		1970 年	1980 年	1983 年	1990 年	1970~1980 年	1980~1990 年
牛肉	全世界	3 809.5	4 484.0	4 575.8	4 950.8	1.6	1
	发展中国家	1 093.9	1 318.4	1 346.3	1 539.1	1.9	1.6
	发达国家	2 715.6	3 165.6	3 229.5	3 411.7	1.5	0.8
羊肉	全世界	689.2	758.3	824.9	905.0	1	1.8
	发展中国家	310.6	397.3	439.9	498.7	2.5	2.3
	发达国家	378.6	361.0	385.0	406.3	-0.5	1.2
猪肉	全世界	3 581.6	5 084.0	5 415.4	6 031.9	3.6	1.7
	发展中国家	970.4	1 660.7	1 911.0	2 285.0	5.5	3.2
	发达国家	2 611.2	3 423.3	3 504.4	3 746.9	2.7	0.9
合计	全世界	8 080.2	10 326.2	10 816.2	11 887.8	2.5	1.4
	发展中国家	2 374.8	3 376.3	3 697.3	4 322.9		
	发达国家	5 705.4	6 949.9	7 118.9	7 564.9		

目前,我国人均肉类占有量虽然超过世界人均占有水平,但还远低于发达国家水平。我国人均奶类占有量只有 6kg,大大低于世界人均占有量。在人均食物消费水平和动物产品所占比重方面,都低于世界平均水平。

世界主要国家肉蛋奶人均占有量及人均食物消费指标,见表 6-6。

根据国民经济和社会发展"九五"计划和 2010 年远景目标纲要,城镇居民人均生活费收入年均增长 5.55%,农民人均纯收入年均增长 4%。随着人民生活水平的提高,人民群众的膳食结构必然会发生变化。可以预见,我国的畜产品消费必将保持较高的增长势头。

(四)新疆的农产品生产状况

新疆是我国的一个农业大区,农业产值占全国农业总产值的比例,1980 年为 2.21%,1985 年为 2.42%,1990 年为 3.17%,而 1995 年达 3.65%。由此可以看出,新疆的农业发展较快,在全国中的比例呈上升趋势。

新疆的粮食生产在 20 世纪 90 年代之前一直呈上升趋势,1978 年粮食总产量为 370 万 t,人均生产量 300kg,低于全国平均水平的 317kg;1985 年粮食总产量为 497 万 t,人均生产量 365kg;1990 年粮食总产量为 677 万 t,人均生产量 443kg。90 年代以后虽然粮食总产量还在继续保持增长,但人均生产量基本上保持在 440kg 的水平。自从 1985 年之后,人均生产水平一直高于全国平均水平。新疆的棉花生产量从 1978~1995 年间,持续保持增长势头,其中,1978 年棉花总产量为 5.5 万 t,人均生产量 4.5kg;而 1995 年棉花总产量达到 93.5 万 t,人均生产量 56.3kg。新疆棉花生产是我国的一个大区,1995 年总产量占全国的 20%,人均棉花生产量大大高于全国的 4kg 的平均水平,参见表 6-7。

表 6-6 世界主要国家肉、蛋、奶年人均占有量(1994 年统计资料)

国家	人口(10⁴ 人)	肉类(kg)	牛肉(kg)	羊肉(kg)	猪肉(kg)	禽肉(kg)	奶类(kg)	蛋类(kg)
全世界	563 024.0	34.6	9.4	1.8	14.0	8.7	93.3	7.4
加拿大	2 914.1	103.1	31.2	0.4	41.4	28.5	264.3	11.0
墨西哥	9 185.8	38.7	14.9	0.8	9.5	12.6	83.7	13.6
美国	26 063.1	126.5	43.0	0.6	30.8	51.2	267.4	16.8
阿根廷	3 418.2	104.6	75.8	2.3	4.5	19.0	230.2	10.1
巴西	15 914.3	50.8	19.6	0.8	8.1	21.9	100.0	9.0
哥伦比亚	3 454.5	35.0	17.6	0.4	3.9	12.8	135.8	8.5
中国	120 884.2	37.1	2.1	1.3	28.0	5.4	7.1	10.4
印度	91 857.0	4.5	2.7	0.7	0.4	0.5	69.2	1.6
日本	12 496.0	26.7	4.8		11.2	10.6	66.9	20.5
巴基斯坦	13 664.5	12.3	5.9	4.7		1.6	122.8	1.8
法国	5 774.7	106.3	28.9	2.6	36.7	32.9	442.6	1 701
德国	8 127.8	71.2	18.5	0.5	43.7	7.9	347.3	13.5
意大利	5 715.7	70.5	20.6	1.4	23.1	19.9	196.7	12.6
荷兰	1 538.9	183.6	39.0	1.3	109.0	34.3	698.9	39.4
丹麦	520.5	362.9	36.3	0.4	292.2	33.2	853.4	17.1
波兰	3 854.4	62.8	11.7	0.2	41.7	8.7	317.0	7.8
俄罗斯	14 737.0	50.7	22.7	2.3	16.3	9.4	299.0	14.8
英国	5 831.1	56.3	15.0	4.8	17.7	18.6	257.3	10.9
乌克兰	5 146.5	51.8	27.6	0.9	17.7	5.1	352.3	9.9
罗马尼亚	2 273.3	63.0	14.7	3.4	32.5	11.8	173.3	14.8
澳大利亚	1 784.9	188.0	102.3	37.0	19.3	28.2	466.7	9.1
新西兰	353.1	337.3	160.0	137.1	13.6	19.5	237.3	14.6
尼日利亚	10 846.7	8.6	2.0	1.7	2.4	1.5	3.6	2.9
南非	4 055.5	28.3	11.6	4.2	2.5	9.7	58.0	5.7
埃及	6 163.6	13.9	5.7	1.5	0.1	5.2	42.7	2.1

　　新疆自治区当前肉类生产水平居于全国中下游,1996 年新疆自治区肉类产量为 603 114t,人均占有量为 36kg,仅及全国人均肉类占有量的 74.5%。随着国家向西北倾斜的经济政策的实施,新疆自治区的经济建设必将迅速发展,人民群众的生活水平将随之改善,对肉类的需求将不断增长,尤其是对牛、羊肉的需求量将会增长得更快。

　　但是,新疆的农业生产还是处于一种粗放式的经营状态中,增产靠开荒,靠增加播种面积,灌溉基本上采用的是大水漫灌的古老的灌溉形式。随着农业生产技术的改进,这种耕作方式必然要被淘汰,而提高现有耕地面积的单产和灌溉用水的利用效率,将是农业生产的发展方向。

表 6-7			新疆主要农产品生产状况							(kg/人)
年份(a)	粮食	油料	棉花	水果	甜菜	蔬菜	瓜	肉	奶	蛋
1978	300.09	8.38	4.46		13.28	74.01	35.73		4.26	
1980	300.90	13.71	6.17		30.02	57.23	43.39	9.90	5.67	
1985	364.88	25.16	13.80		29.89	81.61	75.80	13.50	14.47	3.15
1986	393.68	30.82	15.62		47.96	107.87	100.76	15.37	16.54	3.68
1987	415.48	30.08	19.89		68.62	113.57	81.41	16.57	21.04	4.04
1988	424.97	27.05	19.50		77.21	123.39	78.89	17.27	22.43	4.25
1989	428.48	22.21	20.27		68.04	127.65	64.74	18.59	22.62	4.17
1990	442.65	25.48	30.66		146.73	122.56	61.07	19.92	23.31	4.12
1991	432.61	26.05	41.14		165.22	110.78	52.54	21.19	24.12	4.32
1992	446.83	22.54	42.24		208.19	122.29	59.58	22.79	25.17	4.83
1993	448.76	23.06	42.36		147.58	119.49	47.03	23.86	25.45	4.50
1994	408.02	31.09	54.03		183.28	129.23	47.23	26.22	27.46	5.16
1995	439.50	29.74	56.28	68.83	173.44	162.25	41.38	31.53	29.98	5.72
最小值	300.09	8.38	4.46	68.83	13.28	57.23	35.73	9.90	4.26	3.15
最大值	448.76	31.09	56.28	68.83	208.19	162.25	100.76	31.53	29.98	5.72
均值	403.60	24.26	28.18	68.83	104.57	111.69	60.73	19.72	21.52	4.36

二、国内生产总值

我国还是一个发展中国家,随着改革开放,我国经济已经走上健康发展的道路。在 1978~1995 年期间,我国国内生产总值(GDP)平均年增长率达 9.8%(参见表 6-8),明显

表 6-8		中国社会经济发展基本情况(1978~1995 年)							
项目	时间	全国				新疆			
		GDP	人均 GDP	工业 总产值	工业 GDP	GDP	人均 GDP	工业 总产值	工业 GDP
		(10^8 元)	(元)	(10^8 元)	(10^8 元)	(10^8 元)	(元)	(10^8 元)	(10^8 元)
年 统 计 值	1978 年	3 624	379	4 237	1 607	39	313	33.9	14
	1980 年	4 518	460	5 154	1 967	53	410	40.7	17
	1985 年	8 964	855	9 716	3 449	112	820	86.8	32
	1990 年	18 548	1 638	23 924	6 858	274	1 799	220	68
	1995 年	58 261	4 754	91 894	24 354	835	4 819	804	219
增 长 率 (%)	"六五"期间	10.78	10.71	12.03	9.90				
	"七五"期间	7.90	7.87	13.18	9.22				
	"八五"期间	11.57	12.01	22.17	17.74				
	1978~1995 年	9.79	9.89	14.90	12.03				

高于全球的 2.7%(1980～1994 年)和以高速增长著称的东亚地区的 8.3%。尤其是"八五"时期,增长更为迅速,年均增长达 11.6%("七五"为 7.9%、"六五"为 10.8%)。从人均国内生产总值来看,1978 年仅为 379 元,1995 年已经达到 4 754 元(折合 620 美元)。国民经济高速、持续增长的主要动力之一,为工业的快速发展。1978～1995 年间,工业总产值和工业 GDP 年均增长率分别为 14.9%和 12.0%。工业和国民经济的快速发展,驱动了用水的增长,也对供水提出更高的要求。

进入 20 世纪 90 年代,我国政策开始向西部倾斜,新疆的国民经济发展也开始超过了全国平均水平。新疆人均国内生产总值 1980 年为 410 元,1990 年为 1 799 元,到 1995 年达 4 819 元(折合 628 美元)。

三、期望值分析

本次攻关拟用两类指标表示人民群众的生活水平,即农产品和国内生产总值 GDP。其中,人均农产品的占有量,说明了人民群众的温饱程度;而人均 GDP,则代表富足程度。农产品分粮食、水果、肉、奶、油料、蔬菜以及棉花、甜菜等指标,这些指标基本上涵盖了人民群众日常生活所必须的农业消费品。通过上述分析,综合考虑世界、全国以及新疆的社会经济发展历程(参见表 6-7 和表 6-9),给出了 2020 年和 2050 年的农产品和 GDP 的人均期望值,作为分析水资源承载能力的主要依据。到 2020 年,人均粮食占有量应为 420kg、棉花 15kg、油料 15kg、蔬菜 180kg、水果 40kg、甜菜 20kg、瓜 100kg、肉 40kg、蛋 15kg、奶 40kg;到 2050 年,人均粮食占有量应为 440kg、棉花 25kg、油料 25kg、蔬菜 200kg、水果 60kg、甜菜 30kg、瓜 120kg、肉 45kg、蛋 20kg、奶 45kg,见表 6-10。

表 6-9				全国主要农产品生产状况						(kg/人)	
年份(a)	粮食	油料	棉花	水果	甜菜	肉	奶	蛋	水产品	海水产品	淡水产品
1978	316.61	5.42	2.25	6.83	2.81				48.36	37.38	10.98
1980	324.77	7.79	2.74	6.88	6.39		1.38		45.56	33.00	12.56
1985	358.15	14.91	3.92	11.00	8.43	18.20	2.73	5.05	66.62	39.65	26.96
1986	364.17	13.71	3.29	12.54	7.73	19.65	3.10	5.16	76.61	44.22	32.39
1987	368.69	13.98	3.88	15.26	7.45	20.27	3.47	5.40	87.41	50.16	37.26
1988	354.94	11.89	3.74	15.01	11.54	22.33	3.77	6.26	95.55	54.55	41.00
1989	361.61	11.49	3.36	16.25	8.20	23.32	3.87	6.39	102.19	58.67	43.52
1990	390.30	14.11	3.94	16.39	12.70	24.99	4.16	6.95	108.19	62.39	45.80
1991	375.82	14.14	4.90	18.79	14.06	27.15	4.53	7.96	116.63	69.08	47.55
1992	377.79	14.01	3.85	20.83	12.86	29.28	4.81	8.70	132.89	79.69	53.20
1993	385.17	15.22	3.15	25.41	10.17	32.41	4.76	9.95	153.82	90.79	63.03
1994	371.38	16.60	3.62	29.20	10.45	37.54	5.08	12.34	178.82	103.59	75.23
1995	385.25	18.58	3.94	34.80	11.55	43.43	5.55	13.84	207.82	118.82	89.01
最小值	316.61	5.42	2.25	6.83	2.81	18.20	1.38	5.05	45.56	33.00	10.98
最大值	390.30	18.58	4.90	34.80	14.06	43.43	5.55	13.84	207.82	118.82	89.01
均值	362.45	12.77	3.55	16.20	9.40	23.19	3.47	6.74	101.05	60.26	40.79

生活水平标准划分原则为:人均农产品占有量达到上述指标,则承载人口的生活水平只是温饱;在温饱的基础上,2020 年人均 GDP 超过 10 000元或 2050 年人均 GDP 超过 40 000元,则承载的人口进入中等富裕水平;在温饱的基础上,2020 年人均 GDP 超过 20 000元或 2050 年人均 GDP 超过 60 000元,则承载的人口进入富裕水平。

表 6-10　　　　　　　　　　　新疆基本消费品期望值　　　　　　　　　　　(kg/人)

年份(a)	粮食	油料	棉花	水果	甜菜	蔬菜	肉	奶	蛋	水产品
2020	420.0	15.0	15.0	40.0	20.0	180	40.0	40.0	15.0	50.0
2050	440.0	25.0	25.0	60.0	30.0	200	45.0	45.0	20.0	50.0

第二节　2020 年新疆水资源承载能力分析

一、承载能力分析的边界条件

为了有效地分析水资源承载能力,本次攻关拟将新疆分成南疆、北疆和东疆三大计算单元,以水稻、小麦、玉米(包括玉米、高粱、大麦、豆类)、油料、蔬菜以及棉花、甜菜、其他(麻类、烟叶、啤酒花、药材、打瓜籽、果用瓜等)8 种(类)作物,描述种植业的种植结构;以水果代表果林;以肉和奶代表畜牧业。以三大产业刻画经济结构。

(一)种植业

由于独特干旱的自然地理条件,新疆的农业是灌溉农业。为了能在作物生长期内充分发挥水的利用效率,收到增产、省水的目的,必须拟定适时、适量、科学合理的灌溉制度。综合新疆 17 个灌溉试验站的试验资料以及当地群众总结的丰产灌溉经验,并考虑节水技术措施(如喷灌或微喷灌等)的逐步实施,确定了主要农作物的净灌溉定额(参见表6-11)。

表 6-11　　　　　　　　　　　新疆主要农作物灌溉定额　　　　　　　　　　　(m³/亩)

地区	水平年(a)	水稻	小麦	玉米	棉花	油料	甜菜	蔬菜	其他
北疆	1995	785	256	244	329	220	301	319	264
	2000	750	250	240	320	215	300	315	260
	2010	720	240	230	310	210	290	310	250
	2020	700	230	220	300	205	280	305	240
南疆	1995	1 145	366	295	328	292	293	360	292
	2000	1 100	340	280	320	280	285	355	280
	2010	1 000	320	260	310	270	280	350	270
	2020	900	300	250	300	260	275	345	260
东疆	1995		283	240	420	269		384	486
	2000		275	230	410	260		380	450
	2010		265	220	400	250		375	420
	2020		255	210	390	245		370	390

农作物的产量及销售价格,是分析水资源承载能力的重要依据。本次攻关在综合分析现状新疆以及全国其他地区的生产水平和销售状况之后,确定主要农作物的单位面积产量和销售价格,参见表6-12、表6-13。

表6-12　　　　　　　　　　　　新疆主要农作物单位面积产量　　　　　　　　　　（kg/亩）

地区	水平年(a)	水稻	小麦	玉米	棉花	油料	甜菜	蔬菜	其他
北疆	1995	497.8	243.4	395.0	78.5	139.8	3 114.0	2 487.4	959.5
	2000	524.5	256.4	416.2	80.7	143.7	3 200.6	2 556.6	983.7
	2010	582.2	284.7	462.0	85.3	151.0	3 364.3	2 678.3	1 034.0
	2020	646.3	316	512.9	90.20	158.8	3 536.3	2 824.7	1 086.9
南疆	1995	428.4	326.1	185.4	94.3	158.8	3 759.9	2 185.4	475.1
	2000	451.4	343.6	200.0	97.0	163.2	3 864.4	2 246.2	488.3
	2010	501.1	381.4	250.0	102.5	171.6	4 062.1	2 361.0	513.3
	2020	556.2	423.4	300.0	108.4	180.3	4 269.8	2 481.8	539.5
东疆	1995		237.0	137.2	105.4	35.8		2 494.1	1 415.8
	2000		250.9	170.0	108.4	36.8		2 564.7	1 455.9
	2010		281.3	220.0	114.7	38.9		2 712.0	1 539.5
	2020		315.4	280.0	121.4	41.2		2 867.8	1 627.9

表6-13　　　　　　　　　　　　　新疆主要农作物单价　　　　　　　　　　（元/kg）

水平年(a)	水稻	小麦	玉米	棉花	油料	甜菜	蔬菜	其他
1995	2.00	1.80	1.40	14.50	4.00	0.20	0.50	0.50
2000	2.20	1.98	1.54	15.95	4.40	0.22	0.60	0.55
2010	2.64	2.38	1.85	19.14	5.28	0.26	0.70	0.66
2020	3.17	2.85	2.22	22.97	6.34	0.31	0.80	0.79

（二）牧业和林业灌溉定额

新疆的林草也需要进行灌溉,现状灌溉净定额一般都为$200\sim300m^3$/亩,本次攻关给出的林草灌溉净定额,见表6-14。

（三）生活用水定额

现状新疆生活用水水平与全国其他地区比较,属于偏低水平。北疆的城市生活用水水平虽然高于南疆和东疆,但也只有170L/(人·日),而东疆最低只有97L/(人·日);农村生活用水水平更低,不足50L/(人·日)。考虑到随着社会经济的发展,新疆的生活用水水平必然要接近我国其他地区,故给定各种生活用水定额,见表6-15。

（四）工业万元产值取用水定额

现状新疆工业用水量占总用水量的比例不足3%,但浪费现象比较严重,重复利用率不高。虽然北疆的乌鲁木齐市和克拉玛依市的工业比较发达,节水水平较高,但全疆平均万元产值取水量仍高于全国其他地区。预计未来的形势依然如此(参见表6-16)。

表 6-14　　　　　　　　　　　　新疆牧业与林业灌溉定额　　　　　　　　　　　　（m³/亩）

地区	水平年(a)	牧业			林业	
		苜蓿	饲草	灌溉草场	果林	其他林
北疆	1995	289	238	217	233	225
	2000	285	235	210	230	220
	2010	280	230	205	225	215
	2020	275	225	200	220	210
南疆	1995	288	273	252	270	255
	2000	285	270	245	255	250
	2010	280	265	240	250	245
	2020	275	260	235	245	240
东疆	1995	240	300	180	344	300
	2000	235	290	180	335	290
	2010	230	280	175	325	280
	2020	225	270	175	315	270

表 6-15　　　　　　　　　　　　　　新疆生活用水定额

地区	水平年(a)	城市		农村		
		居民生活 [L/(人·日)]	公共生活 [L/(人·日)]	农村生活 [L/(人·日)]	大牲畜 [L/(头·日)]	小牲畜 [L/(头·日)]
北疆	1995	105	65	43	40	12
	2000	115	75	60	40	12
	2010	125	85	75	40	12
	2020	135	95	85	40	12
南疆	1995	68	45	31	40	7
	2000	80	60	45	40	10
	2010	100	75	60	40	10
	2020	120	85	75	40	10
东疆	1995	50	47	47	25	10
	2000	70	60	55	40	11
	2010	90	75	70	40	11
	2020	110	85	80	40	11

表 6-16　　　　　　　　　　　　新疆万元产值取用水定额　　　　　　　　　　　　（m³）

地区	1995 年	2000 年	2010 年	2020 年
北疆	130.1	94.8	67.7	49.6
南疆	121.4	88.5	59.8	39.1
东疆	205.5	142.9	76.1	45.7

(五)渠系利用系数

随着人口的不断增长和工业的持续发展,城市生活和工业用水都将不可避免地增加,这将给农业灌溉用水,特别是新增灌溉用水带来很大压力。今后,长距离引水将主要用于城市生活和工业用水的需要,加之引水的水源集中、供水量平稳,难以满足灌溉用水分散、多变的要求,所以增加灌溉面积主要依靠内部挖潜,立足于完善现有灌溉渠系,改善引水输水的工程设施,减少蒸发渗漏损失,尽可能提高水的利用系数。

1995年新疆全区综合渠系有效利用系数平均为0.47,其中南疆为0.45,北疆和东疆为0.50。根据国内外许多灌区的实践,只要进行渠道防渗和灌区建筑物的配套及加强管理,可使渠系有效利用系数显著提高。但在新疆地区,由于自然地理条件恶劣,灌区改造工程投入大,因此,渠系有效利用系数的提高将取决于水利事业费的投入。综合考虑这些因素,本次攻关预测2020年全疆渠系利用系数达到0.6左右。

(六)规划水利工程

为了使新疆水资源承载能力的分析更符合实际,根据有关工程规划设想,拟定了一些作为多目标模型备选方案的水利工程。

二、方案设置

在干旱内陆区的新疆,水资源是限制社会经济发展的主要因素。要想提高水资源的承载能力,必须采取如下措施:

(1)强化节水措施,提高节水水平。农业应改进灌溉方式和灌溉制度,节约灌溉用水;工业须改善工艺程序,提高水的重复利用率。

(2)优化产业结构,提高水资源的使用效益。优化种植业的内部种植结构,减少灌溉用水大的农作物的种植比例,全面发展节水型社会;优化工业的内部生产结构,大力发展节水型行业。

(3)提高污水处理能力,增加污水回用量。即在城市边缘地区兴建污水处理厂,将城市排放的污水进行统一处理后,再排向下游,这样既降低环境污染,又能使污水资源化。

(4)充分挖掘当地水资源的潜力,提高水资源的利用程度。除了对一些水库进行除险加固,挖掘现有工程的供水能力外,在尚未有工程控制的河流上兴建蓄水工程。

(5)水资源调剂。大河流域的开发是解决新疆缺水的关键。但是,由于工程及配套工程投资大、工期长,在带来巨大社会经济效益的同时,也会对社会经济活动和生态环境造成深刻影响。

(6)加强水资源管理措施,优化水资源的配置使用方式。改革水管理机制,建立水市场机制,用水价和立法两个杠杆对地表水、地下水、污水处理回用水以及长距离引水进行全疆水资源的统一管理,统一调配。

在上述战略对策的指导下,本次攻关的水资源承载能力分析定义了5个基本的优化方案,方案的基本设置参考表6-17,然后利用多目标模型对新疆的社会经济发展规模、各种模式下的水资源配置方案及各种配置方案对经济、环境、粮食的影响程度作了详细的优化分析,并在此基础上分析了2020年的水资源承载能力。

方案 名称	节水 措施	污水处 理回用	规划水 利工程	渠系利 用系数	追求方向			
					GDP	BOD	粮食	生态
A	无	无	无	不变	强	中	较强	弱
B	有	有	无	不变	强	中	较强	弱
C	有	有	无	提高	强	中	较强	弱
D	有	有	上	提高	强	中	较强	弱
E	有	有	上	特高	强	中	较强	弱

表 6-17　2020 年新疆水资源承载能力分析方案基本设置

三、方案指标分析

(一)方案 A(零方案)

本方案是新疆水资源承载能力研究的出发点,即考虑在不增加供水措施、节水措施和污水回用措施,维持现状的供水规模的条件下,未来 25 年新疆社会经济、生态环境和粮食生产的发展趋势。在此种条件下,由于城市居民生活用水的增加,挤占了部分工业生产用水,农村生活用水也挤占了部分农业生产用水,但靠经济结构调整和种植结构调整,使得国民经济还有所发展,农业灌溉面积基本保持现状水平,靠单产的提高,粮食、油料及棉花等作物产量也略有增加。1995 年全疆总供水量 432 亿 m^3,城市用了 13 亿 m^3,农村用了 419 亿 m^3。在基本维持这个格局的情况下,1996~2000 年,经济结构受发展的惯性控制,优化余地不大,经济受到严重制约,GDP 出现负增长;2001~2020 年,经济结构调整开始显示出效益,GDP 出现正增长,到 2020 年 GDP 将达到 1 249 亿元,比 1995 年增长将近 50%。而农业虽然仅仅维持了 4 100 多万亩(不含苜蓿,下同)的灌溉面积,但靠单产的提高,粮食产量从 1995 年的 744 万 t 发展到 2020 年的 801 万 t;棉花产量从 1995 年的 99 万 t 发展到 2020 年的 147 万 t;油料产量从 1995 年的 49 万 t 发展到 2020 年的 67 万 t;水果产量从 1995 年的 114 万 t 发展到 2020 年的 152 万 t(参见表 6-18)。

虽然农产品的总产量有所提高,但按照本次攻关的人口预测结果,2020 年新疆总人口将达到 2 550 万人,人均农产品的数量大幅度地下降,低于上节所设定的背景值,人均GDP 也不能维持现状的 5 000 元。

(二)方案 B

本方案的边界条件是不增加供水措施,农田灌溉的渠系有效利用系数也维持现状水平,只考虑节水措施和污水回用措施。虽然城市居民生活用水和农村生活用水挤占了部分工农业生产用水,但此方案仍有三点长处:①节水措施,即农业要改变灌溉制度和灌溉方式,工业要提高水的重复利用率;②经济结构调整和种植结构调整,限制耗水量大的农作物的种植面积,限制用水量大的行业的发展;③将处理后的城市废污水回用于工业生产和农业灌溉。

在此方案条件下,2020 年新疆总供水量比 1995 年多了 7 亿 m^3 的污水回用量,而工业的万元产值综合取用水定额已经达到 45m^3,农业的综合灌溉定额也达到了 326m^3/亩。

此方案水资源的承载能力比方案 A 有所提高,2020 年的全疆 GDP 达到 2 302 亿元,

表 6-18　　　　　方案 A:新疆水资源承载能力指标

指标	项目	南疆 1995年	南疆 2000年	南疆 2010年	南疆 2020年	北疆 1995年	北疆 2000年	北疆 2010年	北疆 2020年	东疆 1995年	东疆 2000年	东疆 2010年	东疆 2020年	全疆 1995年	全疆 2000年	全疆 2010年	全疆 2020年
国内生产总值	GDP(10⁸元)	233	238	357	425	537	492	664	712	65	63	95	112	835	794	1 116	1 249
	增长率(%)		0.45	4.14	1.75		-1.72	3.04	0.70		-0.50	4.10	1.71		-1.00	3.47	1.13
	人均值(元/人)	2 948	2 726	3 398	3 455	6 942	5 811	6 610	6 089	6 606	5 853	7 361	7 497	5 023	4 340	5 109	4 901
化学需氧量	COD(10⁴t)	4.6	3.5	3.4	3.0	12.7	8.8	7.3	5.8	1.9	1.3	1.2	0.8	19.1	13.6	11.8	9.7
	人均日负荷(g/人)	69.9	48.4	38.6	29.8	96.2	68.3	47.8	32.7	149.4	94.7	72.1	44.6	91.2	63.3	46.2	32.5
粮食	产量(10⁴t)	353	364	369	386	358	368	363	391	20	21	22	24	730	753	754	801
	人均值(kg/人)	447	416	351	314	463	435	361	334	200	195	174	163	440	412	345	314
人工生态面积(10⁴亩)	农田灌溉	1 911	1 935	1 957	1 913	2 097	2 108	2 086	2 045	152	156	152	148	4 160	4 199	4 195	4 106
	饲草饲料	375	375	375	375	482	482	482	482	41	41	41	41	897	897	897	897
	草场灌溉	38	38	38	38	59	59	59	59	0	0	0	0	97	97	97	97
	人工林	587	587	587	646	250	250	250	275	47	50	50	55	884	887	887	976
	渔业	7	7	7	7	22	22	22	22	0	0	0	0	29	29	29	29
总产出(10⁸元)	第一产业	173	205	488	759	225	247	399	456	17	28	46	51	415	480	933	1 266
	第二产业	194	153	148	124	551	420	344	236	60	48	49	39	804	621	540	398
	第三产业	204	207	190	125	540	501	792	998	84	75	124	177	828	783	1 106	1 299
	总计	571	565	826	1 008	1 316	1 168	1 535	1 690	161	151	219	267	2 048	1 884	2 579	2 964
总产出结构(%)	第一产业	30.3	36.3	59.1	75.3	17.1	21.1	26.0	27.0	10.4	18.8	20.8	19.1	20.3	25.5	36.2	42.7
	第二产业	33.9	27.2	17.9	12.3	41.8	36.0	22.4	13.9	37.3	31.7	22.5	14.6	39.3	33.0	21.0	13.4
	第三产业	35.8	36.6	23.0	12.4	41.0	42.9	51.6	59.1	52.3	49.5	56.7	66.2	40.5	41.5	42.9	43.8
农田灌溉面积(10⁴亩)	水稻	82	82	82	82	28	28	28	28	0	0	0	0	110	110	110	110
	小麦	556	532	480	450	798	766	676	655	55	55	52	50	1 410	1 352	1 208	1 154
	玉米	771	737	665	623	395	378	334	323	51	51	48	47	1 217	1 166	1 048	993
	棉花	707	793	889	911	362	371	455	480	40	42	45	42	1 109	1 205	1 390	1 433
	油料	49	40	50	40	293	343	402	371	15	17	15	16	358	400	467	426

续表 6-18

指标	项目	南疆				北疆				东疆				全疆			
		1995年	2000年	2010年	2020年	1995年	2000年	2010年	2020年	1995年	2000年	2010年	2020年	1995年	2000年	2010年	2020年
农田灌溉面积 (10⁴亩)	甜菜	13	15	17	14	77	63	63	62	0	0	0	0	90	78	80	76
	蔬菜	46	46	46	47	63	63	64	63	6	6	6	6	114	114	116	115
	其他	58	47	47	47	90	105	72	72	5	5	5	5	153	157	124	124
人均农产品 (kg/人)	水稻	43.7	42.4	39.1	37.1	17.7	17.4	16.3	15.5	0.0	0.0	0.0	0.0	29.0	28.3	26.3	25.0
	小麦	225.6	209.2	174.3	154.8	246.9	231.8	191.6	176.9	129.5	126.5	112.6	105.7	229.8	214.8	178.6	162.0
	玉米	177.7	164.7	137.2	121.9	198.1	185.9	153.6	141.8	70.3	68.6	61.1	57.3	180.8	168.8	140.3	127.2
	棉花	57.7	84.4	88.1	86.7	80.3	36.8	35.3	38.7	37.0	43.1	41.5	40.2	34.0	59.8	60.9	61.9
	油料	26.2	10.0	7.4	8.2	5.8	53.1	58.3	60.4	50.3	5.4	5.9	4.5	4.5	29.7	30.9	32.0
	甜菜	109.8	60.3	65.5	67.0	49.8	311.2	239.0	209.6	186.9	0.0	0.0	0.0	0.0	173.4	142.0	128.6
	蔬菜	121.6	125.9	117.0	104.3	94.6	201.2	188.8	170.6	151.0	148.1	149.4	127.7	113.1	162.3	152.2	136.2
	其他	43.9	35.1	26.1	22.8	20.5	111.4	122.2	74.1	66.9	76.1	71.1	63.3	57.5	73.0	73.3	48.8
	水果	59.5	108.9	102.3	91.5	92.1	19.8	18.8	17.0	17.2	133.1	133.3	120.7	122.1	68.9	65.5	59.0
	肉类	32.2	20.5	20.5	20.4	20.8	44.0	44.3	44.7	45.9	19.2	19.2	19.3	19.9	31.4	31.5	31.5
	奶	30.9	19.6	19.6	19.5	19.9	42.1	42.4	42.8	43.9	18.3	18.4	18.5	19.0	30.0	30.1	30.1
	标羊数量	1 872	1 872	1 872	1 872	3 929	3 929	3 929	3 929	218	218	218	218	6 019	6 019	6 019	6 019
牲畜存栏数 (10⁴只)	牛	107.0	107.0	107.0	107.0	224.5	224.5	24.5	224.5	12.5	12.5	12.5	12.5	343.9	343.9	33.9	343.9
	马	31.3	31.3	31.3	31.3	65.6	65.6	65.6	65.6	3.6	3.6	3.6	3.6	100.6	100.6	100.6	100.6
	驴	36.4	36.4	36.4	36.4	76.5	76.5	76.5	76.5	4.2	4.2	4.2	4.2	117.2	117.2	117.2	117.2
	骡	0.9	0.9	0.9	0.9	1.8	1.8	1.8	1.8	0.1	0.1	0.1	0.1	2.8	2.8	2.8	2.8
	骆驼	5.1	5.1	5.1	5.1	10.6	10.6	10.6	10.6	0.6	0.6	0.6	0.6	16.2	16.2	16.2	16.2
	猪	42.1	42.1	42.1	42.1	88.4	88.4	88.4	88.4	4.9	4.9	4.9	4.9	135.4	135.4	135.4	135.4
	羊	937	937	937	937	1 966	1 966	1 966	1 966	109	109	109	109	3 012	3 012	3 012	3 012
供需平衡 (10⁸ m³)	总需水量	246	246	246	246	169	167	167	167	18	18	18	18	433	432	432	432
	总供水量	246	246	246	246	169	167	167	167	18	18	18	18	433	432	432	432
	总余水量	0	0	0	0	0	0	0	0	0	0	0	0	0	0	0	0

续表 6-18

指标	项目	南疆				北疆				东疆				全疆			
		1995年	2000年	2010年	2020年	1995年	2000年	2010年	2020年	1995年	2000年	2010年	2020年	1995年	2000年	2010年	2020年
城市需水 ($10^8 m^3$)	工业	2.2	1.8	1.7	1.4	6.8	5.2	4.3	2.9	1.2	0.9	1.0	0.8	10.2	7.9	6.9	5.1
	生活	0.9	1.2	1.7	2.4	2.0	2.2	3.1	4.4	0.1	0.2	0.2	0.3	3.0	3.5	5.0	7.1
农村需水量 ($10^8 m^3$)	农田	80.9	81.2	80.8	78.7	57.3	57.4	57.3	56.5	5.4	5.6	5.5	5.3	143.6	144.2	143.5	140.5
	畜牧业	11.3	11.1	10.9	10.7	13.7	13.3	13.1	12.9	1.2	1.2	1.1	1.1	26.2	25.6	25.1	24.7
	林业	15.2	15.2	15.2	16.7	5.7	5.7	5.7	6.1	1.5	1.6	1.6	1.8	22.4	22.5	22.5	24.6
	渔业	0.9	0.9	0.9	0.9	2.9	2.9	2.9	2.9	0.1	0.1	0.1	0.1	3.9	3.9	3.9	3.9
	生活	1.3	1.5	1.8	2.4	1.9	2.2	2.5	3.1	0.2	0.2	0.3	0.4	3.4	3.8	4.6	5.8
供水量 ($10^8 m^3$)	地表水	236.8	236.8	236.8	236.8	153.6	153.6	153.6	153.6	7.8	7.8	7.8	7.8	398.2	398.2	398.2	398.2
	地下水	9.0	9.4	9.4	9.4	15.3	13.8	13.8	13.8	10.1	10.3	10.3	10.3	34.4	33.5	33.5	33.5
	规划工程	0.0	0.0	0.0	0.0	0.0	0.0	0.0	0.0	0.0	0.0	0.0	0.0	0.0	0.0	0.0	0.0
	污水处理回用	0.0	0.0	0.0	0.0	0.0	0.0	0.0	0.0	0.0	0.0	0.0	0.0	0.0	0.0	0.0	0.0
综合定额	工业用水(m^3/万元)	115	115	115	115	124	124	124	124	195	195	195	195	127	127	128	128
	农业灌溉(m^3/亩)	423	420	413	412	273	272	275	276	357	356	360	358	345	343	342	342
排污指标	城市处理厂(标)	0.0	3.2	6.9	11.6	0.0	8.2	15.2	22.3	0.0	1.2	2.4	3.2	0.0	12.6	24.5	37.1
	排污总量($10^8 m^3$)	2.6	2.4	2.8	3.2	7.1	6.0	6.0	6.1	1.0	0.9	1.0	0.9	10.7	9.2	9.8	10.2
	处理量($10^8 m^3$)	0.0	0.7	1.5	2.5	0.0	1.8	3.3	4.9	0.0	0.3	0.5	0.7	0.0	2.8	5.4	8.1
水投资 (10^8元)	总水投资	0.0	8.1	9.3	11.6	0.0	20.4	17.5	17.9	0.0	3.0	3.0	2.0	0.0	31.5	29.8	31.5
	规划工程	0.0	0.0	0.0	0.0	0.0	0.0	0.0	0.0	0.0	0.0	0.0	0.0	0.0	0.0	0.0	0.0
	污水处理	0.0	8.1	9.3	11.6	0.0	20.4	17.5	17.9	0.0	3.0	3.0	2.0	0.0	31.5	29.8	31.5
	节水	0.0	0.0	0.0	0.0	0.0	0.0	0.0	0.0	0.0	0.0	0.0	0.0	0.0	0.0	0.0	0.0
	地下水	0.0	0.0	0.0	0.0	0.0	0.0	0.0	0.0	0.0	0.0	0.0	0.0	0.0	0.0	0.0	0.0

人均 GDP 已经达到9 301元。农业灌溉面积比现状增加了 310 万亩,粮食、油料及棉花等作物产量都有增加,但人均占有量还是呈下降趋势。2020 年全疆粮食总产量为 881 万 t,人均粮食占有量为 345kg;棉花总产量为 158 万 t,人均棉花占有量为 62kg,比 1995 年的人均 59.8kg 多了 2.2kg;年油料总产量为 70 万 t,人均油料占有量为 27.5kg,比 1995 年的人均 29.7kg 下降了 2.2kg;水果总产量为 137 万 t,人均水果占有量为 53.7kg,比 1995 年的人均 68.9kg 下降了 15.2kg。

本方案的畜牧业仅仅保持了 1995 年的水平,饲草饲料基地和草场面积不变,牲畜数量也不变,靠牲畜品种的改良,肉和奶的总产量将有所增加,由于人口的增加,肉和奶的人均占有量基本保持原有水平。2020 年肉的人均占有量为 32.2kg,比 1995 年的 31.4kg 多了将近 0.8kg;奶的人均占有量为 30.9kg,比 1995 年的 30kg 多了 0.9kg(参见表 6-19)。

(三)方案 C

本方案的边界条件是不增加供水措施,全疆的农田灌溉的渠系有效利用系数将有所提高,并配合工农业的节水措施和污水回用措施。也就是说,方案 C 与方案 B 相比,农田灌溉渠系有效利用系数北疆和东疆将从 1995 年的 0.5 提高到 2020 年的 0.55,南疆将从 1995 年的 0.45 提高到 2020 年的 0.53,全疆将从 1995 年的 0.47 提高到 2020 年的 0.54。

在此方案条件下,2020 年新疆工业万元产值综合取用水定额和农田综合灌溉定额与方案 B 大致相同,总供水量与方案 B 也相同,但是由于渠系有效利用系数的提高,使得工农业生产有更好的发展。

此方案 2020 年的全疆 GDP 达到2 483亿元,人均 GDP 将接近9 740元,农业灌溉面积比现状增加了 920 万亩,粮食、油料及棉花等作物产量都有明显增加,人均占有量指标有的还呈下降趋势,有的基本保持不变,而有的还有所上升。2020 年全疆粮食总产量为 1 026 万 t,人均粮食占有量为 402kg,比现状低,但比方案 B 增加了 57kg;棉花总产量为 173 万 t,人均棉花占有量为 68kg,比现状增加了 8kg,比方案 B 增加了将近 6kg;油料总产量为 78 万 t,人均油料占有量为 30.7kg,基本上保持了 1995 年的水平,比方案 B 增加了 3.2kg。

C 方案的畜牧业比方案 B 有了较大发展,饲草饲料基地和灌溉草场面积都有增加,牲畜数量比 1995 年增加了 950 万个基本绵羊单位,因此肉和奶的总产量有增加,肉和奶的人均占有量也有增加。2020 年肉的人均占有量为 37.3kg,比方案 B 增加了 5.1kg,比 1995 年多 6kg;奶的人均占有量为 35.7kg,比方案 B 多了 4.8kg,比 1995 年多 5.7kg。本方案 2020 年的全疆林业灌溉面积比 1995 年增加了 140 万亩,水果总产量达 158 万 t,人均水果占有量为 62kg,比 1995 年下降了 6.6kg,比方案 B 增加了 8.3kg,参见表 6-20。

(四)方案 D(推荐方案)

本方案的边界条件是全疆农田灌溉的渠系有效利用系数按方案 C 方式提高,考虑工农业的节水措施和污水回用措施。另外,在有条件的地区,增加蓄水工程和长距离引水工程。具体的工程投入运行时间,参见表 6-17。

在此方案条件下,2020 年新疆工业万元产值综合取用水定额和农田综合灌溉定额与方案 B、C 大致相同。由于新增规划工程和地下水开采量的增加,使得 2000 年、2010 年、2020 年总供水量也逐年提高,到 2020 年规划工程的新增供水量比 1995 年多 68.3 亿 m^3(参见表 6-21),地下水开采量也比 1995 年增加了 14 亿 m^3,而且新增供水刺激了工农业

表6-19

方案 B:新疆水资源承载能力指标

指标	项目	南疆 1995 年	南疆 2000 年	南疆 2010 年	南疆 2020 年	北疆 1995 年	北疆 2000 年	北疆 2010 年	北疆 2020 年	东疆 1995 年	东疆 2000 年	东疆 2010 年	东疆 2020 年	全疆 1995 年	全疆 2000 年	全疆 2010 年	全疆 2020 年
国内生产总值	GDP(10⁸元)	233	308	503	783	537	637	935	1 312	65	82	134	207	835	1 028	1 572	2 302
	增长率(%)		5.77	5.02	4.52		3.49	3.91	3.44		4.78	4.98	4.49		4.25	4.34	3.89
	人均值(元/人)	2 948	3 529	4 786	6 366	6 942	7 524	9 308	11 220	6 606	7 579	10 367	13 814	5 023	5 619	7 195	9 031
化学需氧量	COD(10⁴t)	4.6	3.6	3.4	3.2	12.7	9.3	8.0	6.7	1.9	1.3	1.0	0.7	19.1	14.2	12.5	10.6
	人均日负荷(g/人)	69.9	49.9	39.4	31.1	96.2	71.7	52.6	37.7	149.4	97.2	62.5	38.1	91.2	66.0	48.7	35.5
粮食产量	产量(10⁴t)	353	367	387	425	358	368	389	428	20	22	25	28	730	757	800	881
	人均值(kg/人)	447	420	368	345	463	435	387	366	200	203	191	188	440	414	366	345
人工生态面积(10⁴ 亩)	农田灌溉	1 911	1 978	2 047	2 071	2 097	2 152	2 210	2 228	152	162	167	170	4 160	4 292	4 425	4 470
	饲草饲料	375	375	375	375	482	482	482	482	41	41	41	41	898	898	898	898
	草场灌溉	38	38	38	38	59	59	59	59	0	0	0	0	97	97	97	97
	人工林	587	587	587	587	250	250	250	250	47	47	47	47	884	884	884	884
	渔业	7	7	7	7	22	22	22	22	0	0	0	0	29	29	29	29
总产出(10⁸元)	第一产业	173	280	470	820	225	243	391	667	17	28	48	82	415	552	908	1 569
	第二产业	194	216	317	433	551	590	737	822	60	67	106	136	804	872	1 159	1 391
	第三产业	204	246	438	724	540	700	1 149	1 826	84	102	172	305	828	1 048	1 760	2 855
	总计	571	742	1 225	1 977	1 317	1 533	2 277	3 315	160	198	326	523	2048	2 472	3 827	5 815
总产出结构(%)	第一产业	30.3	37.8	38.4	41.5	17.1	15.9	17.2	20.1	10.4	14.3	14.6	15.7	20.3	22.3	23.7	27.0
	第二产业	33.9	29.1	25.9	21.9	41.8	38.5	32.4	24.8	37.3	34.0	32.5	26.1	39.3	35.3	30.3	23.9
	第三产业	35.8	33.2	35.8	36.6	41.0	45.6	50.5	55.1	52.3	51.8	52.9	58.3	40.5	42.4	46.0	49.1
农田灌溉面积(10⁴ 亩)	水稻	82	82	82	82	28	28	28	28	0	0	0	0	110	110	110	110
	小麦	556	537	507	501	798	766	726	719	55	57	57	58	1 410	1 360	1 290	1 278
	玉米	771	744	702	694	395	378	359	355	51	53	53	54	1 217	1 176	1 114	1 103
	棉花	707	792	887	975	362	406	454	509	40	45	51	53	1 109	1 243	1 392	1 536
	油料	49	59	71	45	293	352	423	387	15	15	15	15	358	426	509	447
	甜菜	13	15	18	16	77	80	70	70	0	0	0	0	90	95	88	85

续表 6-19

指标	项目	南疆				北疆				东疆				全疆			
		1995年	2000年	2010年	2020年	1995年	2000年	2010年	2020年	1995年	2000年	2010年	2020年	1995年	2000年	2010年	2020年
农田灌溉面积(10⁴亩)	蔬菜	46	55	66	41	63	70	78	88	6	7	8	7	114	132	152	136
	其他	58	52	52	52	90	81	81	81	5	6	5	5	153	140	138	138
人均农产品(kg/人)	水稻	43.7	42.4	39.1	37.1	17.7	17.4	16.3	15.5	0.0	0.0	0.0	0.0	29.0	28.3	26.3	25.0
	小麦	225.6	211.3	184.0	172.5	246.9	231.8	205.8	194.4	129.5	131.7	124.0	121.7	229.8	216.1	190.5	179.6
	玉米	177.7	166.4	144.9	135.8	198.1	185.9	165.0	155.8	70.3	71.5	67.3	66.0	180.8	169.8	149.5	140.9
	棉花	84.4	87.9	86.5	85.9	36.8	38.7	38.6	39.2	43.1	45.1	45.0	42.7	59.8	62.6	62.0	62.0
	油料	10.0	11.1	11.6	6.5	53.1	59.8	63.5	52.6	5.4	4.9	4.5	4.2	29.7	33.3	35.1	27.5
	甜菜	60.3	67.2	70.5	53.9	311.2	301.9	232.8	210.2	0.0	0.0	0.0	0.0	173.4	171.9	141.0	122.5
	蔬菜	125.9	140.4	147.2	83.6	201.2	211.4	209.8	212.2	148.1	166.0	167.2	130.2	162.3	174.8	177.2	145.3
	其他	35.1	29.3	25.6	23.0	111.4	94.0	83.3	75.2	76.1	85.3	59.9	55.4	73.0	62.6	54.2	48.9
	水果	108.9	102.3	91.5	83.7	19.8	18.8	17.0	15.6	133.1	125.7	113.8	104.7	68.9	65.0	58.6	53.7
	肉类	20.5	20.5	20.4	20.8	44.0	44.3	44.7	45.9	19.2	19.2	19.3	19.9	31.4	31.5	31.5	32.2
	奶	19.6	19.6	19.5	19.9	42.1	42.4	42.8	43.9	18.3	18.4	18.5	19.0	30.0	30.1	30.1	30.9
	标羊数量	1 872	1 872	1 872	1 872	3 929	3 929	3 929	3 929	218	218	218	218	6 019	6 019	6 019	6 019
牲畜存栏数(10⁴只)	牛	107.0	107.0	107.0	107.0	224.5	224.5	224.5	224.5	12.5	12.5	12.5	12.5	343.9	343.9	343.9	343.9
	马	31.3	31.3	31.3	31.3	65.6	65.6	65.6	65.6	3.6	3.6	3.6	3.6	100.6	100.6	100.6	100.6
	驴	36.4	36.4	36.4	36.4	76.5	76.5	76.5	76.5	4.2	4.2	4.2	4.2	117.2	117.2	117.2	117.2
	骡	0.9	0.9	0.9	0.9	1.8	1.8	1.8	1.8	0.1	0.1	0.1	0.1	2.8	2.8	2.8	2.8
	骆驼	5.1	5.1	5.1	5.1	10.6	10.6	10.6	10.6	0.6	0.6	0.6	0.6	16.2	16.2	16.2	16.2
	猪	42.1	42.1	42.1	42.1	88.4	88.4	88.4	8.4	4.9	4.9	4.9	4.9	135.4	135.4	135.4	135.4
	羊	937	937	937	937	1 966	1 966	1 966	1 966	109	109	109	109	3 012	3 012	3 012	3 012
供需平衡(10⁸m³)	总需水量	246	247	247	248	169	169	170	172	18	18	19	19	433	434	436	439
	总供水量	246	247	247	248	169	169	170	172	18	18	19	19	433	434	436	439
	总余水量	0	0	0	0	0	0	0	0	0	0	0	0	0	0	0	0

续表 6-19

指标	项目	南疆 1995年	南疆 2000年	南疆 2010年	南疆 2020年	北疆 1995年	北疆 2000年	北疆 2010年	北疆 2020年	东疆 1995年	东疆 2000年	东疆 2010年	东疆 2020年	全疆 1995年	全疆 2000年	全疆 2010年	全疆 2020年
城市需水量 ($10^8 m^3$)	工业	2.2	1.9	1.8	1.6	6.8	5.6	5.0	4.0	1.2	1.0	0.8	0.6	10.2	8.4	7.6	6.3
	生活	0.9	1.2	1.7	2.4	2.0	2.2	3.1	4.4	0.1	0.2	0.2	0.3	3.0	3.5	5.0	7.1
农村需水量 ($10^8 m^3$)	农田	80.9	81.4	81.3	81.1	57.3	58.0	58.4	58.8	5.4	5.7	5.8	5.9	143.6	145.1	145.5	145.8
	畜牧业	11.3	11.1	10.9	10.7	13.7	13.3	13.1	12.9	1.2	1.2	1.1	1.1	26.2	25.6	25.1	24.7
	林业	15.2	15.2	15.2	15.2	5.7	5.7	5.7	5.6	1.5	1.5	1.5	1.5	22.4	22.4	22.4	22.3
	渔业	0.9	0.9	0.9	0.9	2.9	2.9	2.9	2.9	0.1	0.1	0.1	0.1	3.9	3.9	3.9	3.9
	生活	1.3	1.5	1.8	2.4	1.9	2.2	2.5	3.1	0.2	0.2	0.3	0.4	3.4	3.8	4.6	5.8
供水量 ($10^8 m^3$)	地表水	236.8	236.8	236.8	236.8	153.6	153.6	153.6	153.6	7.8	7.8	7.8	7.8	398.2	398.2	398.2	398.2
	地下水	9.0	9.4	9.4	9.4	15.3	13.8	13.8	13.8	10.1	10.3	10.3	10.3	34.4	33.5	33.5	33.5
	规划工程	0.0	0.0	0.0	0.0	0.0	0.0	0.0	0.0	0.0	0.0	0.0	0.0	0.0	0.0	0.0	0.0
	污水处理回用	0.0	0.6	1.2	2.1	0.0	1.5	2.9	4.5	0.0	0.2	0.4	0.5	2.3	2.3	4.5	7.1
综合定额	工业用水(m^3/万元)	115	86	56	37	124	95	68	49	195	143	76	45	127	96	65	45
	农业灌溉(m^3/亩)	423	412	397	392	273	269	264	264	357	354	348	345	345	338	329	326
城市排污	处理厂(标)	0.0	3.3	4.3	12.1	0.0	8.6	10.0	25.7	0.0	1.2	1.3	2.8	0.0	13.2	15.5	40.6
	污水总量($10^8 m^3$)	2.6	2.4	2.8	3.3	7.1	6.3	6.6	7.0	1.0	0.9	0.8	0.8	10.7	9.6	10.3	11.1
	处理量($10^8 m^3$)	0.0	0.7	1.6	2.7	0.0	1.9	3.7	5.6	0.0	0.3	0.5	0.6	0.0	2.9	5.7	8.9
水投资 (10^8元)	总水投资	0.0	9.2	3.6	20.5	0.0	22.6	5.1	40.5	0.0	3.3	0.5	4.0	0.0	35.0	9.1	65.0
	规划工程	0.0	0.0	0.0	0.0	0.0	0.0	0.0	0.0	0.0	0.0	0.0	0.0	0.0	0.0	0.0	0.0
	污水处理	0.0	8.4	2.3	19.6	0.0	21.5	3.5	39.3	0.0	3.1	0.1	3.7	0.0	32.9	5.9	62.7
	节水	0.0	0.8	1.3	0.9	0.0	1.1	1.5	1.1	0.0	0.2	0.4	0.3	0.0	2.1	3.2	2.3
	地下水	0.0	0.0	0.0	0.0	0.0	0.0	0.0	00	0.0	0.0	0.0	0.0	0.0	0.0	0.0	0.0

表 6-20

方案 C:新疆水资源承载能力指标

指标	项目	南疆 1995年	南疆 2000年	南疆 2010年	南疆 2020年	北疆 1995年	北疆 2000年	北疆 2010年	北疆 2020年	东疆 1995年	东疆 2000年	东疆 2010年	东疆 2020年	全疆 1995年	全疆 2000年	全疆 2010年	全疆 2020年
国内生产总值	GDP(10^8 元)	233	310	519	844	537	641	966	1 415	65	83	138	223	835	1 034	1 623	2 483
	增长率(%)		5.90	5.30	4.97		3.61	4.19	3.89		4.90	5.25	4.94		4.37	4.62	4.34
	人均值(元/人)	2 948	3 550	4 943	6 865	6 942	7 567	9 614	12 100	6 606	7 622	10 707	14 898	5 023	5 652	7 431	9 740
化学需氧量	COD(10^4 t)	4.6	3.6	3.4	3.2	12.7	9.3	8.0	6.7	1.9	1.3	1.0	0.7	19.1	14.2	12.5	10.6
	人均日负荷(g/人)	69.9	49.9	39.4	31.1	96.2	71.7	52.6	37.7	149.4	97.2	62.5	38.1	91.2	66.0	48.7	35.5
粮食	产量(10^4 t)	353	379	437	523	358	384	426	473	20	22	26	30	730	785	888	1 026
	人均值(kg/人)	447	434	415	425	463	453	424	405	200	202	199	202	440	429	407	403
人工生态面积(10^4 亩)	农田灌溉	1 911	2 004	2 227	2 484	2 097	2 164	2 304	2 417	152	163	174	183	4 160	4 330	4 705	5 085
	饲草饲料	375	393	413	434	482	506	531	558	41	43	45	47	897	942	989	1 038
	草场灌溉	38	39	40	41	59	60	61	62	0	0	0	0	97	99	101	103
	人工林	587	617	648	680	250	263	276	290	47	49	52	54	884	928	975	1 024
	渔业	7	7	7	7	22	22	23	23	0	0	0	0	29	30	30	31
总产出(10^8 元)	第一产业	173	283	505	960	225	247	410	725	17	29	50	89	415	558	964	1 774
	第二产业	194	216	317	433	551	590	737	822	59	67	106	136	805	872	1 159	1 391
	第三产业	204	247	439	731	540	704	1 197	2 011	84	103	180	337	828	1 054	1 816	3 079
	总计	571	745	1 260	2 123	1 317	1 540	2 344	3 559	160	199	335	562	2 048	2 484	3 939	6 244
总产出结构(%)	第一产业	30.3	37.9	40.0	45.2	17.1	16.0	17.5	20.4	10.4	14.4	14.8	15.8	20.3	22.5	24.5	28.4
	第二产业	33.9	28.9	25.1	20.4	41.8	38.3	31.4	23.1	37.3	33.8	31.5	24.3	39.2	35.1	29.4	22.3
	第三产业	35.8	33.2	34.8	34.4	41.0	45.7	51.1	56.5	52.3	51.8	53.6	60.0	40.5	42.4	45.1	49.3
农田灌溉面积(10^4 亩)	水稻	82	82	82	82	28	28	28	28	0	0	0	0	110	110	110	110
	小麦	556	557	580	630	798	799	799	799	55	57	59	62	1 410	1 412	1 438	1 492
	玉米	771	771	803	873	395	395	395	395	51	53	55	58	1 217	1 219	1 254	1 326
	棉花	707	798	935	1 075	362	416	479	551	40	46	53	57	1 109	1 260	1 467	1 683
	油料	49	49	71	86	293	295	363	391	15	15	16	17	358	360	450	493
	甜菜	13	15	18	22	77	77	77	77	0	0	0	0	90	92	95	99

续表 6-20

指标	项目	南疆 1995年	南疆 2000年	南疆 2010年	南疆 2020年	北疆 1995年	北疆 2000年	北疆 2010年	北疆 2020年	东疆 1995年	东疆 2000年	东疆 2010年	东疆 2020年	全疆 1995年	全疆 2000年	全疆 2010年	全疆 2020年
农田灌溉面积(10⁴亩)	蔬菜	46	46	66	79	63	72	83	95	6	7	8	7	114	124	156	181
	其他	58	58	58	58	90	90	90	90	5	6	5	6	153	154	153	154
人均农产品(kg/人)	水稻	43.7	42.4	39.1	37.1	17.7	17.4	16.3	15.5	0.0	0.0	0.0	0.0	29.0	28.3	26.3	25.0
	小麦	225.6	219.0	210.5	217.0	246.9	242.0	226.5	215.9	129.5	130.8	129.2	131.2	229.8	224.4	213.0	211.5
	玉米	177.7	172.4	165.7	170.9	198.1	194.0	181.5	173.1	70.3	71.0	70.1	71.2	180.8	176.4	167.4	166.1
	棉花	84.4	88.6	91.2	94.8	36.8	39.7	40.7	42.5	43.1	46.3	47.4	46.1	59.8	63.4	65.4	67.9
	油料	10.0	9.3	11.6	12.5	53.1	50.1	54.5	53.1	5.4	5.0	4.7	4.5	29.7	27.9	30.9	30.7
	甜菜	60.3	66.5	70.5	76.0	311.2	292.0	258.7	233.6	0.0	0.0	0.0	0.0	173.4	167.0	152.9	143.8
	蔬菜	125.9	117.0	147.2	158.7	201.2	217.1	221.2	229.7	148.1	166.0	158.8	140.3	162.3	166.3	181.9	190.2
	其他	35.1	32.6	28.5	25.6	111.4	104.5	92.6	83.6	76.1	85.3	63.3	59.7	73.0	69.0	60.0	54.2
	水果	108.9	107.5	100.9	96.9	19.8	19.7	18.8	18.1	133.1	132.0	125.5	121.2	68.9	68.3	64.6	62.2
	肉类	20.5	21.5	22.4	24.1	44.0	46.6	49.3	53.1	19.2	20.2	21.3	23.0	31.4	33.0	34.7	37.3
	奶	19.6	20.6	21.5	23.0	42.1	44.6	47.1	50.8	18.3	19.3	20.4	22.0	30.0	31.6	33.2	35.7
	标羊数量	1 872	1 966	2 064	2 167	3 929	4 125	4 332	4 548	218	229	240	252	6 019	6 320	6 636	6 968
牲畜存栏数(10⁴只)	牛	107.0	112.3	117.9	123.8	224.5	235.7	247.5	259.8	12.5	13.1	13.7	14.4	343.9	361.1	379.1	398.1
	马	31.3	32.8	34.5	36.2	65.6	68.9	72.4	76.0	3.6	3.8	4.0	4.2	100.6	105.6	110.9	116.4
	驴	36.4	38.3	40.2	42.2	76.5	80.3	84.3	88.5	4.2	4.5	4.7	4.9	117.2	123.0	129.2	135.6
	骡	0.9	0.9	1.0	1.0	1.8	1.9	2.0	2.1	0.1	0.1	0.1	0.1	2.8	2.9	3.1	3.2
	骆驼	5.1	5.3	5.6	5.9	10.6	11.1	11.7	12.3	0.6	0.6	0.7	0.7	16.2	17.1	17.9	18.8
	猪	42.1	44.2	46.4	48.8	88.4	92.8	97.4	102.3	4.9	5.2	5.4	5.7	135.4	142.2	149.3	156.7
	羊	937	984	1 033	1 084	1 966	2 064	2 167	2 276	109	115	120	126	3 012	3 162	3 321	3 487
供需平衡(10⁸ m³)	总需水量	246	247	247	248	169	169	170	172	18	18	19	19	433	434	436	439
	总供水量	246	247	247	248	169	169	170	172	18	18	19	19	433	434	436	439
	总余水量	0	0	0	0	0	0	0	0	0	0	0	0	0	0	0	0

续表 6-20

指标	项目	南疆				北疆				东疆				全疆			
		1995年	2000年	2010年	2020年	1995年	2000年	2010年	2020年	1995年	2000年	2010年	2020年	1995年	2000年	2010年	2020年
城市需水量 (10⁸m³)	工业	2.2	1.9	1.8	1.6	6.8	5.6	5.0	4.0	1.2	1.0	0.8	0.6	10.2	8.4	7.6	6.3
	生活	0.9	1.2	1.7	2.4	2.0	2.2	3.1	4.4	0.1	0.2	0.2	0.3	3.0	3.5	5.0	7.1
农村需水量 (10⁸m³)	农田	80.9	82.6	88.5	96.6	57.3	58.6	61.1	63.7	5.4	5.8	6.1	6.3	143.6	147.0	155.6	166.6
	畜牧业	11.3	11.6	12.0	12.3	13.7	14.0	14.4	14.8	1.2	1.2	1.3	1.3	26.2	26.8	27.6	28.3
	林业	15.2	16.0	16.8	17.6	5.7	5.9	6.2	6.5	1.5	1.6	1.7	1.8	22.4	23.5	24.7	25.8
	渔业	0.9	0.9	0.9	0.9	2.9	3.0	3.1	3.1	0.1	0.1	0.1	0.1	3.9	4.0	4.0	4.1
	生活	1.3	1.5	1.9	2.5	1.9	2.2	2.7	3.3	0.2	0.2	0.3	0.4	3.4	3.9	4.8	6.1
供水量 (10⁸m³)	地表水	236.8	236.8	236.8	236.8	153.6	153.6	153.6	153.6	7.8	7.8	7.8	7.8	398.2	398.2	398.2	398.2
	地下水	9.0	9.4	9.4	9.4	15.3	13.8	13.8	13.8	10.1	10.3	10.3	10.3	34.4	33.5	33.5	33.5
	规划工程	0.0	0.0	0.0	0.0	0.0	0.0	0.0	0.0	0.0	0.0	0.0	0.0	0.0	0.0	0.0	0.0
	污水处理回用	0.0	0.6	1.2	2.1	0.0	1.5	2.9	4.5	0.0	0.2	0.4	0.5	0.0	2.3	4.5	7.1
综合定额	工业用水(m³/万元)	115	86	56	37	124	95	68	49	195	143	76	45	127	96	65	45
	农业灌溉(m³/亩)	423	412	397	389	273	271	265	264	357	355	348	345	345	339	331	328
城市排污指标	处理厂(标厂)	0.0	3.3	4.3	12.1	0.0	8.6	10.0	25.7	0.0	1.2	1.3	2.8	0.0	13.2	15.5	40.6
	污水总量(10⁸m³)	2.6	2.4	2.8	3.3	7.1	6.3	6.6	7.0	1.0	0.9	0.8	0.8	10.7	9.6	10.3	11.1
	处理量(10⁸m³)	0.0	0.7	1.6	2.7	0.0	1.9	3.7	5.6	0.0	0.3	0.5	0.6	0.0	2.9	5.7	8.9
水投资 (10⁸元)	总水投资	0.0	9.2	3.6	20.6	0.0	22.6	5.1	40.5	0.0	3.3	0.5	4.0	0.0	35.0	9.2	65.1
	规划工程	0.0	0.0	0.0	0.0	0.0	0.0	0.0	0.0	0.0	0.0	0.0	0.0	0.0	0.0	0.0	0.0
	污水处理	0.0	8.4	2.3	19.6	0.0	21.5	3.5	39.3	0.0	3.1	0.1	3.7	0.0	32.9	5.9	62.7
	节水	0.0	0.8	1.3	1.0	0.0	1.1	1.6	1.2	0.0	0.2	0.4	0.3	0.0	2.2	3.3	2.5
	地下水	0.0	0.0	0.0	0.0	0.0	0.0	0.0	0.0	0.0	0.0	0.0	0.0	0.0	0.0	0.0	0.0

表 6-21

方案 D：新疆水资源承载能力指标

指标	项目	南疆 1995年	南疆 2000年	南疆 2010年	南疆 2020年	北疆 1995年	北疆 2000年	北疆 2010年	北疆 2020年	东疆 1995年	东疆 2000年	东疆 2010年	东疆 2020年	全疆 1995年	全疆 2000年	全疆 2010年	全疆 2020年
国内生产总值	GDP(10^8元)	233	404	1 019	2 174	537	834	1 895	3 644	65	108	271	575	835	1 346	3 184	6 393
	增长率(%)		11.63	9.70	7.87		9.23	8.55	6.76		10.58	9.66	7.83		10.03	9.00	7.22
	人均值(元/人)	2 948	4 622	9 696	17 678	6 942	9 853	18 858	31 158	6 606	9 924	21 003	38 363	5 023	7 358	14 577	25 080
化学需氧量	COD(10^4t)	4.6	5.3	8.0	9.5	12.7	14.4	21.0	22.8	1.9	2.2	3.1	3.1	19.1	21.9	32.1	35.5
	人均日负荷(g/人)	69.9	73.7	92.5	93.9	96.2	111.6	137.1	128.2	149.4	162.3	191.5	166.7	91.2	102.1	125.4	118.9
粮食	产量(10^4t)	353	391	487	656	358	384	454	554	20	21	25	31	730	797	966	1 240
	人均值(kg/人)	447	448	463	533	463	453	452	474	200	198	198	206	440	436	442	487
人工灌溉(10^4亩)	农田灌溉	1 911	1 953	2 155	2 723	2 097	2 323	2 810	3 088	152	153	158	169	4 160	4 429	5 124	5 980
	饲草饲料	375	449	539	647	482	506	531	558	41	49	58	70	897	1 004	1 129	1 275
	草场灌溉	38	40	41	42	59	61	62	64	0	0	0	0	97	100	103	106
	人工林	587	646	711	782	250	250	250	250	47	51	57	62	884	948	1 017	1 094
	渔业	7	7	8	9	22	22	22	22	0	1	1	1	29	30	31	31
总产出(10^8元)	第一产业	173	229	450	891	225	289	523	968	17	22	41	77	415	539	1 014	1 937
	第二产业	194	381	1 143	2 609	551	1 044	2 658	4 957	60	119	381	822	804	1 544	4 181	8 388
	第三产业	204	436	1 256	2 787	540	831	2 117	4 614	84	139	335	765	828	1 406	3 709	8 166
	总计	571	1 047	2 849	6 287	1 317	2 164	5 298	10 539	160	279	757	1 664	2 048	3 490	8 904	18 490
总产出结构(%)	第一产业	30.3	21.9	15.8	14.2	17.1	13.3	9.9	9.2	10.4	7.7	5.4	4.7	20.3	15.5	11.4	10.5
	第二产业	33.9	36.4	40.1	41.5	41.8	48.3	50.2	47.0	37.3	42.6	50.3	49.4	39.3	44.3	47.0	45.4
	第三产业	35.8	41.7	44.1	44.3	41.0	38.4	40.0	43.8	52.3	49.7	44.3	46.0	40.5	40.3	41.7	44.2
农田灌溉面积(10^4亩)	水稻	82	82	82	82	28	28	28	31	0	0	0	0	110	110	110	113
	小麦	556	577	654	806	798	799	853	938	55	55	59	63	1 410	1 432	1 565	1 807
	玉米	771	799	905	1 116	395	395	422	463	51	52	55	59	1 217	1 246	1 382	1 639
	棉花	707	707	776	1 062	362	471	612	796	40	40	40	42	1 109	1 218	1 428	1 900
	油料	49	49	49	54	293	397	641	578	15	15	15	16	358	461	705	648
	甜菜	13	20	22	27	77	77	84	93	0	0	0	0	90	97	106	120

续表 6-21

指标	项目	南疆 1995年	南疆 2000年	南疆 2010年	南疆 2020年	北疆 1995年	北疆 2000年	北疆 2010年	北疆 2020年	东疆 1995年	东疆 2000年	东疆 2010年	东疆 2020年	全疆 1995年	全疆 2000年	全疆 2010年	全疆 2020年
农田灌溉面积(10⁴亩)	蔬菜	46	46	46	54	63	75	90	108	6	6	6	7	114	127	142	169
	其他	58	58	58	58	90	90	90	93	5	5	5	5	153	153	153	156
人均农产品(kg/人)	水稻	43.7	42.4	39.1	37.1	17.7	17.4	16.3	17.1	0.0	0.0	0.0	0.0	29.0	28.3	26.3	25.7
	小麦	225.6	227.0	237.2	277.6	246.9	242.0	241.8	253.3	129.5	128.2	128.2	133.5	229.8	228.1	232.9	258.0
	玉米	177.7	178.7	186.7	218.6	198.1	194.0	193.8	203.1	70.3	69.6	69.6	72.4	180.8	179.3	183.1	202.9
	棉花	84.4	78.5	75.7	93.6	36.8	44.9	52.0	61.4	43.1	40.3	35.9	34.4	59.8	60.7	62.4	75.3
	油料	10.0	9.3	8.1	8.0	53.1	67.4	96.3	78.4	5.4	5.0	4.5	4.4	29.7	35.9	48.4	40.1
	甜菜	60.3	86.4	83.3	94.6	311.2	292.0	282.3	280.1	0.0	0.0	0.0	0.0	173.4	176.5	169.9	174.1
	蔬菜	125.9	117.0	102.2	109.9	201.2	226.5	240.8	261.0	148.1	144.6	133.2	129.5	162.3	169.4	167.8	180.4
	其他	35.1	32.6	28.5	25.6	111.4	104.5	92.6	86.3	76.1	71.1	63.3	57.5	73.0	68.2	60.0	55.3
	水果	108.9	112.6	110.7	111.4	19.8	18.8	17.0	15.6	133.1	138.2	137.7	139.3	68.9	70.7	69.2	69.1
	肉类	20.5	21.1	21.6	23.8	44.0	47.9	52.1	57.8	19.2	19.8	21.5	23.9	31.4	33.4	35.6	39.4
	奶	19.6	20.2	20.7	22.8	42.1	45.8	49.9	55.3	18.3	18.9	20.6	22.8	30.0	32.0	34.1	37.7
	标羊数量	1 872	1 928	1 986	2 145	3 929	4 243	4 583	4 949	218	225	243	262	6 019	6 396	6 811	7 356
牲畜存栏数(10⁴只)	牛	107.0	110.2	113.5	122.6	224.5	242.4	261.8	282.7	12.5	12.8	13.9	15.0	343.9	365.4	389.1	420.3
	马	31.3	32.2	33.2	35.8	65.6	70.9	76.6	82.7	3.6	3.8	4.1	4.4	100.6	106.9	113.8	122.9
	驴	36.4	37.5	38.7	41.8	76.5	82.6	89.2	96.3	4.2	4.4	4.7	5.1	117.2	124.5	132.6	143.2
	骡	0.9	0.9	0.9	1.0	1.8	2.0	2.1	2.3	0.1	0.1	0.1	0.1	2.8	3.0	3.1	3.4
	骆驼	5.1	5.2	5.4	5.8	10.6	11.4	12.4	13.4	0.6	0.6	0.7	0.7	16.2	17.3	18.4	19.8
	猪	42.1	43.4	44.7	48.3	88.4	95.4	103.1	111.3	4.9	5.1	5.5	5.9	135.4	143.9	153.2	165.5
	羊	937	965	994	1 073	1 966	2 123	2 293	2 476	109	112	121	131	3 012	3 200	3 408	3 681
供需平衡(10⁸m³)	总需水量	246	250	261	293	169	181	206	223	18	19	21	22	433	450	487	538
	总供水量	246	250	261	293	169	181	206	223	18	19	21	22	433	450	487	538
	总余水量	0	0	0	0	0	0	0	0	0	0	0	0	0	0	0	0

续表 6-21

指标	项目	南疆				北疆				东疆				全疆			
		1995年	2000年	2010年	2020年	1995年	2000年	2010年	2020年	1995年	2000年	2010年	2020年	1995年	2000年	2010年	2020年
城市需水量 (10⁸m³)	工业	2.2	3.3	6.4	9.7	6.8	9.9	18.0	24.4	1.2	1.7	2.9	3.7	10.2	14.9	27.3	37.7
	生活	0.9	1.2	1.7	2.4	2.0	2.2	3.1	4.4	0.1	0.2	0.2	0.3	3.0	3.5	5.0	7.1
农村需水量 (10⁸m³)	农田	80.9	81.4	87.7	107.6	57.3	62.6	73.6	81.4	5.4	5.4	5.4	5.8	143.6	149.4	166.8	194.8
	畜牧业	11.3	13.1	15.3	17.9	13.7	14.0	14.4	14.8	1.2	1.4	1.6	1.9	26.2	28.5	31.3	34.6
	林业	15.2	16.7	18.4	20.2	5.7	5.7	5.7	5.6	1.5	1.7	1.8	2.0	22.4	24.0	25.9	27.8
	渔业	0.9	1.0	1.1	1.2	2.9	2.9	2.9	2.9	0.1	0.1	0.1	0.1	3.9	4.0	4.1	4.2
	生活	1.3	1.5	1.9	2.5	1.9	2.3	2.8	3.4	0.2	0.2	0.3	0.4	3.4	3.9	4.9	6.2
供水量 (10⁸m³)	地表水	236.8	236.8	236.8	236.8	153.6	153.6	153.6	153.6	7.8	7.8	7.8	7.8	398.2	398.2	398.2	398.2
	地下水	9.0	9.4	9.4	14.8	15.3	16.0	18.6	21.8	10.1	10.3	10.3	11.2	34.4	35.7	38.3	47.7
	规划工程	0.0	3.5	11.7	34.9	0.0	8.7	26.1	32.3	0.0	0.3	1.2	1.2	0.0	12.5	39.0	68.3
	污水处理回用	0.0	0.9	2.9	6.4	0.0	2.3	7.6	15.3	0.0	0.4	1.1	2.1	0.0	3.6	11.7	23.8
综合定额	工业用水(m³/万元)	115	86	56	37	124	95	68	49	195	143	76	45	127	96	65	45
	农业灌溉(m³/亩)	423	417	407	395	273	270	262	264	357	352	344	340	345	337	326	326
城市排污指标 (10⁸m³)	处理厂(标)	0.0	3.0	10.0	21.9	0.0	8.0	26.1	52.5	0.0	1.2	3.8	7.2	0.0	12.2	39.9	81.6
	污水总量(10⁸m³)	2.6	3.6	6.6	10.0	7.1	9.8	17.3	23.9	1.0	1.5	2.6	3.3	10.7	14.8	26.5	37.2
	处理量(10⁸m³)	0.0	1.1	3.6	8.0	0.0	2.9	9.5	19.1	0.0	0.5	1.4	2.6	0.0	4.5	14.6	29.8
水投资 (10⁸元)	总水投资	0.0	24.0	52.1	58.9	0.0	50.1	107.2	113.6	0.0	5.3	12.4	11.0	0.0	79.3	171.6	183.5
	规划工程	0.0	15.6	32.0	17.7	0.0	25.0	54.0	37.6	0.0	1.9	4.6	0.0	0.0	42.4	90.5	55.2
	污水处理	0.0	7.4	17.6	29.8	0.0	20.0	45.1	66.0	0.0	3.1	6.5	8.4	0.0	30.5	69.2	104.2
	节水	0.0	1.0	2.5	3.2	0.0	1.7	4.2	5.3	0.0	0.3	1.3	1.4	0.0	3.1	7.9	9.9
	地下水	0.0	0.0	0.0	8.2	0.0	3.3	0.0	4.8	0.0	0.0	0.0	1.2	0.0	3.3	4.0	14.2

生产,特别是工业生产,使城市用水大幅度增加,城市废水的处理投资和处理规模也有所增加,这样可能使 2020 年城市的污水处理回用水达到 24 亿 m^3,比方案 C 增加了 17 亿 m^3,使总供水量达到 538 亿 m^3。

由于此方案的城市供水和农村供水条件的改善,全疆的社会经济及生态环境都有较大规模的发展。2020 年的全疆 GDP 达到 6 393 亿元,人均 GDP 将超过 25 000 元,1995～2020 年 GDP 的年平均增长率达到 8.48%。2020 年农业灌溉面积达到 5 980 万亩,粮食、油料及棉花等作物产量比方案 C 又有明显增加,人均占有量指标大部分呈上升趋势,虽然有的指标有所下降,但基本保持了现状水平。2020 年全疆粮食总产量为 1 240 万 t,人均粮食占有量为 487kg,比现状增加了 47kg,比方案 C 增加了 84kg;棉花总产量为 192 万 t,人均棉花占有量为 75kg,比现状增加了 15kg,比方案 C 增加了 7kg;油料总产量为 102 万 t,人均油料占有量为 40kg,比 1995 年和方案 C 增加了 10kg;蔬菜总产量为 460 万 t,人均蔬菜占有量为 180kg,比 1995 年的 162kg 增加了 18kg。

本方案的畜牧业也有较大发展,饲草饲料基地和灌溉草场面积都有增加,2020 年达到 1 380 万亩,比 1995 年多了 387 万亩,牲畜数量比 1995 年增加了 1 337 万个基本绵羊单位,达到了 7 356 万个基本绵羊单位。肉和奶的总产量及人均占有量比方案 C 有增加,2020 年肉的人均占有量为 39.4kg,比方案 C 增加了 2.1kg,比 1995 年多 8kg,接近期望水平;奶的人均占有量为 37.7kg,比方案 C 多了 2kg,比 1995 年多 7.7kg。新疆的草场长期存在着过牧现象,现状实际的载畜能力只能达到存栏数量的一半,长此下去,草场退化现象日趋严重,从长远角度看,推广农区牧业是新疆牧业的发展方向。本方案 2020 年的全疆林业灌溉面积比 1995 年增加了 210 万亩,水果总产量达 176 万 t,人均水果占有量为 69.1kg,比 1995 年略有增加,比方案 C 增加了 7kg。

从地区分布来看,2020 年东疆的人均 GDP 最高,达到 38 360 元;北疆略低,为 31 160 元;南疆最低,只有 17 700 元。但从农产品的生产状况来看,南疆、北疆和东疆各有所长。粮食和棉花南疆高,在油料、蔬菜、肉、奶方面北疆高,而在水果方面东疆最高。2020 年人均粮食占有量,南疆 533kg,北疆 452kg,东疆仅为 206kg;人均棉花占有量,南疆为 93.6kg,北疆 61.4kg,东疆仅为 34.4kg;人均油料占有量,北疆为 78kg,南疆为 8kg,东疆仅为 4.4kg;人均蔬菜占有量北疆 260kg,东疆为 130kg,南疆 110kg;人均水果占有量,东疆为 139kg,南疆为 111kg,北疆为 16kg;人均肉占有量,北疆为 57.8kg,南疆 23.8kg,东疆为 23.9kg;人均奶占有量,北疆为 55.3kg,南疆为 22.8kg,东疆为 22.8kg。

(五)方案 E

本方案的边界条件是在方案 D 的基础上将全疆的农田灌溉渠系有效利用系数提高到 0.7 左右。这是一个对比方案。

在此方案条件下,由于仅仅是提高了渠系有效利用系数,2020 年总供水量与方案 D 基本相同。

此方案 2020 年的全疆 GDP 达到 6 645 亿元,人均 GDP 将超过 26 000 元,1995～2020 年 GDP 的年平均增长率达到 8.65%。由此可以看出,本方案渠系利用系数的提高对整个国民经济的影响并不大,GDP 比方案 D 仅仅增加了 250 亿元,规划期内 25 年的年均增长率也只增加了 0.17%,这说明在供水量达到一定规模后,渠系利用系数不是影响整个国民经济发展的主要因素。

本方案的农业灌溉面积 2020 年达到 7 337 万亩,比现状增加了 3 016 万亩,比方案 D 增加了 1 350 万亩。全疆的主要农产品如粮食、棉花、油料、蔬菜、水果、肉、奶总产量都有大幅度的提高,人均占有量指标也有显著上升趋势,参见表 6-22。

由此可以看出,虽然本方案的各类指标都是最高,但不是本次攻关研究的最终推荐方案,它仅仅是一个对比方案。这说明在进行承载能力研究时,必须考虑各种因素的现实可能性。

新疆的渠系有效利用系数,从 1995 年的 0.47 提高到 2020 年的 0.7 难度很大。这是基于两方面的考虑:一是投入问题,渠系有效利用系数如果要提高到 0.7,则必须对全疆的所有灌区进行大改造,渠道必须进行全衬砌,这需要大量的劳动投入和资金投入,本次攻关受资料方面的限制,虽然没有对其进行投入产出分析,但从上述结果来看,投入产出效益并不显著;二是生态问题,现状的渠道水量损耗大部分满足了渠道两旁的生态用水要求,如果渠道进行了全衬砌,渠道两旁生态景观及所需的生态用水还须考虑其他措施解决。

四、承载能力分析

在进行具体的承载能力分析计算时,并不要求农产品的人均指标都超过上述期望值,可以允许某些指标低于期望值,但必须建立农产品的市场交换机制,即可以用超出期望值的农产品在国际市场或国内市场上去等价交换低于指标期望值的农产品,使总的农产品的人均占有量与指标期望值达到总体平衡。具体的农产品交换平衡公式为

$$R = \sum_i \alpha_i (P_i - D_i) \geqslant 0 \tag{6-1}$$

式中　　R——总体平衡指标;

　　　　P——农产品的人均占有量;

　　　　D——农产品的人均期望值;

　　　　α——农产品的交换比;

　　　　i——农产品指标。

农产品交换比价受市场、政策、国际国内政治形势等多种因素的影响与干扰,本次攻关参考 1995 年的农产品的市场销售价格预测分析了未来主要农产品之间的交换比价(参见表 6-23)。表中价格以粮食价格为基本单位,其他都是相对价格。

按照表 6-10 和表 6-23 所给定的期望值和交换价格比,对上述 5 个方案进行了人口承载能力的分析(参见表 6-24)。由表 6-24 可以看出,在农产品按照期望值达到平衡的情况下,也就是保证温饱的程度时,方案 A、B、C、D、E 的全疆人口承载量分别是 2 640 万人、2 798 万人、3 198 万人、3 606 万人、4 264 万人,但是方案 A、B、C 的经济发展水平太低,人均 GDP 不足 1 万元,故不能作为推荐方案;方案 D 和 E 无论是在经济发展方面还是在农产品方面都好于前 3 个方案,特别是方案 E,它在 GDP 总值和农产品生产总量上是 5 个方案中最高的,按照农产品平衡关系,方案 E 的人口承载量达到了 4 264 万人,比方案 D 多了 658 万人,但是方案 E 的人均 GDP 仅为 1.558 0 万元,低于方案 D,故方案 E 也不能作为承载能力分析的推荐方案。方案 D 才是 2020 年新疆水资源承载能力分析的基本方案。

表6-22

方案E:新疆水资源承载能力指标

指标	项目	南疆 1995年	南疆 2000年	南疆 2010年	南疆 2020年	北疆 1995年	北疆 2000年	北疆 2010年	北疆 2020年	东疆 1995年	东疆 2000年	东疆 2010年	东疆 2020年	全疆 1995年	全疆 2000年	全疆 2010年	全疆 2020年
国内生产总值	GDP(10⁸元)	233	412	1 051	2 259	537	851	1 954	3 788	65	110	279	598	835	1 373	3 284	6 645
	增长率(%)		12.08	9.82	7.95		9.66	8.67	6.84		11.02	9.78	7.92		10.46	9.12	7.30
	人均值(元/人)	2 948	4 714	10 000	18 375	6 942	10 050	19 450	32 387	6 606	10 123	21 662	39 876	5 023	7 506	15 034	26 069
化学需氧量	COD(10⁴t)	4.6	5.0	7.5	8.8	12.7	13.4	19.5	21.1	1.9	2.0	2.9	2.9	19.1	20.5	29.9	32.8
	人均日负荷(g/人)	69.9	69.2	86.5	87.0	96.2	104.1	127.5	118.2	149.4	150.1	176.9	152.5	91.2	95.3	116.7	109.8
粮食	产量(10⁴t)	353	464	583	783	358	394	643	813	20	25	33	41	730	883	1 259	1 636
	人均值(kg/人)	447	531	555	637	463	465	640	695	200	229	254	272	440	483	576	642
人工生态面积(10⁴亩)	农田灌溉	1 911	2 166	2 554	3 242	2 097	2 704	3 300	3 874	152	170	199	221	4 160	5 039	6 053	7 337
	饲草饲料	375	506	683	922	482	506	531	558	41	55	74	100	897	1 066	1 288	1 579
	草场灌溉	38	40	41	42	59	61	62	64	0	0	0	0	97	100	103	106
	人工林	587	705	846	1 015	250	250	250	250	47	56	67	81	884	1 011	1 163	1 346
	渔业	7	8	9	10	22	22	22	22	0	1	1	1	29	30	31	32
总产出(10⁸元)	第一产业	173	256	531	1 112	225	322	617	1 209	17	24	48	97	415	602	1 197	2 418
	第二产业	194	350	1 049	2 369	551	959	2 439	4 503	60	109	350	747	804	1 418	3 838	7 618
	第三产业	204	425	1 239	2 778	540	850	2 184	4 783	84	142	351	814	828	1 416	3 775	8 375
	总计	571	1 031	2 819	6 260	1 317	2 130	5 241	10 494	160	275	749	1 657	2 048	3 436	8 309	18 411
总产出结构(%)	第一产业	30.3	24.8	18.9	17.8	17.1	15.1	11.8	11.5	10.4	8.8	6.4	5.8	20.3	17.5	13.6	13.1
	第二产业	33.9	34.0	37.2	37.9	41.8	45.0	46.5	42.9	37.3	39.7	46.7	45.1	39.3	41.3	43.6	41.4
	第三产业	35.8	41.2	44.0	44.4	41.0	39.9	41.7	45.6	52.3	51.5	46.9	49.1	40.5	41.2	42.9	45.5
农田灌溉面积(10⁴亩)	水稻	82	82	82	97	28	28	222	221	0	0	0	0	110	110	304	318
	小麦	556	695	795	963	798	821	1 002	1 176	55	64	75	84	1 410	1 580	1 873	2 223
	玉米	771	963	1 102	1 333	395	406	495	581	51	60	71	79	1 217	1 428	1 567	1 993
	棉花	707	715	919	1 264	362	489	660	891	40	43	50	55	1 109	1 246	1 529	2 211
	油料	49	49	51	65	293	720	637	663	15	15	18	20	358	785	706	748

续表 6-22

指标	项目	南疆				北疆				东疆				全疆			
		1995年	2000年	2010年	2020年	1995年	2000年	2010年	2020年	1995年	2000年	2010年	2020年	1995年	2000年	2010年	2020年
农田灌溉面积(10^4亩)	甜菜	13	22	26	32	77	81	99	116	0	0	0	0	90	103	125	149
	蔬菜	46	46	51	65	63	78	98	122	6	7	8	9	114	130	157	196
	其他	58	58	58	65	90	90	99	116	5	5	6	7	153	153	163	188
人均农产品(kg/人)	水稻	43.7	42.4	39.1	44.0	17.7	17.4	128.4	122.2	0.0	0.0	0.0	0.0	29.0	28.3	77.9	77.3
	小麦	225.6	273.4	288.7	331.5	246.9	248.6	283.9	317.8	129.5	148.7	164.7	176.2	229.8	254.5	279.2	316.1
	玉米	177.7	215.3	227.3	261.0	198.1	199.3	227.6	254.8	70.3	80.7	89.4	95.6	180.8	199.9	219.3	248.5
	棉花	84.4	79.4	89.7	111.5	36.8	46.6	56.0	68.7	43.1	42.5	44.4	44.8	59.8	62.0	71.5	87.9
	油料	10.0	9.3	8.3	9.5	53.1	122.3	95.7	90.0	5.4	5.2	5.4	5.5	29.7	61.3	48.4	46.2
	甜菜	60.3	95.8	98.7	112.6	311.2	306.6	331.5	351.4	0.0	0.0	0.0	0.0	173.4	187.7	200.0	215.5
	蔬菜	125.9	117.0	114.7	130.9	201.2	236.0	261.3	295.0	148.1	160.9	167.8	169.3	162.3	174.7	185.3	208.4
	其他	35.1	32.6	28.5	28.5	111.4	104.5	102.1	108.3	76.1	71.1	71.4	72.1	73.0	68.2	64.9	67.6
	水果	108.9	122.8	131.8	144.6	19.8	18.8	17.0	15.6	133.1	150.8	163.9	180.8	68.9	76.3	80.9	87.6
	肉类	20.5	21.1	21.6	24.3	44.0	48.8	54.1	61.1	19.2	19.8	20.5	23.2	31.4	33.8	36.5	41.1
	奶	19.6	20.2	20.7	23.2	42.1	46.7	51.7	58.4	18.3	18.9	19.6	22.2	30.0	32.4	34.9	39.3
	标羊数量	1 872	1 928	1 986	2 185	3 929	4 322	4 754	5 229	218	225	231	254	6 019	6 475	6 971	7 669
牲畜存栏数(10^4只)	牛	107.0	110.2	113.5	124.8	224.5	246.9	271.6	298.7	12.5	12.8	13.2	14.5	343.9	369.9	398.3	438.1
	马	31.3	32.2	33.2	36.5	65.6	72.2	79.4	87.4	3.6	3.8	3.9	4.3	100.6	108.2	116.5	128.1
	驴	36.4	37.5	38.7	42.5	76.5	84.1	92.5	101.8	4.2	4.4	4.5	5.0	117.2	126.0	135.7	149.3
	骡	0.9	0.9	0.9	1.0	1.8	2.0	2.2	2.4	0.1	0.1	0.1	0.1	2.8	3.0	3.2	3.5
	骆驼	5.1	5.2	5.4	5.9	10.6	11.7	12.8	14.1	0.6	0.6	0.6	0.7	16.2	17.5	18.8	20.7
	猪	42.1	43.4	44.7	49.1	88.4	97.2	106.9	117.6	4.9	5.1	5.2	5.7	135.4	145.6	156.8	172.5
	羊	937	965	994	1 093	1 966	2 162	2 379	2 617	109	112	116	127	3 012	3 240	3 488	3 837
供需平衡(10^8m³)	总需水量	246	250	261	292	169	180	205	222	18	19	20	23	433	450	486	537
	总供水量	246	250	261	292	169	180	205	222	18	19	20	23	433	450	486	537
	总余水量	0	0	0	0	0	0	0	0	0	0	0	0	0	0	0	0

续表 6-22

指标	项目	南疆 1995年	南疆 2000年	南疆 2010年	南疆 2020年	北疆 1995年	北疆 2000年	北疆 2010年	北疆 2020年	东疆 1995年	东疆 2000年	东疆 2010年	东疆 2020年	全疆 1995年	全疆 2000年	全疆 2010年	全疆 2020年
城市需水量 ($10^8 m^3$)	工业	2.2	3.0	5.9	8.8	6.8	9.1	16.5	22.2	1.2	1.6	2.7	3.3	10.2	13.7	25.1	34.2
	生活	0.9	1.2	1.7	2.4	2.0	2.2	3.1	4.4	0.1	0.2	0.2	0.3	3.0	3.5	5.0	7.1
农村需水量 ($10^8 m^3$)	农田	80.9	90.7	103.2	128.2	57.3	71.3	96.0	110.7	5.4	6.0	6.8	7.5	143.6	167.9	206.1	246.5
	畜牧业	11.3	14.7	19.1	25.0	13.7	14.0	14.4	14.8	1.2	1.6	2.1	2.7	26.2	30.2	35.6	42.6
	林业	15.2	18.2	21.9	26.3	5.7	5.7	5.7	5.6	1.5	1.8	2.2	2.6	22.4	25.7	29.7	34.5
	渔业	0.9	1.0	1.1	1.3	2.9	2.9	2.9	2.9	0.1	0.1	0.1	0.1	3.9	4.0	4.2	4.3
	生活	1.3	1.5	1.9	2.5	1.9	2.3	2.8	3.5	0.2	0.2	0.3	0.4	3.4	4.0	5.0	6.3
供水量 ($10^8 m^3$)	地表水	236.8	236.8	236.8	236.8	153.6	153.6	153.6	153.6	7.8	7.8	7.8	7.8	398.2	398.2	398.2	398.2
	地下水	9.0	9.4	9.4	14.8	15.3	16.0	18.6	21.8	10.1	10.3	10.3	11.6	34.4	35.7	38.3	48.2
	规划工程	0.0	3.5	11.7	34.9	0.0	8.7	26.1	32.3	0.0	0.3	1.2	1.2	0.0	12.5	39.0	68.3
	污水处理回用	0.0	0.8	2.7	5.9	0.0	2.2	7.1	14.1	0.0	0.3	1.0	1.9	0.0	3.3	10.8	22.0
综合定额	工业用水 (m³/万元)	115	86	56	37	124	95	68	49	195	143	76	45	127	96	65	45
	农业灌溉 (m³/亩)	423	419	404	395	273	264	291	286	357	350	343	340	345	333	340	336
城市排污指标	处理厂(标厂)	0.0	2.8	9.3	33.8	0.0	7.5	24.2	80.6	0.0	1.1	3.6	11.0	0.0	11.4	37.1	125.4
	污水总量($10^8 m^3$)	2.6	3.4	6.2	9.3	7.1	9.1	16.1	22.1	1.0	1.4	2.4	3.0	10.7	13.9	24.6	34.3
	处理量($10^8 m^3$)	0.0	1.0	3.4	7.4	0.0	2.7	8.9	17.7	0.0	0.4	1.3	2.4	0.0	4.2	13.6	27.5
水投资 (10^8元)	总水投资	0.0	23.6	50.9	90.2	0.0	48.7	103.9	188.3	0.0	5.0	11.8	21.8	0.0	77.2	166.6	300.3
	规划工程	0.0	15.6	32.0	17.7	0.0	25.0	54.0	37.6	0.0	1.9	4.6	0.0	0.0	42.4	90.5	55.2
	污水处理	0.0	7.0	16.4	61.3	0.0	18.7	41.9	141.0	0.0	2.8	6.0	18.6	0.0	28.5	64.3	220.8
	节水	0.0	1.0	2.5	3.1	0.0	1.7	4.1	5.0	0.0	0.3	1.2	1.3	0.0	3.0	7.8	9.4
	地下水	0.0	0.0	0.0	8.2	0.0	3.3	4.0	4.8	0.0	0.0	0.0	2.0	0.0	3.3	4.0	14.9

表 6-23 农产品相对交换比价

	粮食	棉花	油料	甜菜	蔬菜	肉	奶
相对比价	1	8	4	0.1	0.4	10	3

表 6-24 2020 年新疆水资源承载能力分析

地区	主要指标	方案 A	方案 B	方案 C	方案 D	方案 E
南疆	预测人口(10⁴ 人)	1 230	1 230	1 230	1 230	1 230
	承载人口(10⁴ 人)	1 251	1 319	1 561	1 638	1 914
	GDP(元/人)	3 396	5 936	5 406	13 268	11 802
	粮食(kg/人)	308.5	322.2	334.7	400.3	408.8
	棉花(kg/人)	79.0	80.1	74.7	70.3	71.6
	油料(kg/人)	5.7	6.1	9.9	6.0	6.1
	甜菜(kg/人)	49.0	50.3	59.8	71.0	72.3
	蔬菜(kg/人)	93.0	78.0	125.0	82.5	84.1
	其他(kg/人)	20.1	21.5	20.1	19.2	18.3
	水果(kg/人)	90.5	78.1	76.3	83.6	92.9
	肉类(kg/人)	20.4	19.4	19.0	17.9	15.6
	奶(kg/人)	19.6	18.6	18.1	17.1	14.9
北疆	预测人口(10⁴ 人)	1 169	1 169	1 169	1 169	1 169
	承载人口(10⁴ 人)	1 297	1 376	1 523	1 863	2 223
	GDP(元/人)	5 492	9 536	9 290	19 563	17 042
	粮食(kg/人)	301.4	310.8	310.6	297.3	365.6
	棉花(kg/人)	33.4	33.4	32.6	38.5	36.2
	油料(kg/人)	45.4	44.7	40.8	49.2	47.4
	甜菜(kg/人)	168.5	178.7	179.3	175.9	184.9
	蔬菜(kg/人)	136.2	180.3	176.3	163.9	155.2
	其他(kg/人)	60.3	63.9	64.2	54.2	57.0
	水果(kg/人)	15.5	13.3	13.9	9.8	8.2
	肉类(kg/人)	41.4	39.0	40.8	36.3	32.1
	奶(kg/人)	39.6	37.3	39.0	34.7	30.7
东疆	预测人口(10⁴ 人)	150	150	150	150	150
	承载人口(10⁴ 人)	92	103	114	105	127
	GDP(元/人)	12 164	20 105	19 654	54 607	46 979
	粮食(kg/人)	264.5	273.3	267.0	293.1	320.2
	棉花(kg/人)	55.2	62.2	60.8	48.9	52.8

地区	主要指标	方案 A	方案 B	方案 C	方案 D	方案 E
东疆	油料(kg/人)	7.2	6.1	6.0	6.2	6.4
	甜菜(kg/人)	0.0	0.0	0.0	0.0	0.0
	蔬菜(kg/人)	183.5	189.5	185.2	184.3	199.5
	其他(kg/人)	93.2	80.6	78.8	81.8	84.9
	水果(kg/人)	198.2	152.4	159.8	198.3	213.0
	肉类(kg/人)	32.2	28.9	30.3	34.0	27.3
	奶(kg/人)	30.8	27.7	29.0	32.5	26.1
全疆	预测人口(10^4 人)	2 549	2 549	2 549	2 549	2 549
	承载人口(10^4 人)	2 640	2 798	3 198	3 606	4 264
	GDP(元/人)	4 732	8 229	7 762	17 728	15 583
	粮食(kg/人)	303.5	314.8	320.8	343.9	383.7
	棉花(kg/人)	55.7	56.5	54.1	53.3	52.6
	油料(kg/人)	25.2	25.1	24.5	28.3	27.6
	甜菜(kg/人)	106.0	111.6	114.6	123.1	128.8
	蔬菜(kg/人)	117.4	132.4	151.6	127.5	124.6
	其他(kg/人)	42.4	44.5	43.2	39.1	40.4
	水果(kg/人)	57.4	48.9	49.6	48.9	52.4
	肉类(kg/人)	31.1	29.4	29.7	27.9	24.6
	奶(kg/人)	29.8	28.1	28.5	26.7	23.5

　　根据方案 D 的优化指标,按照农产品的交换平衡关系,到 2020 年全疆水资源的人口承载量为 3 606 万人。其中:南疆为 1 638 万人,比预测人口 1 230 万人多了 408 万人;北疆为 1 863 万人,比预测人口 1 169 万人多了 694 万人;东疆为 105 万人,比预测人口 150 万人少了 45 万人。从生活水平来看,全疆人均 GDP 为 1.77 万元,其地区分布为南疆最低,为 1.33 万元;北疆居中,为 1.96 万元(接近富裕水平的下限 2 万元);东疆最高,为 5.46 万元。因此,虽然南疆和北疆能承载这么多的人口,使他们保证基本的温饱程度,但从人均 GDP 来看,被承载人口的生活水平只能达到一个中等富裕程度,还不能达到富裕水平。要想使被承载的人口有富裕的生活,则必须降低承载人口的数量。由表 6-25 可以看出,在人均 GDP 达到 2 万元的条件下,南疆承载的人口要下降到 1 087 万人,北疆为 1 822 万人。也就是说,未来南疆必须严格控制人口增长,否则就要降低其生活水平。而东疆按照富裕水平的人口承载量显然不止 105 万人,它可以用工业产品换取农产品,从而承载比 105 万人更多的人口。由于很难预测未来工业产品与农产品的价格交换比,故本次攻关仍以 105 万人作为东疆在富裕生活水平条件下的承载能力。因此,2020 年全疆富裕生活水平下的人口承载能力为 3 014 万人。

表 6-25　　　　　　　　　2020 年方案 D 富裕条件下的水资源承载能力指标

项目	南疆	北疆	东疆	全疆
承载人口(10^4 人)	1 087	1 822	105	3 014
GDP(元/人)	20 000	20 000	54 607	21 210
粮食(kg/人)	603.3	303.9	293.1	411.5
棉花(kg/人)	105.9	39.4	48.9	63.7
油料(kg/人)	9.0	50.3	6.2	33.9
甜菜(kg/人)	107.0	179.8	0.0	147.3
蔬菜(kg/人)	124.4	167.5	184.3	152.6
其他(kg/人)	28.9	55.4	81.8	46.8
水果(kg/人)	126.0	10.0	198.3	58.4
肉类(kg/人)	27.0	37.1	34.0	33.3
奶(kg/人)	25.8	35.5	32.5	31.9

第三节　2050 年新疆水资源承载能力分析

本次攻关以 2020 年的水资源承载能力研究为基础,利用水资源供需平衡理论探索 2050 年的新疆水资源承载能力,即在水资源的支撑下,未来远景的新疆社会经济及生态环境的最大发展程度。

一、需水预测与供需平衡

新疆现状 1995 年的总人口为 1 661.35 万人。其中:城市人口为 574.16 万人,占总人口的 34.6%;农村人口为 1 087.19 万人,占总人口 65.4%。按本次攻关的预测,到 2020 年总人口将发展到 2 550 万人,年平均递增 17.3‰。其中:城市人口为 1 300 万人,占总人口的 51%;农村人口为 1 250 万人,占总人口 49%。考虑到新疆是一个少数民族聚居区,21 世纪的城市化率将有加快趋势,预计从 2020 年到 2050 年期间,30 年的年平均增长率不应低于 10‰。按 10‰ 预测,2050 年的总人口为 3 450 万人,其中城市人口为 1 890 万人,农村人口为 1 560 万人。预计 2050 年牲畜数量达到 8 500 个基本绵羊单位。

城市生活用水分居民生活和公共生活两项,分别按 160L/(人·日)和 120L/(人·日)计算。农村生活用水为 90L/(人·日),一个绵羊单位 12L/(头·日)。预计到 2050 年城市生活需水将达到 19.3 亿 m^3,农村生活用水 8.8 亿 m^3,合计全疆生活需水量 28.1 亿 m^3。

根据 2020 年水资源承载能力分析的成果,从 1995~2020 年的 26 年期间,GDP 的年平均增长率为 8.47%;预计 2020~2050 年的 GDP 增长速度将放慢,以每年增长 5% 计算,2050 年新疆的 GDP 将达到 27 500 亿元。工业总产值 30 年的增长率比 GDP 的增长高一个百分点,按 6% 计算,到 2050 年将达到 56 700 亿元。工业的综合万元产值取用水定额,将从 2020 年的 45m³ 下降到 25m³,因此 2050 年工业的总需水量将达到 142 亿 m³。

全疆的农业灌溉面积到 2050 年将比 2020 年多发展 1 000 万亩,达到 7 000 万亩。其中粮食面积为 3 490 万亩,考虑复种指数后,播种面积为 4 160 万亩,棉花面积达 2 225 万亩,油料面积为 760 万亩,蔬菜面积为 200 万亩,甜菜面积为 140 万亩,农田灌溉的综合定额取 310m³/亩,净需水量为 217 亿 m³。2050 年新疆畜牧业和林业也要有较大发展,饲草饲料基地和灌溉草场是提高载畜能力的主要措施之一,预计其灌溉面积将在 2020 年的基础上还要增加 500 万亩,达到 1 880 万亩,综合灌溉定额取 280m³/亩,其需水量为 52.6 亿 m³。林业面积由于农田防护林和果林的需要,2050 年比 2020 年增加 250 万亩,达到 1 350 万亩,综合灌溉定额取 280m³/亩,需水量为 37.8 亿 m³。2020 年的新疆渔业需水量已经达到 4.2 亿 m³,2050 年按 10 亿 m³ 净需水量计算。因此,2050 年全疆农林牧渔业的灌溉净总需水量为 317 亿 m³。

新疆 2050 年的灌区改造将进入完善阶段,全疆的综合渠系有效利用系数也将有较大提高,达到 0.7 是完全有可能的。全疆农村生活及农林牧业的毛总需水量为 466 亿 m³,加上城市生活和工业的需水量,2050 年全疆总需水量为 627 亿 m³。现状 1995 年全疆国民经济耗水率为 0.74,考虑到 2050 年由于生产技术的提高,农业灌溉定额和工业万元产值取用水定额将下降,而耗水率将会升高,预计 2050 年国民经济耗水率为 0.85。因此,2050 年的全疆国民经济耗水量为 533 亿 m³。

根据上节所讨论的结果,新疆水资源可利用量多年平均和 75% 保证率下分别为 628 亿 m³、610 亿 m³,大于 2050 年全疆国民经济耗水量 533 亿 m³。考虑到 2050 年水利工程还不能控制全部的可利用量,按可利用量的 90% 计算,为 540 亿~550 亿 m³,与国民经济耗水量基本保持平衡。

二、承载能力指标

现状农业用水是新疆的用水大户,占总用水的 97%,2020 年农业用水所占比例下降到 91.5%。这说明,从 1995 年到 2020 年,农业将逐步由粗放型耕作方式缓慢地转向集约型耕作方式,2020 年以后转型速度将加快,农作物亩产将有新的飞跃。本次攻关预计 2050 年全疆粮食作物的综合亩产将达到 380kg,粮食总产量将达到 1 580 万 t;棉花亩产将上升到 110kg,总产量将达到 245 万 t;油料亩产将上升到 170kg,总产量将达到 129 万 t;蔬菜亩产将上升到 3 000kg,总产量将达到 600 万 t;甜菜亩产将上升到 4 000kg,总产量将达到 560 万 t,参见表 6-26。

表 6-26　　　　　　　　　　2050 年水资源承载能力指标

项目	粮食	棉花	油料	甜菜	蔬菜	水果	肉	奶
产量(10⁴t)	1 581	245	129	560	600	243	136	130
预测人口人均量(kg)	452	70	37	160	171	69	39	37
承载人口人均量(kg)	395	61	32	140	150	61	34	33

畜牧业 2050 年按 8 500 万头个基本绵羊单位计算,肉产总量为 136 万 t,奶产总量为

130 万 t。水果总产量为 243 万 t。

根据 2050 年的人口预测,全疆人口预计将上升到 3 500 万人。这样,人均 GDP 为 7.86 万元,按 1995 年汇率计算约合 1 万美元,相当于发达国家 20 世纪末的水平。而农产品的人均占有情况是:粮食 452kg,棉花 70kg,油料 37kg,甜菜 160kg,蔬菜 171kg,肉 39kg,奶 37kg,水果 69kg。这些指标,比 2020 年略有降低或基本保持其水平。

按照表 6-10 所设定的 2050 年的农产品期望值和表 6-23 所给定的价格交换比,利用农产品平衡关系,估算在保证温饱条件下的 2050 年全疆水资源承载人口为 4 000 万人,此时人均 GDP 为 6.875 万元(约合 9 000 美元),超过了富裕生活水平的下限 6 万元,即到 2050 年全疆水资源可以承载 4 000 万人,且保证具有富裕生活水平,具体指标参见表 6-26。

第四节　提高新疆水资源承载能力的战略对策

目前,新疆的社会经济发展既面临着机遇,又面临着挑战。机遇是国家政策开始向西部倾斜;挑战则是新疆必须面对当前水资源紧缺的现象,认清形势,搞好规划,在加强工程建设和水资源开发力度的同时,提倡节约用水,提高水的利用效率,研究适合新疆特点的水资源合理配置方案。在此基础上,研究水资源承载能力、环境容量等,为政府制定水资源管理策略和国民经济产业结构调整方向提供科学依据。

一、农业合理用水

新疆地处西北干旱区,降水稀少,蒸发强烈,农业发展的主要制约条件是水资源,属于灌溉型农业。目前,在用水总量中农业用水占 97%,但各地农业用水的供需矛盾仍很严重。这主要是因为春旱缺水,而且灌溉技术落后粗放,不注意节约用水和科学用水,存在严重的浪费水的现象。水利工程设施不配套,许多灌区出现了土壤次生盐碱化。为了进一步发展农业经济,需要克服春旱、夏洪、盐碱等自然灾害的威胁,同时也必须采取有效措施,挖掘农业用水的节水潜力,在提高水资源的利用效益基础上,实现农业不断增产。

(一)搞好水利工程配套,提高渠系利用系数

新疆许多灌区用水紧张,但同时却存在着水利工程不配套,渠系利用系数低,大量浪费水资源的现象。例如,伊犁地区的农四师灌区,渠道防渗措施较好,渠系利用系数平均达到 0.7 左右,而伊犁的渠系利用系数平均只有 0.35。天山北坡灌区的渠系利用系数平均为 0.5~0.55,应该说是比较好的地区,但其中差异也很显著,乌鲁木齐和平渠达到 0.8,米泉地区为 0.7,而吉木萨尔地区却在 0.5 以下。南疆各地灌区比较落后,虽经多次改建,目前仍以土渠为主,渗漏严重,较大灌区的渠系利用系数一般只有 0.3~0.4,而且灌区内工程配套率很低。

因此,当务之急是把已建成的各项工程的配套工程搞好,使其发挥最大的效益。同时,大力改建或新建防渗工程,减少水的渗漏损失。目前许多灌区水资源供需矛盾严重,随着经济发展,今后缺水问题会更加尖锐,通过挖掘节水潜力满足农业生产发展用水需要,将是不可扭转的必然趋势。

(二)改进灌溉技术,降低灌溉定额

目前,新疆各地灌溉技术比较落后,大部分沿用漫灌、串灌方式。田间工程少而差,土地不平整,灌水定额大,尤其是南疆地区更为严重。据统计,1995年全疆每亩有效灌溉面积的实际供水量达996m³。因此,必须切实做好农田基本建设工作,改变漫灌、串灌方式,推广沟畦灌溉。从各地试验结果来看,畦灌有显著节水效果。据叶尔羌河水管处1985年的灌水试验资料,在未平整的6.5万亩普通耕地上采用串灌方式,毛灌溉定额高达943m³/亩。经过平整后的533亩耕地,并采取畦灌方式,结果毛灌溉定额降到788m³/亩,比前者省水155m³/亩,节约16%。近年来,北疆塔城地区166团、167团和天山北坡吉木萨尔县泉子街乡采用了"半固定管移式自压喷灌"系统,有明显的增产省水效果,而且投资少、技术简单、运行可靠、便于管理。

根据有关资料统计,塔河干流区现有耕地50万亩,灌溉面积为40.76万亩,1996年生产粮食3.49万t,棉花3.28万t,牲畜37.75万头,农牧业灌溉毛用水量一般为1 500m³/亩以上,水的利用系数在0.3以下。阿克苏河灌区1985年毛灌溉定额为1 760m³/亩。其中,沙井子灌区为1 088m³/亩,乌什、温宿部分灌区为2 000m³/亩。从这些明显的差额可以看出节水大有潜力。沙井子灌区以种植水稻为主,水稻面积占总灌溉面积的40%;平均毛灌溉定额比阿克苏和阿瓦提两地分别低710m³/亩、40m³/亩。如果阿克苏、阿瓦提及其他灌区都能达到沙井子灌区的灌溉定额,就可以节省出上亿立方米的水量。

(三)调整农业生产结构,推广先进的栽培技术

农业生产结构包括农牧林结构和种植业结构。新疆是全国第二大牧区,草场总面积达7.2亿亩,仅次于内蒙古,但是新疆肉类生产却很落后。1995年人均肉类生产量为31.5kg,是全国平均水平43.4kg的73%。这说明新疆的牧业生产效率不高,今后必须加强草场管理,发展饲草饲料基地和灌溉草场,提高草场的载畜能力,同时注重农区畜牧业生产。

总起来说,新疆农业发展方向应为农牧并重,以农为主,在粮食自给有余的基础上,建设以棉花、甜菜为主的经济作物基地,以葡萄、甜瓜为主的瓜果基地和以羊为主的畜牧业基地。在地区发展方向上,南疆、东疆可以农为主,农牧结合;北疆农牧并重,其中天山北坡以农为主,农牧结合;西北疆农牧并重,以牧为主;阿勒泰地区坚持以牧为主,围绕畜牧业发展种植业。

新疆种植业结构也要针对春季缺水严重的特点进行适当调整。春季灌溉用水最多的是小麦和棉花。以南疆为例,1995年小麦播种面积556.4万亩,棉花播种面积707万亩,两项合计占耕地面积的64%。因此,春季需水量较大,很难全部得到满足。为了能使小麦高产,除化肥、农药、良种等保证供应外,春灌次数达到3~4次才行,而实际上有相当多的小麦只能浇上1次水。由于距正常需水量偏离太大,产量始终提不高。要想改变这种被动局面,应适当压缩小麦面积,努力提高小麦单产,增加复播玉米,以充分利用夏季丰水。此外,在栽培技术上应推广先进经验,如种植地膜棉,不但可以保温,而且能够抑制土壤中水分的蒸发,保持土壤中的水分。根据几年来播种的经验,种植地膜棉可以在头一年利用冬闲水先冬灌1次,来年春天就可省一次春灌,对节约春水有显著效果。

(四)增加调蓄工程,提高春季用水保证程度

多年来,全疆各地区根据当地水资源的来水特点,不断地调整作物比例,尽可能地减少春季需水量,并且大范围地实施冬灌,提高春旱田地土壤的含水率;实施地膜覆盖种植的农业措施,以减少春季土壤的水分蒸发,采取春季人工破冰加大引水量、抢墒播种、坐水点种等多种方法,减少春季的旱情,但春季缺水量仍占全年缺水总量的46%。因此,春季缺水在当前新疆水资源利用中的问题十分突出。

根据1995年完成的全疆土地利用现状详查成果,1995年全疆播种面积为4 881万亩(不含复播),因春旱缺水少播种760万亩,占已播种面积的15.6%;全疆农业中的种植业产值为315亿元(1995年当年价),按少播种的15.6%的面积估算,因春旱缺水造成农业种植业的经济损失达49亿元,比伊犁州(含塔城、阿勒泰、伊犁、奎屯市)当年农业产值43.8亿元还多5.2亿元,相当于南疆阿克苏和克州两个地级单位全年的农业产值。因此,春旱缺水造成的经济损失应该说是比较严重的。

春季缺水是影响新疆发展农业生产的关键性问题之一,而南疆春季缺水更为严重。多年来,兴建的平原水库为农业生产创造了经济效益,但也出现了一系列问题。主要表现是淹没土地,蒸发渗漏损耗大,引起周围土地盐渍化和沼泽化。以南疆为例,多年平均水面蒸发量高达1 300~1 400mm,平原水库的利用系数一般为0.5,即要调蓄1亿 m^3 的水量,需要天然来水2亿 m^3 作保证,其中有一半被蒸发和渗漏掉。目前,各地州大部分适宜修建平原水库的地点已被利用,从水资源利用的经济效果看,今后原则上不宜再修新的平原水库。个别地区平原水库密度过大,位置选择不当,工程又不配套,应该适当地进行调整。从长远看,今后必须适当兴建山区水库,调洪补枯,才能有效地解决春旱问题。例如,喀什和克孜勒苏两地州共同受益的布仑口水库条件较好,对解决盖孜河春季缺水和夏季防洪有重要作用,同时又可修建电站,基本满足喀什和克孜勒苏的用电。叶尔羌河规划修建的阿尔塔什水库兼有防洪、灌溉、发电的综合效益,可以从根本上解决流域的春旱缺水问题,对治理叶尔羌河流域,促进工农业生产发展和繁荣经济,有十分重要意义。上述这些水利工程,应创造条件做好前期工作,争取早日兴建。

(五)盐碱地的整治

根据1995年《水利统计资料汇编》,全疆现有盐碱耕地面积为1 347.8万亩,占全疆耕地面积4 692.39万亩(统计数据)的28.7%。盐碱化在全疆是普遍存在的,全疆范围内目前只有伊犁地区、乌鲁木齐市和克拉玛依市盐碱化程度较轻,面积仅占耕地的5%左右。土地盐碱化的程度,北疆地区的昌吉州和阿勒泰地区,相对北疆范围内较高,占到了其耕地面积的30%左右;东疆的哈密地区较轻,为9.5%,吐鲁番为26.6%;南疆目前最严重。全疆盐碱地面积占耕地比例最大的为喀什地区,达到了64.14%,其次为巴州。造成土地盐碱化的直接原因是过量灌溉。根据供需平衡计算,目前全疆每年农田多引进水量40.5亿 m^3,按现有盐碱地1 347.8万亩计算,平均每亩多引水300.7 m^3,折合水深45cm滞留在土壤中。因此,土地盐碱化程度与过量灌溉的水量成正比关系。

治理盐碱地与农业合理用水有密切关系,也是改造低产田、提高农业产量的一个重要措施。首先要整修各级排水渠道,挖通排水出路,重点应放在干、支两级排水渠上。干排以下除挖排水支渠外,可结合生物排水措施,广泛种草种树,并辅以少量排水工程。如叶

尔羌河流域的牌楼农场,利用生物排水收到了较好的效果。据喀什地区估算,每平方公里的成林面积中,每年可蒸腾 100 万 m^3 水量,每 100 亩苜蓿年蒸腾水量为 7 万 m^3。适当扩大以苜蓿为主的绿肥种植面积,不仅可以提供大量优质饲草,同时又可以提高土壤肥力,改良土壤结构,改善土壤的透水性,以蒸腾方式经叶面耗散水分,有利于降低地下水位,减弱上层土壤积盐。另外,有些地区还需要采取井排进行盐碱地的改良,但要解决电力问题。

一些灌区下游盐碱化严重地区,如伽师、岳普湖等县,地面平坦,排水不畅,土地面积广阔,可以采用干排积盐的方式,充分利用灌区内现有废弃洼地,排水积盐。这样,因不需要重新开挖排水渠,可大大减少工程量。

(六)加强科学管理

实现农业合理用水,加强科学管理十分必要,其内容包括工程管理和灌溉管理两方面。工程管理是指对各种农田水利工程的保养和维修,使其安全运行,充分发挥效益,延长工程服务期限。各地普遍存在着重视工程建设,轻视工程管理。今后水利建设过程中,要考虑到设计为工程管理创造条件,施工要为工程管理提供方便。灌溉管理首先要建立一个有效的用水管理系统,运用行政和经济手段调动节约用水的积极性,不断提高水的利用效益。今后,灌区用水应按供水成本收费,制定各项生产用水定额,实行计划用水,超额用水要罚,节约用水受奖,做到奖罚分明。

二、城市合理用水

目前,全疆总用水量中农业用水占 97%,城市生活及工业用水量所占比例很小。虽然新疆城市用水所占比例不高,但也要注重提高水的利用效率和调整产业结构,加强城市用水管理。

天山北坡是城市和工业比较集中的地区,用水供需矛盾尖锐,其中乌鲁木齐市更为突出。

根据新疆水文水资源局的调查,1992 年乌鲁木齐市实际开发利用的水资源量为 3.6 亿 m^3,其中包括地表水、泉水和地下水。用水总量中,农业用水为 1.35 亿 m^3,占 37.6%;工业用水为 1.29 亿 m^3,占 35.8%;居民及公共生活用水为 0.96 亿 m^3,占 26.6%。根据对 1991 年 106 个企业的调查,乌鲁木齐工业用水的重复利用率为 73%,若不计电力行业为 66%,这在我国大型城市中属于中等水平。1991 年乌鲁木齐工业用水的万元产值耗水量为 208m^3(1992 年为 207m^3),比先进城市高 2～3 倍。这充分说明水的有效利用程度不高,尚有较大的节水潜力。挖掘工业节水潜力,有以下几种途径:

(1)提高水的重复利用,包括一水多用和循环利用两种方式。工业用水中一般有 60%～70% 是冷却用水,完全可以重复利用。许多工业排水中虽然有一些杂质,但比较容易分离,只要采取简单的处理措施就可以重复利用。

(2)不需要连续供水的,必须间断供水。生产流程中有许多工序用水,不需要连续供应,必须采取间断供水方式。这种情况在冲洗用水系统中经常出现,往往被冲洗的产品是间断输送到位的,而冲洗用水却是连续不断地供水,结果造成水的大量浪费。这种现象应该杜绝,而且也容易做到。

(3)改革工艺,采用新设备。结合工艺改革,使水洗产品减少,或用新技术和新设备来代替用水量大的生产设施。

关于生活用水,要认真执行按表计量收费办法,特别要加强对自备井的管理。同时要重视研制和推广节水型的用水器材,并加强宣传教育工作,使人们形成自觉节水的社会风尚。

新疆产业结构调整必须正确处理主导产业与基础、先行产业的关系,以主导产业为主体,协调农业、工业、交通和第三产业之间的关系;必须正确处理区域之间产业结构的互补关系,协调以东疆资源型产业为主的结构类型、乌鲁木齐—克拉玛依的资源—加工混合型为主的结构类型以及新疆西部、北部、南疆等边远地区的农业—乡村工业为主的结构类型三者之间的关系,建立以天山北坡综合经济带为依托,以铁路和公路主干线为骨干,以区域性和地区性经济中心城市为支点,辐射带动全区经济协调发展的总体框架。

为了搞好城市合理用水工作,在各部门分工管理的基础上,进行统一管理。根据国家水法,制定有关的用水管水法规和技术经济政策,并认真开展企业水平测试工作,以促进节约用水,提高水的利用效益。对现有的工矿企业设施,应分期分批改造成为节水型的设施,对新建工矿企业必须严格要求。另外,还需要进一步实行计划用水,并适当调整工业用水价格。今后应看重发展用水量少、污染较小、万元产值需水量较低的行业。

三、地下水资源的合理利用

新疆平原地下水综合补给量为 402 亿 m^3,其中与地表水不重复计算的水量为 63 亿 m^3。由于地表水与地下水相互转化,使水资源可以多次进行重复引用,提高了水资源的利用效益。

采用水源地形式集中开发地下水是较好的办法。目前,地下水的开采程度很不平衡,主要集中在天山北坡、吐鲁番盆地和哈密盆地,乌鲁木齐、昌吉州等地区出现超采现象。南疆广大地区总开采量为 9.3 亿 m^3,占可开采量的 6%。

远景发展地下水资源的开发重点地区是天山北坡的西部和东部、天山南坡山前平原及昆仑山北坡山前平原。近期应先在交通、能源等条件较好的库尔勒、轮台、库车等地建设水源地。

开发地下水需要投资,也必须有能源保证。当前的问题是电力不足,今后配合地下水水源地的开发,要安排好电站的建设。另外,地下水的开发利用还需与盐碱地改造相结合,既能节省地表水资源,提高水的利用效益,也有利于生态环境改善,提高农作物产量。

需要指出的是,地下水可开采量是与地表水的重复量密切相关的,由渠系渗漏补给所占的比重为 33.7%。因此,随着渠系有效利用系数的提高,地下水的可开采量也将逐年减少。

四、注意水资源开发利用引起的生态环境问题

新中国建立以来,新疆在水利建设方面取得很大成绩,引用地表水 430 亿 m^3,为工农业生产的发展和城乡建设的扩大,提供了重要的物质基础,同时改善了绿洲的生态环境。但是,随着水资源开发利用程度的提高,在生态环境方面也出现了某些不利的影响,值得

总结经验。

　　塔里木河水资源经过多年的开发利用,对当地的农、牧、林业生产发展和绿洲经济的建设与扩大,发挥了很大的效益。但是,随着上游水资源开发利用程度的提高,塔里木河生态环境也直接或间接地受到不利影响,近年来有逐渐恶化的发展趋势。其主要表现是天然植被破坏加剧,土地沙化面积扩大,耕地土壤出现盐碱化,河床淤积严重,具有战略通道意义的下游绿色走廊受到威胁。造成塔里木河生态环境恶化的原因是多方面的,但最重要的是缺乏全面规划,没有合理分配水量,使一些河段或地区的水量显著削减甚至枯竭,从根本上使植被失去了生存条件。

　　因此,在塔里木河上游必须以挖潜为主,走节约用水的道路,不断提高水资源的利用效率,以保证进入塔里木河干流的水量不再进一步削减。下游绿色走廊需要保护,也能够保护,关键是要抓好上中游的整治,合理地控制和调整各区段的用水量,适当地增加向下游绿色走廊输送的"救急"水量。塔里木河的水资源合理利用与生态环境保护问题,必须通过全流域的整治和加强管理来解决。这不仅对下游河段生态环境的恢复和改善有利,而且对下游农二师的 5 个团场进一步发展生产也有重要的作用。

　　艾比湖是新疆生态环境方面的热点问题。据文献记载,1957 年湖面面积为 1 070km²,1959 年为 823km²,而 20 世纪 90 年代末期湖面面积仅有 500～550km²。艾比湖随着水面面积的缩小,湖水的矿化度进一步升高。水面面积的缩小主要是由于入湖水量造成的,现奎屯河已无水补给艾比湖,只有博尔塔拉河和精河补给 4.7 亿～5.4 亿 m³,如果再把湖四周潜水补给加上去,年入湖水量为 11 亿～12 亿 m³。如果按 522km² 的水面,1 200mm 的年蒸发量计算,入湖水量和蒸发量接近平衡。为保护艾比湖水面不再缩小,必须使入湖水量不再减少。艾比湖的萎缩已带来了生态环境的逐步恶化,从阿拉山口吹来的大风,刮起干涸湖底的含盐泥土,使精河和博乐一带的扬沙和浮尘天气增加。

第七章　结论与建议

第一节　主要结论

一、现状评价

(一)水资源总量

新疆地表径流总量 794 亿 m³,径流量全部形成于山区,其补给来源主要是自然降水(包括降雨和降雪);平原和盆地降水少,蒸发大,基本上没有径流产生。径流量北部多于南部,西部多于东部,迎风坡多于背风坡。水资源分布不均,天山以北面积 45 万 km²,占全疆面积的 27%,地表径流量却为 406 亿 m³,占全疆地表水量的 52%;而天山以南面积 120 万 km²,占全疆面积的 73%,径流量仅为 382 亿 m³,只占全疆地表水量的 48%。径流量的年际变化不大,最丰水年径流量不超过正常径流量的 2 倍,最枯水年径流量不小于正常径流量的一半,对于灌溉农业的发展十分有利。河流的年内分配大多很不均匀,春水很少,夏洪集中,突发性短时洪水频繁,对农作物春播和防洪极为不利。

新疆平原区虽不产流,却分布着大量的地下水,总补给量为 402 亿 m³。其中:不重复补给量为 63 亿 m³,地下水资源量为 383 亿 m³,可开采量约 200 亿 m³。目前仅开采了 31.3 亿 m³,开发潜力很大。

新疆各河流地表水水质基本良好,符合国家一、二、三级水质标准的河长,占评价总河长的 94.8%,只有 0.3% 的河长受到严重污染,不经过处理,不具备使用的功能。

新疆水能蕴藏量十分丰富,理论蕴藏量达 3 356 万 kW,在全国各省区中名列第四位,具有广阔的开发前景。

(二)水资源利用现状

新疆水资源开发利用水平大体仍处于初级阶段,整体调控能力较弱。目前,只有天山北麓经济带达到了中级阶段,体现了绿洲型水资源开发利用的基本方向,证实了新疆 40 多年来水利建设方针的正确性。天山北麓经济带未来的水利建设方向,主要应以节水和增强调控能力,地表水与地下水联合开发为主。

伊犁河、额尔齐斯河,是新疆最大的两条河流,水资源相对丰富,但开发利用水平低,从新疆的需求考虑,都应是近中期新疆水利建设的重点。它们的开发,将直接关系和影响新疆经济发展和生态环境保护的总体战略布局。

塔里木河流域一直是近几年关注的热点,特别是干流的生态环境问题更为世界瞩目。随着世行二期项目的实施和研究工作的进一步深入,验证了 20 世纪 80 年代开始进行的流域规划工作所确定指标的正确性和合理性。

新疆水资源近中期的总体开发战略,北疆应以水量丰沛的大河流域开发为主,东疆以节水为主,南疆则以增加年内调控能力和开发地下水为主。

新疆的经济发展和生态环境保护应以水利基础设施建设为先行,若以天山北麓经济带为模式,从水资源量来说,现状水利设施不能满足开发的需要,应加快建设速度和力度。

(三)生态环境现状评价

从全疆范围总体分析,北疆生态环境优于南疆,东疆哈密地区优于吐鲁番地区。这主要是由于北疆的自然条件要好于南疆,北疆降水稍多,农业灌溉条件较好,沙丘多为固定、半固定,生态环境较好。

从各县(市)来看,位于山区、林草比例较大、河流上游的县(市),生态环境质量一般较好。这是由于山区的存在增加了生物多样性,保证了平原区的水源和整体生态环境的稳定性。而一些大、中城市,由于人口密度大,污染严重,自然度较小,生态环境质量相对较差,在这些地区的经济发展中应注意因地制宜,合理布局。

从全疆范围看,环境良好的地区共 15 个县(市),大部分位于新疆中部及西北部。这些县(市)降水与径流较为丰富,自然条件尚好,环境压力不大,如伊犁地区及塔城地区的部分区市。环境较好的地区共 20 个县(市),分布于新疆西部和东部,其山区面积所占比例较大,处于河流上游,农业供水量有一定保证,如哈密地区、阿勒泰地区的大部分县以及南疆的若羌、塔什库尔干、乌恰、阿合奇、于田等。

环境一般的地区共 26 个县(市),多分布于南疆,荒漠化土地有一定分布,农业供水量欠缺。山区森林、草地所占比例不大。阿勒泰地区的富蕴因部分县域位于沙漠边缘,有一定面积的荒漠化土地而列入此类地区。

环境较差地区共 11 个县(市),主要分布于南疆,多分布于沙漠边缘,山区林草面积较少,绿洲面积不大,农业供水量有限。

环境差的地区共 13 个县(市),均分布于塔里木河中下游地区,为生态灾害区,自然环境被严重破坏,水资源缺乏,还包括一些人口密度较大、污染严重的大、中城市。

对于新疆的大、中城市来说,从评价体系的结果看,可以得出一些有益的启示,即:由于城市的发展,其生产、生活及生态需用水量很大,且环境压力较大(人口和污染),其经济布局应充分考虑这一点。

二、国民经济发展

(一)发展规模

根据宏观经济发展预测模型,对新疆国民经济发展进行了情景预测。预测主要发展指标,如表 2-31 所示。中等发展情景与自治区政府制定的发展规划基本吻合。在中等情景预测基础上,进一步预测高、低两种发展情景。对于中等情景,新疆在"九五"期间(1996～2000 年)国内生产总值发展速度为年均 9.4%,后 10 年(2001～2010 年)期间年均增长 8.4%,2020 年在 2010 年的基础上再翻一番,年均增长 8.0%左右。高、低两种情景预测结果为,在整个规划期内,高经济发展情景时的国民经济发展速度,约比中等发展情景高出 1 个百分点,而低情景则比中等发展情景低 0.3～0.4 个百分点。

按此预测,新疆人均经济指标将会有较大提高。在中等情景下,预计新疆人均 GDP,2000 年为 7 140 元;2010 年为近 1.4 万元;2020 年 2.5 万元。折合美元分别为 860 美元、

1 680美元和3 000美元。

但由于人口的增长较快,使经济发展成果有很大一部分被新增人口所抵消。国民经济发展在 2000 年、2010 年和 2020 年各时段,约 1.2 个百分点、2.0 个百分点和 1.5 个百分点的发展速度被新增人口所消耗。从提高新疆人民生活水平的目标看,也应控制人口的过快增长。

(二)经济结构

经济发展的过程,是经济结构调整变化的过程。如表 2-31 所示,1995 年新疆三种产业结构为 29.9∶36.3∶33.8,预计到 2000 年变化为 24.5∶39.7∶35.8,2010 年为 17.1∶43.5∶39.4,2020 年为 11.7∶43.5∶44.8。从变化看,第一产业稳定下降,2000 年较 1995 年下降 4.6 个百分点,2010 年和 2020 年又分别下降 7.4 个百分点和 5.4 个百分点。第二产业和第三产业则持续上升,在 2010 年以前,第二产业占新疆经济的比重提高较快,和工业化进程吻合。在工业化过程中,第三产业占国民经济的比重同样上升较大,和城镇化趋势相一致。

(三)工业经济

工业化加快是新疆今后发展的一个重要特征。从前面的预测成果看,在宏观经济中等发展情景下,工业发展在今后 25 年里以年均 9.7% 的速度快速发展,到 2020 年的工业发展规模将是现在的 9 倍,增幅相对较大。"九五"、2010 年前和 2010 年后 10 年中,新疆工业将以年均 12.6%、9.7% 和 8.4% 的速度增长。

但从区域看,东疆发展速度高于南疆,南疆高于北疆。工业经济区域的不均衡性发展,使新疆工业区域结构发生变化。1995 年北疆、南疆和东疆工业总产出比例为 69∶24∶7,到 2000 年将变为 67∶25∶8,2010 年为 64∶27∶9,2020 年为 60∶30∶10。北疆所占比重稳步下降,南疆和东疆比重持续上升。

(四)农牧业发展

1.灌溉面积发展预测

农牧业在新疆经济中占有重要地位。新疆是我国重要的农牧业发展地区,国家正在新疆建设棉花生产基地,粮食和其他经济作物的生产也具有巨大发展潜力。据预测,在"九五"期间,全疆新增灌溉面积近 500 万亩,2000 年累计灌溉面积达到 6 500 万亩左右;2010 年继续增长,预计新增灌溉面积 1 100 万亩,2020 年再新增近 400 万亩,到 2020 年,全疆总灌溉面积预计将达到 8 000 万亩,比 1995 年现状累计增加 2 000 万亩。

新发展的灌溉面积,主要在北疆伊犁地区和阿勒泰地区;其他地区,特别是南疆和东疆因人口增长和农牧民脱贫致富等需求,也有适度增长。在总体发展规模中,新增灌溉面积为 2000 年的 66%、2010 年的 75% 和 2020 年的 78%,均在北疆地区。到 2020 年,北疆累计新增灌溉面积近 1 470 万亩,南疆累计新增近 500 万亩,东疆新发展 30 万亩。

在发展灌溉面积时,农田、林地和草场均有较大发展,使农林牧保持一定的适度比例。田、林和草灌溉面积的比例,1995 年为 72.8∶14.8∶12.4,2000 年为 72.2∶14.5∶13.3,2010 年为 71.3∶13.6∶15.1,2020 年为 70.8∶13.6∶15.6,农田占总灌溉面积的比重下降,草场则持续上升,林地基本维持稳定。

2. 农作物播种面积预测

根据土地资源情况和水资源条件,结合人口增长及棉花、粮食、油料及甜菜等基地建设,考虑到提高农牧业经济收入增长要求,对新疆主要农作物播种面积预测情况为,2000年、2010年和2020年分别新增439万亩、925万亩和363万亩,25年累计新增1 725万亩。其中粮食播种面积累计增长800万亩,棉花播种面积累计增长500万亩,其他经济作物播种面积累计增长425万亩。从区域看,发展的总体格局是"南棉、北粮、东瓜果",即棉花播种面积主要在南疆发展,粮食播种面积主要在北疆发展,东疆则偏重于发展瓜果面积。

3. 粮食和棉花产量预测

在播种面积和亩产量预测的基础上,预测新疆粮食和棉花总产量,如表2-23所示。其中,粮食生产总体情况为,南疆在大力发展以棉花为主的经济作物、提高农牧民经济水平的前提下,要求其维持粮食自给;东疆因水土资源所限,应基本做到保持现在的半自给水平;北疆因水土资源有开发潜力,又适宜于粮食生产,因而要求发展粮食生产,发展特色农业,植草种树,除为全疆粮食自给及国家粮食储备作贡献外,还可通过发展特色农业,适应市场竞争,植树造林,扩大人工绿洲,改善生态环境。

三、需水预测

(一)国民经济需水量

1. 需水总量

本次国民经济需水的预测结果表明,在未来25年内,新疆国民经济需水量将有一定的增长。全疆总用水量1995年为436亿 m³,预计到2000年、2010年和2020年,在中等发展情景和考虑节水的情况下,分别增加到461亿 m³、511亿 m³ 和528亿 m³。北疆因扩大灌溉面积,需水增长较大;南疆和东疆通过节水,需水增长相对较慢。

从水资源可能的开发利用率看,高需水方案是难以实现的,即使实现,也是以牺牲生态环境为代价,不符合可持续发展原则。如若在中方案的基础上,进一步加大节水投资,则有望实现低需水方案,但因新疆尚属贫困地区,脱贫致富要求更多的投资用于发展国民经济,提高人民生活水平,节水和发展有一定的矛盾,与新疆经济发展阶段不相适应的过多的节水投入,是不现实的。而中方案具有现实性。

2. 需水增长

新疆正值社会经济加速发展时期,在今后的几十年内,全疆及各地市、州总需水皆呈增长态势。在中等预测情景下,预计2000年、2010年和2020年全疆国民经济总需水比1995年累计净增加25亿 m³、76亿 m³ 和92亿 m³,三时段年均增长率分别为1.12%、1.05%和0.32%,25年平均年增长0.77%。

从区域看,北疆2000年、2010年和2020年3个水平年的总需水量,分别比1995年累计增加21亿 m³、64亿 m³ 和80亿 m³,需水年均增长率分别为2.42%、2.1%和0.68%;南疆地区在2010年前需水呈增长态势,因这段时期灌溉面积扩大和国民经济均发展较快而节水相对缓慢,到2010年后,通过进一步节水,基本做到需水不增长,预计南疆比现状要累计增加10亿 m³;东疆水资源条件有限,但国民经济发展较快,在充分考虑节水的情况下,预计2010年和2020年需水比1995年现状将增加1.3亿 m³ 和2亿 m³。

从增长趋势分析,上述预测结果基本符合新疆社会经济发展阶段的需水要求,具有合理性。

3.需水结构

需水增长的过程,也是需水结构变化的过程。新疆现状农业用水占国民经济总用水的比重较高,全疆为96.1%,南疆高达98.1%,而工业和生活用水所占比例则较低。新疆农业用水所占比重高,一方面反映了新疆农牧业为主的经济特征,另一方面也说明新疆农业用水较为粗放。同时,表明新疆的节水重点在农业,农业具有较大节水潜力。至2020年,农业用水比例下降到91%,仍占较高的比重。

4.人均需水量

人均需水量是按全部人口计算的人均国民经济需水量。全疆人均需水量呈减少趋势,1995年为2 622m³,2000年、2010年和2020年分别比1995年净减少107m³、298m³和553m³。减少的主要原因,一是总人口的增长较大;二是受水资源的制约;三则是开展节水,提高用水效率的结果。

从三大区域看,南疆和东疆人均需水量减小幅度较大,而北疆在2010年以前则呈增长趋势。南疆因农业用水比重较大而使现状人均用水量达3 200多m³,随着农业节水及工业和生活用水比例的提高,导致人均需水量下降,到2020年下降到目前北疆的水平,25年内下降1 000多m³。东疆现状人均需水量为1 969m³,随着人口增长和节水的深入,人均需水量到2020年为1 430m³左右,下降约1/4。北疆因伊犁和阿勒泰农业的大面积开荒,农业需水增幅较大,同时乌鲁木齐、克拉玛依、奎屯等市区工业用水和生活用水的迅猛增长,使2000年、2010年人均需水量增加而非减少。2010年北疆地区人均需水量比现状增加143m³,但随后将因加强节水,人均需水又呈减少趋势。

(二)节水潜力

1.农业节水

农业是新疆节水的重点。目前新疆农业用水占总用水的97%以上,因而农业节水是今后新疆节水的重点。农业节水表现在输水系统节水和田间节水两方面。

(1)输水系统节水。1995年全疆农业供水量为411.5亿m³,按现有渠系水综合利用率全疆平均水平0.47计算,渠系渗漏量约为218亿m³,这部分损失水量约占全疆水资源总量的25%。1995年全疆干、支、斗、农4级渠道总长30.65万km,其中防渗长度为5.97万km,防渗率仅占19.5%。在4级渠道中,干渠防渗率为49.9%,支渠为47.7%,斗渠为26.0%,农渠仅为4.4%。如果干、支、斗、农四级渠道全部采取防渗措施,渠系水利用系数有望达到0.7。据估算,与现状相比,若全疆渠系水综合利用系数达到0.7,各级渠道水量损失可减少23%,即现状农业输水系统尚有95亿m³的节水潜力。

(2)田间节水。据统计,目前全疆沟、畦灌溉的面积为3 701万亩,占总灌溉面积的61.6%;膜上灌溉面积只有414万亩,占6.9%;喷灌和滴灌面积23万亩,仅占0.33%;尚有31.12%的面积仍使用大水漫灌的方式。灌溉方式比较粗放,田间节水具有潜力。统计资料表明,北疆沟、畦灌溉净定额为267m³/亩,大水漫灌溉净定额为325m³/亩;南疆沟、畦灌溉净定额为450m³/亩,大水漫灌溉净定额为555m³/亩。如果改大水漫灌为沟、畦灌溉方式,则全疆田间可节水14.8亿m³。根据灌溉实践总结,膜上灌比常规灌溉每亩可节水量 100m³,若对于目前非膜灌的北疆 293 万亩、东疆 37.6 万亩、南疆 403.8 万亩的棉花和瓜类作物采用膜上灌方式,则全疆可节水 7.3 亿 m³。据《新疆农业节水与作物灌溉制度》分析,全疆可发展加压喷灌面积约 500 万亩,可发展加压喷灌的井灌区面积 675 万亩,喷灌节水率为 45%,则 1 175 万亩适宜喷灌的面积节水量为 23 亿 m³。滴灌技术适应的灌溉作物为瓜类和果园(含葡萄作物)等经济作物,滴灌节水率为 55%,1995 年全疆果林面积为 226 万亩,瓜类作物为 39 万亩,如果全部采用滴灌,则可节约水量 4 亿 m³。根据上述估算,全疆田间年节约水量可达 49 亿 m³。

综上所述,目前情况下的农业,通过提高渠系水利用效率和加强田间管理及实行节水灌溉措施,可节约灌溉用水达 144 亿 m³。若以毛灌溉定额 650m³(目前略超过 700m³)计算,可以用这些节约的水量新增 2 000 多万亩的灌溉面积。

实际上,灌溉方式的改变、节水措施的实施以及种植结构的调整,都对农业灌溉引水量产生影响,同时对地下水位和生态环境需水也会有很大程度的改变。目前,这方面的问题尚存在不同的观点,在农业节水量的分析计算上,还有待作进一步的深入研究。

2. 工业节水

工业也具有一定的节水潜力。目前,全疆工业用水为 10.2 亿 m³,占全部国民经济用水的比例仅为 2.3%,但万元产值取用水量为 133.9m³,明显偏高。随着工业发展,工业用水将会有较快增长,特别在缺水城市,应加强工业节水,降低单位工业生产所消耗的水量。本次工业需水预测,已通过降低各水平年工业用水定额来考虑工业节水问题。预计的工业万元产值取用水量,2000 年、2010 年和 2020 年比现状分别下降 1/4 强、1/2 和 2/3,分别为 97m³/万元、65.8m³/万元和 45.3m³/万元。扣除工业结构调整等因素,以 50% 为节水效益计算,在中等需水增长情景下,2000 年、2010 年和 2020 年工业节水量分别可达 2 亿 m³、5.8 亿 m³ 和 10.8 亿 m³。

(三)生态环境需水量

在干旱区内,对绿洲景观的生存和发展及环境质量的维持与改善起支撑作用的系统所消耗的水分,称之为生态耗水。生态耗水一般只适用于极端条件下生态环境系统对水的需求量,在这种意义上,也可将生态环境耗水称为生态环境需水。

生态耗水类型划分为 2 大类 8 个小类,并从耗水机理入手,对全疆以地(州)为单位,依据经济发展预测情况,对未来 3 个规划水平年的耗水情况进行了预测。结果表明,在生态耗水类型中,以天然植被的生态耗水量为最大,1995 年仅此一项,即占到总生态耗水量的 70.4%;而其他类型在保护目标一定的情况下,随着技术水平的提高,其总体变化甚微。随着时间尺度向未来的延伸,其总体变化呈下降趋势。

但就大的生态耗水类型而言,随着时间的推移,绿洲系统的生态耗水量将逐渐增加,而天然系统的生态耗水量将呈现不断下降的趋势。由于渠系入渗占地下水年补给量的 33% 左右,随着未来各种防渗技术的采用,渠系入渗量将逐年减少,这对于干旱区的生态保护而言其影响将是巨大的。

在对生态环境系统分类的基础上,对全疆各生态计算单元进行了生态需水因素的统计和预测,结合生态要素耗水试验及其耗水机理研究,确定各类用水定额,进行各生态单元、生态系统的耗水预测,结果见表 3-13 所示。

在胁迫条件下(基本维持现状,且非充分用水),全疆现状生态环境耗水量为254.6亿m³。其中:自然生态系统208.3亿m³,人工生态系统46.3亿m³。随着土地开垦,人类活动加剧,全疆生态环境系统总耗水呈下降趋势,2000年、2010年和2020年分别为211亿m³、200亿m³和192亿m³。其中自然生态系统耗水衰减较大,2000年、2010年和2020年分别降到155亿m³、139亿m³和121亿m³。

就生态耗水的地区分布而言,以南疆塔里木盆地为最大,这主要是由于该区域在气候上属极端干旱区,降水对各生态类群的生命维持几乎没有什么实际意义;而北疆地区由于有一定的降水且其有效性亦高,因此与南疆相比生态耗水总量亦小;东疆地区虽绝对数量较小,但相对于有限的区域面积而言,仍然不算小。这一结论也从另一个侧面说明,对于生态保护而言,在水的合理分配上,南疆和东疆的难度要比北疆大得多。

四、水资源合理配置方案

利用水资源供需平衡分析模型,根据多目标分析模型提供的不同方案,对新疆水资源系统进行了全疆范围的模拟计算;对未来新疆社会经济与生态环境的多种发展模式和不同模式下的国民经济及生态环境需水量,利用实测的长系列水文资料,论证了新疆不同发展模式下的水资源开发利用方式的必然性。

水利工程设置A方案(见"新疆水资源配置方案设置"中说明)可作为未来新疆水资源合理开发利用的基本方案。它符合社会经济发展和资源开发利用的可持续性原则,兼顾了各地区的供水破坏深度尽可能均匀,既对中需水方案比较合理,也能适应高、低需水方案,重大工程布局符合新疆重点地区、重点发展方向的要求,水利工程设施的供水能力能较好地发挥作用,能满足重点生态环境的需水要求。其增加地下水开采的策略,是符合新疆的地下水可开采量和开采现状的分布特点的,也有利于减轻土地盐渍化。

新疆城市需水量在总需水中的比例很小,较容易满足,缺水主要是缺农村供水。供水破坏程度年际变化较小,但各计算单元间的差别很大。年内缺水量主要集中在灌溉高峰季节,部分计算单元有春旱现象。在推荐的水资源合理配置AA方案下,1995~2000年期间,全疆需水量的增加略大于供水量的增加,2000水平年全疆的需水满足程度略有下降。2000~2020年,需水量的增加小于供水量的增加。2020水平年全疆的需水满足程度提高到93.2%。在25年规划期中,全疆需水满足程度提高3.2个百分点。水文长系列分析结果表明,1995年、2000年、2010年、2020年的最大缺水程度依次为14.6%、14.5%、14.0%、10.4%。社会经济发展用水量增加,将会减少重点湖泊的补水量,但是仍然能满足其生态耗水的基本需要。

新疆水资源开发利用战略应坚持开源与节流并重的方针,地表水开发和地下水开发协调进行,特别是增加南疆地下水的开采能力。要加强水资源管理,特别需要继续加强农业节水或发展高效节水型农业,提高用水效率和效益。

额尔齐斯河引水工程即将建成,要加快配套设施建设,提高水资源的利用效益。

乌鲁木齐市是新疆的政治、经济、文化中心,具备较好的发展条件,但缺水程度严重,缺水量大,需通过大型综合利用水利枢纽工程补济水量。建议加快工程前期工作,早日兴建。

五、水资源承载能力

在对新疆、全国乃至全世界近20年来基本农产品的生产和人均占有情况分析的基础上,综合设定了作为新疆水资源承载能力研究基础的基本消费品(甜菜、棉花及油料、粮食、蔬菜、水果、肉、奶、水产品等)的期望值,提出按照消费品价格交换比的平衡关系分析水资源的人口承载量,并以基本消费品和GDP指标划定了生活水平标准,即人均基本消费品占有量达到规定指标,则承载人口的生活水平只是温饱;2020年人均GDP超过10 000元或2050年人均GDP超过40 000元,则承载的人口进入中等富裕水平;2020年人均GDP超过20 000元或2050年人均GDP超过60 000元,则承载的人口进入富裕水平。

根据对水资源承载能力基本概念的分析,强调了水资源承载能力研究的时间性,即应放在一个具体的时间范围内分析研究。以2020水平年代表中远期,时间跨度相对短一些,用比较成熟的资源规划理论进行分析研究;2050年则代表远期,时间跨度长,须使用水资源供需平衡分析原理进行远景承载能力分析。

在新疆社会经济发展预测、水资源合理配置方案研究和生态环境保护研究成果的基础上,利用上述水资源合理配置及承载能力理论方法方面的研究成果,对未来中远期新疆水资源承载能力进行了详细研究。根据未来新疆水资源不同的开发利用方式,分析了新疆水资源对社会经济发展及生态环境保护的支撑能力,按照基本消费品和GDP两类指标分析概括出到2020年新疆水资源承载能力:①承载3 600万人,并保证具有中等富裕生活水平;②承载3 000万人,具有富裕生活条件。到2050年承载4 000万人,具有富裕生活水平。

按三大区划分,北疆水资源承载能力最高,到2020年可以承载1 800万人,并维持一个富裕生活水平,比2020年的预测人口多近700万人;而南疆按照保证温饱的生活标准可以承载1 600万人,按照富裕生活标准却仅能承载1 087万人,低于2020年的预测人口,因此未来20年应加强南疆的计划生育工作;东疆未来的农产品生产不能完全自给,但其经济实力比较雄厚,可以用其工业产品从北疆和南疆换取必要的农产品。因此,建议政府决策部门注意南、北、东疆的经济互补性,在经济上实行不同的发展政策,大力发展各自的优势产业,提高全疆的生活水平。

根据新疆水资源承载能力分析,未来30年到50年期间,新疆水资源开发利用还须重视农业及城市生产的合理用水问题,调整产业结构,时刻注意水资源开发利用过程中对生态环境所产生的负效应。

第二节 建 议

一、国民经济发展战略

(一)高速发展

随着国家建设重心向西部转移,在未来的几十年内,新疆应实施国民经济快速发展战略,全面完成自治区"九五"计划和2010年远景目标,增强新疆综合经济实力。本研究表明,"九五"期间新疆国内生产总值年均增长9.4%、2001～2010年年均增长8.4%、2011～2020年年均增长8.0%。人均GDP为:2000年7 140元、2010年1.4万元、2020年2.5万元。

在发展过程中,充分发挥具有市场优势的中心城市(点)的作用,同时优先发展由高速高效通道联系的不同等级中心城市形成的城镇密集地带(轴),并逐步向外扩展,带动整个区域的发展。一级中心城市为乌鲁木齐,一级发展轴是吐鲁番—乌鲁木齐—阿拉山口(霍尔果斯)铁路沿线;二级中心城市为乌苏—奎屯—独山子等市区和库尔勒市,二级发展轴是南疆铁路沿线和北疆边境口岸群;三级中心城市是其他城市和县城,三级发展轴是联系这些城镇的其他三横三纵交通通道。由此形成以乌鲁木齐、奎—乌—独、库尔勒为中心的,以北疆和南疆铁路为纽带的,以边境口岸为外向发展触角的北(疆)促南(疆)发、东联西出的二三产业的布局,重大基础设施的建设地位也与之相配合,协调发展。

(二)农牧业发展

1.强化农牧业的基础产业地位

新疆80%以上的人口从事农牧业生产,农牧业的兴旺发达是新疆长治久安的物质保证,是新疆经济进步的依托,也是开发建设新疆的前提和基础。在坚持农牧业的基础产业地位的同时,积极稳妥地发展农牧业。在有条件的地区扩大灌溉面积,调整种植业布局及结构,从整体上增加农业的产出能力,适应市场竞争。同时,应注重农业生态环境的保护。

2.区域土地开发方向

南疆在保证区域内粮食自给的基础上,积极巩固棉花生产,建设国家级优质棉花生产基地。在北疆以伊犁河流域为中心地区,扩大灌溉面积,建设粮食、畜牧和特色农业生产基地;在额尔齐斯河流域,充分利用丰富的水土资源,发展灌溉草场,建设畜牧业产品生产基地。在东疆地区,大力发展高效、节水瓜果业,建设瓜果业商品生产基地。

3.调整农林牧结构

目前,新疆农业结构过分单一,在大力发展棉花和粮食等作物灌溉面积的同时,应注重林地和草场开发,使农田、林地和草场保持较好的比例。力争在新发展的灌溉面积中,保持农田、林地和草场比例至少为65:10:25,改善目前新疆林地和灌溉草场比例偏低的现象。在种植业内部,调整农作物种植结构,适当降低粮食作物比重,多发展棉花、特色产品、绿色食品等经济作物面积。在南疆及其他植棉区,要重视一些地区棉花种植面积过大,占耕地面积比例过高问题,否则会产生诸如病虫害防治、地力下降、植棉区农民的口粮、棉农承担的市场风险等问题。在规划上,应以每一大片绿洲为单元,确定各单元合适的农林牧结构和种植业内部结构,做到分工明确,合作协调,产品上互相补充,追求全区整体经济效益的提高和生态环境的良性循环。

4.加强农业生态环境保护

保护农业生态环境,实现农业的可持续发展。随着灌溉面积的扩大,生态用水和灌溉用水矛盾将更加尖锐,生态环境问题将日益突出。因而,应加强农业节水工作,提高灌溉用水的利用效率,力争为农业生态环境保护留有足够的水资源。同时,要加强农田防护林建设,力争使全疆防护林占农田的比例为15%左右,走生态农业的发展道路。

5.加快中低产田的改造

在扩大灌溉面积,向生态农业过渡的进程中,首先应重视并加快中低产田的改造。据统计,全疆现有盐碱耕地面积为1 340多万亩,占全疆耕地面积的28.7%。加强用水管理和农业节水工作,增加排水工程建设,加大改造中低产田力度,走内涵式农业发展道路。

6.发展高效节水农牧业

目前,农牧业灌溉用水效率普遍偏低,农业用水浪费严重,而水资源的供需矛盾日益加剧,特别是在生态环境保护日益重视的情况下,灌溉农牧业的发展会进一步加大供需矛盾。因而,要求新疆农牧业的发展,应注重节水,在节水中发展。加强农业科技投入,加强农业节水工程措施和非工程措施的投资力度,在大规模扩大灌溉面积和引水灌溉的情况下,发展高效节水农业,是新疆农牧业可持续发展的基本要求。

二、生态环境保护战略

1.加强生态环境保护宣传和法制建设

加强生态环境保护宣传,培养人们的生态环境保护意识,加快生态环境保护法规建设,加大生态环境保护执法力度。

2.增加投入、加大生态环境保护力度

生态环境的保护与改善,需要资金投入。在全面发展经济的同时,应注重生态环境保护工程的资金投入,使生态环境保护投资占国民经济总投资的比例,保持在一个合适的水平上。生态环境保护是一项长远的基础性工程,其工程建设不能急功近利,也不能做表面文章,应坚持长期持续的建设。

3.积极开展生态环境保护科学研究与技术推广

加强生态环境保护的科研与技术推广已迫在眉睫。从国际和国内大环境看,环保已逐渐成为一门新兴产业。但对干旱区生态环境保护的科研投入不够,特别是生态环境保护实用技术研究与推广更为有限。以绿洲经济为主要特征的新疆社会经济形态,其存在和发展与生态环境状况极为密切。干旱区生态环境的脆弱性和生态环境退化的不可逆性,要求新疆社会经济发展必须要充分保护生态环境,使人类具有一定的、良好的生存发展空间。发展是永恒的主题,发展是第一位,因而加强生态环境保护研究与实用技术推广工作,具有极其重要意义。

开展新疆生态环境保护科学研究,首先要进行新疆生态环境总体评价。新疆生态环境总体评价包括开展全疆生态环境状况调查,建立生态环境评价体系,明确新疆生态环境保护目标,进行生态环境保护的总体规划工作。其次,建立生态环境资源价值量的估价研究,将生态环境价值纳入到国民经济评价指标体系中。生态经济、绿色经济应是未来新疆经济发展的基本特征之一。最后,应建立全疆范围内的生态环境预警系统。通过卫星遥感技术、GIS技术、计算机技术等先进科技手段,结合专家知识系统、生态环境保护政策法规体系和生态环境评价指标系统等,对全疆范围内各生态环境保护单元进行监控,定期发布生态环境状况报告,为决策者和研究人员提供预警信息。

4.建立生态环境保护目标责任制

首先要明确新疆生态环境保护的目标。新疆地域广阔,生态目标众多,随着人类活动的加强,国民经济发展,特别是农牧业的大面积开垦,势必将对生态环境产生重大影响。若实施全部保护策略,显然不可能,也难以做到。因而,加强生态环境研究,进行生态环境的总体普查,在对各生态要素和生态主体进行分类和评价的基础上,开展国民经济发展与生态环境保护的综合研究,以明确各地区、各生态单元内的生态环境问题及提出其保护目标和保护策略。其次要建立生态环境保护目标责任制。可持续发展战略是新疆未来社会经济和环境发展的惟一正确选择,任何急功近利和牺牲生态环境的经济发展,都必将会受到自然的惩罚。因而,通过建立生态环境保护目标责任制,将生态环境保护作为各级政府和领导的政绩考核指标,将有利于新疆经济发展和生态环境保护。

5.建立生态环境保护体系

主要包括:保护耕地,改造中低产田,特别是对盐渍化和荒漠化土壤的治理,严格控制过度开荒;封山育林,保护草场,充分发挥山地森林和草原的生态涵养作用,保证区域生态环境的稳定;建立完善的防护林体系,防风固沙,改善绿洲边缘及内部的生态环境;保持农业生态系统的良性循环,发展绿色产品,减少化肥、农药的使用量,防止乡镇企业对农业环境的污染;进行合理的经济布局,在保证现有生态环境质量的前提下,在生态环境较好及一般的地区可适当安排工业项目,在生态环境较差的区域,应发展无污染、无生态破坏的高新技术产业;在生态环境较好的伊犁、塔城地区,可适当开垦荒地,但要保护原生态系统的基本平衡;在塔里木河流域,要进行水资源的合理配置,保证下游一定量的生态用水,力争恢复其自然生态环境,严格控制开荒。

三、水利发展战略

(一)水资源可持续利用方向

新疆经济发展与水资源的开发利用以及形成的生态环境状况,具有对立统一的辩证关系,经济的发展必须要有一个较好的生态环境,而要创造一个合理的生态环境就必须有坚实的经济基础作保证。只有经济发展了,才能有更多的资金,更多的方式,更多的精力改善与维护周围的生态环境,人们对生态环境的认识和自觉度才能进入更高层次。按照新疆的水资源量,完全有能力保护并扩大 6 万 km^2 绿洲生态及其周围自然生态,目前主要是处理好水资源空间分布与生态局部恶化地区的改善问题。水资源的开发利用方向,应是维持现有自然生态状况,积极地扩大绿洲范围和提高绿洲内水的经济效益,对于重点经济发展区,应首先满足经济发展的需求,使总体效益增大(如石河子、玛纳斯地区水资源的开发利用模式);对于生态重点保护区和恶化区,应着重考虑生态效益,积极挖掘潜力,使总体效益均衡(如塔里木河干流模式);对水资源开发利用较低,经济欠发展区域,应加快水土资源开发速度。

(二)总体布局

1.北疆

尽快开发利用水资源相对丰沛的伊犁河、额尔齐斯河流域,提高水资源利用率,使之建设成新疆典型的生态农业基地和畜牧业、有色金属、水力发电的重要基地。在流域开发的同时,还要为干旱缺水的邻近流域的生态环境保护和经济发展补充水源,为实现水资源的合理配置和结构布局发挥关键作用。两河流域的开发程度,是把新疆建设成为中国21

世纪经济增长的重要支点,是新疆实现脱贫致富、人民生活水平提高、再造一个山川秀美的新疆的关键。北疆其他地区围绕着调整农业产业结构,努力提高单产,挖潜配套,提高现有水利工程的效能,降低灌溉定额,推广先进技术,实现水资源的结构型节水,从而提高水的利用率。在此基础上,修建山区调控工程,替代平原水库,增加供水。

2.东疆

以节水型建设为中心,应用新技术,高效节水,改良盐碱地,缓解春旱缺水矛盾。

3.南疆

把节水灌溉作为一项革命性措施来抓,节约灌溉用水,增加生态用水,加强渠道防渗,完善灌区配套,提高水的利用率。开发利用地下水,以达到降低地下水位,改良盐碱地,缓解春旱缺水的双重效益。实施以塔里木河流域生态环境综合治理为重点的生态环境建设工程,逐步改善主要的湖泊生态,扩大人工绿洲,建设和恢复生态林,防治沙害,遏制生态劣变趋势。为实现水资源的统一调度和管理,还需修建山区骨干调控工程,逐步替代无效蒸发及渗漏大的平原水库,解决年内水量时空分布不均,增加供水。

(三)管理体制

1.转变管理观念,向市场经济体制过渡

在计划经济条件下,资源配置是靠计划来实现的;在市场经济条件下,资源配置是按经济效益、按市场的需求来配置的。对水利建设,其自身不可能建立市场经济体制,但它必须适应市场经济体制。对于水利管理工作,也就要逐步将过去完全靠中央的计划建设观念转变为市场效益观念,扩大建设资金来源渠道,建立良性运行机制。

水资源开发建设实行建管一体,实行股份制管理。对于新建、在建的大中型工程,实行建管统一的政策,推行业主制,水价实行新水新价按成本收取水费。在内部管理方面,实行分配效益,共担风险。目前,在建的乌鲁瓦提水库和已建的克孜尔水利枢纽拟采取上述方式管理。

广开投资途径。新疆水资源和水能资源开发的潜力很大,有大量光热条件很好的土地可以开发,有丰富的石油、煤炭、有色金属可以开采,可以发展石油化工,优质畜牧产品加工等行业,如国家给予资金和税收等方面的优惠政策,国内外的投资者是会走向新疆的。无论是国家、地方、个人、外资,都欢迎他们到新疆来投资,这样既可以结合水资源搞土地开发,也可以结合工业生产搞水能开发。

改造原有水管单位,向企业化过渡。新疆是"没有灌溉就没有农业"的地方,已经具有数百个水管站。过去这些单位属事业性质,管理的水资源是社会福利口,水费价格上级定,收多收少不计成本,工程破损向上要钱。由于水价过低,维持生产已很困难,无力大修或更新工程,职工生活也很困难。从长远看,从国家的根本利益着想,必须实行企业化管理,使他们依托现有水利工程,自主经营,自负盈亏,扩大再生产,像其他企业一样要保持增值,才能使水利事业更活跃、更发达。

2.设立水利优惠政策

(1)免征大中型水利工程土地占用税。水利工程往往占用的是深山峡谷之地,且占用量大。为减少水费成本,减少初期投入,鼓励开发大中型水利工程,免征这部分税金是有利的。

(2)免征国有水管单位所得税(或产品税)。水管单位企业化改造后,原工程无力大修更新,存在问题较多,为了加固改造工程,需投入较多资金,方能使水利工程完备,达到安全供水。

(3)对于外国或外地投入的建设水利工程资金,工程产生效益后,征收的所得税(或产品税)应较其他工业产品减半征收。

(4)享受银行贷款最低利息。

(5)设立水利建设基金。

国家已经出台"水利建设基金筹集和使用管理办法"。办法第四条关于地方水利建设基金来源规定:"从地方收取的政府性基金(收费、附加)中提取 3%。应提取水利建设基金的地方政府性基金(收费、附加)项目包括:养路费、公路建设基金、车辆通行费、公路运输管理费、地方交通及公安部门收取的驾驶员培训费、地方分成的电力建设基金,市场管理费、个体工商管理费、征地管理费、市政设施配套费。"此外,新疆每年从经棉补粮资金中提取 1 亿元,从水费中统筹 10%,作为新疆水利建设基金。由于基础设施建设任务繁重,所需资金缺口很大,因此,在国家的支持下,要逐步建立和完善投资、融资体制及运营机制,以适应经济建设和生态环境保护的需要。

(四)需求管理

1.建立节水意识,加强节水宣传教育

在全社会开展节水宣传教育,提高全民节水意识。利用各种宣传机制,大力宣传水资源的有限性、生态环境恶化的危险性。特别要从儿童抓起,使人们从小树立节水观念,爱水、惜水、保护水,从而进一步从总体上降低对水资源的需求量。

2.全面节水、发展节水型经济

据预测,在中等情景下,2000 年、2010 年和 2020 年新疆国民经济需水将分别累计增长 22 亿 m^3、73 亿 m^3 和 88 亿 m^3,到 2020 年新疆国民经济发展需水将占新疆水资源总量的 60%。因而,应提倡全面节水,在全面节水的基础上发展节水型经济。搞好水利工程配套,加快渠道衬砌,提高渠系利用系数是农业节水的重点工作;加强田间节水措施,推广农业节水技术,发展高效节水农业;在城市,也应提倡节水工艺、节水器具的普及推广工作,降低工业用水的单耗,发展节水型工业和节水型城市;调整水价,充分利用价格杠杆对需求抑制的作用,加强用水管理与量测工作,严格实行取水许可制度。

3.加快水资源开发,建设流域控制性水利工程

目前,新疆流域控制型工程较少,水资源总体利用水平不高,水资源供需矛盾尖锐。据计算,全疆现状缺水量达 70 多亿 m^3,且春秋季节性缺水更为严重。随着社会经济的快速发展和生态环境保护的加强,国民经济发展和生态环境用水需求增长很快。解决区域性缺水与季节性缺水的根本措施,还是需要兴建一批控制性水利工程;加大大河流域开发,实施长距离引水工程建设,是新疆社会经济发展和生态环境保护所必须实行的发展战略。

4.充分考虑生态环境用水问题

目前,新疆生态环境用水全面紧张,几乎没有保障。其后果是生态环境更加脆弱,在局部地区生态环境问题日益严重,到了非加以解决不可的地步,否则将出现不可逆转的生态环境灾难。在发展经济,大面积开垦土地的同时,要考虑到生态环境的水需求。通过夺取生态环境用水来发展国民经济的途径,从长远看是不可行的。对于地处干旱区的新疆来说,贯彻可持续发展战略的一个核心问题是适度保证生态环境用水,特别是自然生态用水,以实现国民经济与生态环境保护协调发展。

(五)水价管理

21世纪水资源管理的一个重要方面是水价管理,目前不合理的水价管理体系是阻碍水资源基础产业深化改革的重大因素。不合理的水价,导致了宏观层次上的资产流失,效益难以体现,水利部门层次上的建设和经营难以持续,用户层次上的水资源严重浪费。水价改革,首先要明确目标水价,由水资源的所有权、水资源开发利用成本、市场供需关系、用户的承受能力来确定;其次是制定收费体制,健全收费管理机制。

水费收入是水利工程管理单位的主要经费来源,是保证水利工程再生产所需资金的根本途径。国家已制定《水利工程水费标准核算规程》和《水利工程水费核定、计收和管理办法》。经核算,新疆农业灌溉单方水成本平均为 $4\sim5$ 分/m^3(不包括农民投资、投料折资和集资部分的固定资产折旧),昌吉州和巴州已率先按此成本进行了水费的征收,获得了很大的效益,水利工程面貌得到了很大改观,抗灾能力得到了提高。同时,用水户的商品意识和节水意识也得到了进一步加强。

四、进一步研究建议

(一)水资源供需平衡模型分析

尽管采用了水资源供需平衡模型对全疆范围的水资源系统,进行了充分的模拟计算和分析,以充分研究水资源合理配置问题,但由于时间和资金的限制,对计算中产生的大量数据未能进行更加认真细致的分析,致使未能充分展示出模型计算的大量有用成果。另外,对水资源系统所进行的概化,完全可以反映宏观层次上的水资源利用与供需平衡关系。如若进行具体流域或区域的水资源平衡分析,以确定更加细致的水利工程运行策略和系统水量分配原则,实现水资源的合理配置,应继续进行对系统的详细描述和水资源供需平衡计算,以获得更加扎实的结果。模型在设计上考虑的水资源问题较为充分,能够解决一般的水资源系统需要解决的问题;模型运行良好,在解决具体流域或区域的水资源问题时,其工作量主要产生在基础数据的分析整理上。新疆国土面积辽阔、水资源及生态环境问题复杂,在经济发展的大好时期,更应该注重资源的合理配置问题,使得在经济发展的同时,能够全面协调经济、社会、资源和环境相互之间的关系,实现良性循环和可持续发展的目标。

(二)生态需水与国民经济需水的关系

生态需水量,是在生态环境保护原则下通过生态耗水机理的分析计算而来的,其成果是本专题重大成果之一。但是,由于国民经济需水和生态需水的分析计算自成体系,在一定范围内存在着重复计算。生态系统中的人工生态系统耗水的大部分为国民经济用水,如林木灌溉用水、草场灌溉用水、城市园林绿地用水等。而且,由于概念上存在差异,同时又缺少有效的资料支持,两者的数量关系尚未完全界定清楚,需要通过进一步的工作加以甄别,形成一个完整完善的生产(工业和农业)、生活(城市生活和农村生活)、生态(人工生态和天然生态)需水分类的基本概念和计算方法,从而可为在更加广泛的地区,制定一套在可持续发展观念下的合理的水资源需求分析预测方法奠定理论基础。此项工作具有重大意义。

(三)生态环境变化分析

近半个世纪以来,由于人类活动的影响,新疆乃至整个西北干旱地区生态环境的迅速变化,不仅对经济发展产生严重的影响,而且也极大地威胁到人类自身的生存。研究生态环境特征在不同时点上的变化,寻找其影响因素,同时对其变化提出客观评价、合理预测和解决措施,将对新疆在未来的经济发展,特别是作为今后 50 年中国解决粮食问题的重要后备资源,有着极为深远的现实意义。

(四)水价机制理论与应用

对新疆十分敏感的问题,如水价、水利管理机制和水利管理体制等问题,由于时间较短和资料收集困难,未能开展深入分析,但它却对新疆水利建设至关重要,需进一步加强研究。

(五)干旱地区的水资源管理

水资源及其利用的评价指标体系和评价模型的建立,尚处于探索阶段,需要进行更进一步的理论和方法上的提高。对于水资源利用分析中,地表水和地下水开发利用方式,对绿洲生态环境的影响,还处于定性描述阶段,未能建立起一个地表水、地下水、经济发展、生态环境变化相互作用的概念性模型,从而无法较精确地反映 40 多年来新疆水利建设与经济发展、生态环境之间的内在量化联系,指导新疆流域的进一步开发。

(六)水生态平衡分析

水资源系统中的水量平衡、水质平衡(或称水盐平衡)和水生态平衡,是反映水资源系统内各种因素相互影响、相互转化、相互制约的三大平衡定量关系。一般而言,水量平衡关系经过长期研究,方法和手段基本完备,能够通过分析计算给出一定的结果。水质平衡近几年有所发展,特别在西北地区进行了较为充分的研究,取得了一定的成绩。考虑生态环境需水的水生态平衡刚刚起步,基本概念尚无统一认识,定量分析计算尚存在较大的困难。而三个平衡关系之间的影响、转化和制约的定量描述,则更加复杂。但是,随着经济的发展和人口的增长,资源与环境问题日益严重,研究水资源系统在经济社会、资源与环境的作用和定量的转化关系,是在可持续发展观念下的必然结果。

参 考 文 献

1 李令跃,甘泓.试论水资源合理配置和承载能力概念与可持续发展之间的关系.水科学进展,1999(3)

2 王浩,杨小柳.中国水资源态势分析与预测.见:中国农业水危机对策研究.北京:中国农业科技出版社,1998

3 韩素华,甘泓,李令跃,汪党献.宏观经济水资源规划管理决策支持系统设计.见:管理信息系统研究新进展——第十三届全国管理信息系统学术年会论文集.北京:机械工业出版社,1998

4 邓楠.可持续发展:人类关怀未来.见:中国可持续发展研究会1997年学术年会论文集.哈尔滨:黑龙江教育出版社,1998

5 黄思铭,欧晓星,杨树华等.刚性约束—生态综合评价考核指标体系研究.北京:科学出版社,1998

6 E. Turban, J. Aronson. Decision Support Systems and Intelligent System. Prentice Hall, 1998

7 冯尚友,刘国全.水资源持续利用的框架.水科学进展,1997(12)

8 许新宜,王浩,甘泓等.华北地区宏观经济水资源规划理论与方法.郑州:黄河水利出版社,1997

9 甘泓.水利工程供水能力分析计算方法的研究.中国水利水电科学研究院学报,1997(2)

10 张坤民等.可持续发展论.北京:中国环境科学出版社,1997

11 孙占山,方美琪,陈禹.决策支持系统及其应用.南京:南京大学出版社,1997

12 李昭原,罗晓沛等.数据库技术新进展.北京:清华大学出版社,1997

13 United Nations. Guidelines on Water and Sustainable Development: Principles and Policy Options. Water Resources Series, 1997

14 高洪深.决策支持系统(DSS)理论、方法、案例.北京:清华大学出版社,1996

15 陈家琦,王浩.水资源学概论.北京:中国水利水电出版社,1996

16 新疆水文水资源局.乌鲁木齐市城市水资源精确测验与评价研究.乌鲁木齐:新疆科技卫生出版社,1996

17 樊自立.新疆土地开发对生态与环境的影响及对策研究.北京:气象出版社,1996

18 新疆维吾尔自治区专家顾问团.迈向二十一世纪的发展思路.乌鲁木齐:新疆科技卫生出版社,1996

19 甘泓,韩素华,王浩.数据驱动的一般水资源系统优化模拟模型.水资源大系统优化规划与优化调度经验汇编.北京:中国科学技术出版社,1995

20 甘泓,黄守信.地表水资源系统供水能力的分析计算.见:水资源大系统优化规划与优化调度经验汇编.北京:中国科学技术出版社,1995

21 李令跃,王浩.多目标群决策方法及应用.见:水资源大系统优化规划与优化调度经验汇编.北京:中国科学技术出版社,1995

22 汪党献.投入产出分析方法在水资源规划中的应用.见:水资源大系统优化规划与优化调度经验汇编.北京:中国科学技术出版社,1995

23 尹明万,张志乐,丁民等.基于宏观经济的供水工程经济分析新方法及其应用.见:水资源大系统优化规划与优化调度经验汇编.北京:中国科学技术出版社,1995

24 翁文斌,王浩等.求解多目标模拟交互的切比雪夫方法的原理和应用.系统工程理论与实践,1995(9)

25 翁文斌,王浩等.宏观经济水资源规划多目标决策分析方法研究及应用.水利学报,1995(2)

26 翁文斌,王浩等.基于宏观经济的区域水资源多目标集成系统.水科学进展,1995(2)

27 翁文斌,王浩等.宏观经济水资源规划决策分析方法.水利规划,1995(2)

28 中国科学院新疆地理研究所.干旱区资源环境与绿洲研究.北京:科学出版社,1995

29 程春明等.城市环境质量综合评价指标体系研究之一.见:综合评价指标体系总报告.中国环境监测,1995(2)

30 中国自然资源丛书编辑委员会.中国自然资源丛书.北京:中国环境科学出版社,1995

31 黄梯云.管理信息系统.北京:电子工业出版社,1995

32 Weng Wenbin,Cai Ximing,Wang Zongjing et al. Intelligent Multiple Objective Decision Analysis of Macroeconomic Based Water Resources Planning. Advances in Hydro-Science and Engineering,Vol. Ⅱ,1995

33 Shi Ruohua,Bargur Jone,Zhou Xiaoji et al. Industrial Structure Analysis in Regional Water Economy. Eleventh International Conference on Input-output Techniques,New Delhi,India,1995

34 Wang Hao,Weng Wenbin,Shi Huibin. Multi-Layer,Multi-Objective and Group Decision-Making Framework for Water Resources Planning. Advances in Hydro-Science and Engineering,Vol. Ⅱ,1995

35 Chen Beiyu,Meng Qingying. Development of a Water Resources Management Information System. Advances in Hydro-Science and Engineering,Vol. Ⅱ,1995

36 陈守煜.系统模糊决策理论与应用.大连:大连工学院出版社,1994

37 牛文元.持续发展导论.北京:科学出版社,1994

38 程声通,陈毓龄.环境系统分析.北京:高等教育出版社,1994

39 陈文伟.决策支持系统及其开发.北京:清华大学出版社;南宁:广西科学技术出版社,1994

40 金鉴明.绿色的危机——中国典型生态区生态破坏现状及其恢复利用研究论文集.北京:中国环境科学出版社,1994

41 叶锦昭,卢如秀.世界水资源概论.北京:科学出版社,1993

42 新疆维吾尔自治区水利厅.新疆灌溉.乌鲁木齐:新疆人民出版社,1993

43 孔德涌,史若华.黄海沿海经济区中韩两国经济合作研究.北京:中国科学技术出版社,1993

44 薛华成.管理信息系统.北京:清华大学出版社,1993

45 M. Munasinghe. Environmental Economics and Sustainable Development. World Bank Environment Paper No.3,1993

46 Zhang Zezhen,Chen Zhikai,Chen Bingxin et al. Challenges and Opportunities for Water Resources Development of China in 21st Century. Water International,1992

47 《中国土地资源生产力及人口承载量研究》课题组.中国土地资源生产力及人口承载量研究.北京:中国人民大学出版社,1991

48 钱正英.中国水利.北京:水利电力出版社,1991

49 王华东.环境质量评价.天津:天津科学技术出版社,1991

50 张启德,王玉秀.中国辽宁省环境区划.北京:科学出版社,1991

51 向祥盛.新疆中低产田现状及其改造途径.新疆农业科技,1991(2)

52 刘晶珠.决策支持系统导论.哈尔滨:哈尔滨工业大学出版社,1990

53 P. Aarne Vesilind,J. Jeffery Peirce and Ruth F. Weiner. Environmental Pollution and Control. Butterworth-Heinemann,1990

54 中国科学院新疆资源开发综合考察队.新疆资源开发综合考察报告集.北京:科学出版社,1989

55 中国科学院新疆资源开发综合考察队.新疆生态环境研究.北京:科学出版社,1989

56 Ralph E. Steuer. Multiple Criteria Optimization:Theory,Computation and Application. Krieger Publishing Company,Malabar,Florida,1989

57 王延章.县区社会经济综合发展研究决策支持系统.大连:大连工学院出版社,1988

58 国家环境保护局自然保护处,城乡建设环境保护部南京环境科学研究所.农村生态系统研究国际学术讨论会论文集.北京:中国环境科学出版社,1987

后 记

　　根据国家"九五"科技攻关项目"西北地区水资源合理开发利用与生态环境保护研究(96-912)"中的专题"新疆经济发展与水资源合理配置及承载能力研究(96-912-02-01)"所取得的成果,在新疆自治区政府领导、水利部领导的直接关怀下,我们重新编著了这本书,希望通过此书,将我们在"九五"攻关专题研究中对新疆国民经济发展与我们作为水利工作者所从事的水资源建设事业,以及人类赖以生存的生态环境相互之间的关系进行系统和定量的描述,以达到使人们了解新疆水资源发展现状与未来、鼓舞人们建设美好新疆的信心,唤醒人们对生态环境保护的忧患意识的目的。多年水资源领域里的生产实践,以及两年多的深入研究工作,使我们对新疆水资源的发展有了一个基本认识,特别是水资源对国民经济的反馈作用、对新疆生态环境的保障作用,也是我们对水资源本身内涵与外延认识的提高与升华。当然,无论我们取得何种成果,都是在广大水利工作者多年辛勤劳动与无私奉献的基础上进行的,没有这些人的大量前期工作,我们的任何成果都是不可能取得的。我们只不过是站在巨人肩膀上的矮子,所取得的一切成果除了我们自身的努力外,都是和工作在水利战线的前辈、同事,广大热爱水利、关心水利事业建设与发展的人士,以及他们卓有成效的工作分不开的。

　　我们由衷地感谢水利部原副总工程师徐乾清院士和中国水科院陈志恺院士,他们自始至终给予本专题具体的技术指导,在百忙当中抽出时间,将本专题作为他们在处理众多工作中极为重要的内容认真对待,并亲赴新疆进行实地考察和与地方专家及课题组人员共同研究解决难点,使专题始终能够沿着正确的方向进行,并在研究成果上有所突破。

　　新疆水利厅原总工程师唐其钊教授、原副厅长陈树林研究员、原副总工程师赵鸿斌、新疆水利勘测设计院于海鸣院长也是本专题最直接的指导者,凭借他们长期在新疆的工作经历和对新疆水利建设事业的了解与贡献,从为专题研究制定研究方向、任务和目的,到提出许多具体的切实可行的建议,都给予了极大的指导和帮助。

　　中国科学院石玉林院士、北京师范大学刘昌明院士多年从事新疆经济发展和水利建设的研究,他们从宏观的角度,以渊博的学识、丰富的经验对本专题研究给予了许多宝贵的意见和建议,使我们在研究思路上有所拓宽,研究方法上有所提高,研究成果上有所突破。

　　新疆自治区政府农牧处汤国斌处长,谢斌副处长,自治区计委李洪波处长、马少华处长等,对新疆各行业经济发展的过去与现状了如指掌,对新疆经济未来发展方向最有发言权,因此,他们积极主动地参与,对本专题在正确估计未来经济发展方面起着非常重要的作用。

　　新疆生产建设兵团水利局、新疆塔里木河流域管理局等部门的领导、专家是新疆水利战线上的老兵,也是最有权威的专家,从水利发展的角度对本专题提出了许多切实可行的意见和建议,发挥了他们的作用。

　　新疆水文水资源局原局长安鸿志、原总工程师张国威、总工程师凯色尔,在进行全疆范围的水资源分析计算中投入了大量的精力,为准确分析水文数据任劳任怨、勤勤恳恳,在资金极为困难的条件下,仍能圆满完成水文分析计算及水资源评价工作,并取得了一定的突破,充分体现了我国水文工作者对待水文事业无私奉献的精神。

水利部国际合作与科学技术司司长董哲仁、处长陈小兵、处长陈霁巍,新疆自治区科委处长孙浩,水科院计划处处长朱耀泉、副处长邓湘汉、工程师殷芳,在组织管理实施本专题工作中付出了极大的心血,不仅对项目的推动起到了积极的作用,而且由于组织管理得当,专题进展也极为顺利。

水利部南水北调规划设计管理局副局长许新宜教授、水利部规划设计总院副总工程师李原园教授,在项目的立项和本专题前期工作中都投入了很大精力,为本专题的顺利实施奠定了良好的基础。

中国水利水电科学院原院长梁瑞驹教授、院长高季章教授对本专题的参与是最直接的,他们随时随地地指导和帮助,甚至直接与研究人员进行广泛而深入的研究与探讨,使专题研究得以在极短的时间内顺利而高质量的完成。

中国科学院新疆生态与地理研究所原所长宋郁东研究员、副所长韩德麟研究员、樊自立院士、陈嘻副所长等,也为本专题的实施付出了极大的努力。

中国水科院水资源研究所陈蓓玉、秦大庸、张云辉、雷晓辉等,新疆水利水电规划设计管理局杨新成、郭春红、赵晓平等,在本专题的研究中同样付出了辛勤的劳动与汗水。

新疆水利建设事业的发展和中国西部经济的发展密不可分,随着国家对西部经济的高度重视、随着西部发展战略规划的制定,新疆水利建设事业必将有一个突飞猛进的进展,任何关心新疆、热爱新疆的有识之士,必会在这一事业中大展宏图,让我们共同携手,建设美好的新疆。

编　者

2002 年 6 月